강력한
중앙대 인문계 논술 기출문제

저자 소개

저자 김근현은 현재 탁트인 교육, 일으킨 바람, 에듀코어 대표이다.
前 메가스터디 온라인에서 대입 논술과 면접, 자기소개서, 학생부종합 등 다양한 동영상 강의를 하였다.
현재는 학습 프로그램 개발 및 연구 활동을 통해 교육의 발전을 고민하고 있다.
홍익대학교에서 졸업하고 동대학원에서 석사를 마쳤다. 또한 연세대학교 교육경영최고위자 과정을 마쳤으며 연세대학교 교육대학원에서 평생교육 경영을 공부하고 있다.

강력한 중앙대 인문계 논술 기출 문제 [2025학년도 개정판]

발　행 | 2023년 07월 10일
개정판 | 2024년 6월 10일
저　자 | 김근현
펴낸이 | 김근현
펴낸곳 | 일으킨 바람
출판사등록 | 2018.11.12.(제2018-000186호)
주　소 | 경기도 고양시 일산서구 하이파크 3로 61 409동 1503호
전　화 | 031-713-7925
이메일 | illeukinbaram@gmail.com

ISBN | 979-11-93208-55-7

www.iluekinbaram.com

강력한

중앙대 인문계

논술 기출문제

김 근 현 지음

차례

머리말

 책을 쓰기 위해 책상에 앉으면 아쉬움과 안타까움, 나의 게으름에 늘 한숨을 먼저 쉰다.

왜 지금 쓸까?
왜 지금에서야 이 내용을 쓸까?
왜 지금까지 뭐했니?
스스로 자책을 한다.

또 애절함도 함께 느낀다.
시험이 코앞에서야 급한 마음에 달려오는
수험생들에게 왜 미리 제대로 준비된 걸 챙겨주지 못했을까?
그렇게 하루, 한 달, 일 년 그렇게 몇 해가 지나 이제야 조금 마음의 짐을 내려놓는다.

입에 단내 가득하도록 학생들에게 강의를 했고,
코앞에 다가온 연속된 수험생의 긴장감을 함께하다보면
그렇게 바쁘게 초조하게 지냈던 것 같다.

그렇게 함께했던 시간을 알기에
부족하겠지만
부디 이 책으로 수험생들이 부족한 일부를 채울 수 있고,
한 걸음이라도 희망하는 꿈을 향해 다갈 수 있길 간절히 바래 본다.

김 근 현

I. 중앙대학교 논술 전형 분석

1. 논술 전형 분석

1) 전형 요소별 반영 비율

구분	논술	학생부	총 비율
일괄합산	70%	30%(교과 20% + 비교과(출결) 10%)	100%

※ 교과: 석차등급 상위 5개 과목 반영

※ 비교과(출결): 미인정 결석 1일 이하이면 만점

2) 내신 반영 방법

● 논술전형 석차등급 환산점수표

석차등급	1	2	3	4	5	6	7	8	9
환산점수	10.00	9.96	9.92	9.88	9.84	9.80	9.60	8.00	4.00

① 석차등급별 환산점수 상위 5개 과목 선택

② 석차등급 환산점수 평균 산출

$$석차등급\ 환산\ 평균점수(논술) = \frac{\Sigma(상위\ 5개\ 석차등급\ 환산점수)}{반영\ 과목\ 수}$$ (소수 5번째 자리에서 반올림)

③ 교과영역 환산점수:

   앞 ②의 '석차등급 환산 평균점수(논술)' × 20 = 교과영역 환산점수

3) 수능 최저학력 기준

캠퍼스	계열	모집단위	영역별 기준		탐구영역 반영 방법	공통
서울	인문	전체	국어, 수학, 영어, 사/과탐	3개 영역 등급 합 6 이내	상위 1과목 반영	한국사 4등급 자연 이내

※ 영어 등급 반영 시 1등급과 2등급을 통합하여 1등급으로 간주하여 수능최저학력기준 충족여부를 산정

※ 제2외국어와 한문은 반영하지 않음

4) 2023학년도 (논술우수자전형) 결과

(1) 논술성적 분석

구분	지원		합격	
	평균	표준편차	평균	표준편차
인문사회계열	70.28	7.42	79.28	2.37
경영경제계열	73.91	10.98	84.50	1.59

(2) 교과 성적 분석

구분	지원자		합격자	
	평균	표준편차	평균	표준편차
인문사회계열	3.1	1.2	2.5	1.1
경영경제계열	2.9	1.2	2.3	1.0

(3) 단과대별 지원 경쟁률

논술유형	모집인원	지원인원	최초경쟁률	실질경쟁률	추가합격률
인문사회	130	10,519	80.92:1	15.84:1	25.4%
경영경제	89	5,110	57.42:1	13.04:1	12.4%

(4) 논술 전형 합격자 교과등급 평균 및 논술성적 평균

캠퍼스	단과대학	모집단위		논술		
				전과목	상위5	성적
서울	인문대학	국어국문학과		3.2	1.6	82.1
		영어영문학과		4.1	2.3	79.4
		유럽문화학부	독일어문학	3.9	2.7	79.3
			프랑스어문학	4.2	3.0	77.0
			러시아어문학	4.2	2.5	76.9
		아시아문화학부	일본어문학	4.9	3.9	79.6
			중국어문학	4.2	2.8	80.0
		철학과		4.8	3.5	78.2
		역사학과		3.9	2.4	78.8
서울	사회과학대학	정치국제학과		4.6	2.9	79.1
		공공인재학부		4.1	2.5	80.9
		심리학과		3.8	2.4	81.4
		문헌정보학과		4.1	2.5	80.6
		사회복지학부		4.0	2.3	75.9
		미디어커뮤니케이션학부		3.7	2.3	81.1
		사회학과		4.1	2.4	81.8
		도시계획·부동산학과		3.7	2.2	77.5
서울	사범대학	교육학과		3.2	1.6	75.3
		유아교육과		-	-	-

캠퍼스	단과대학	모집단위		최초경쟁률	실질경쟁률	충원율
		영어교육과		4.0	2.4	78.4
서울	경영경제대학	경영학부(경영학)		4.0	2.3	84.9
		경영학부(글로벌금융)		3.2	1.6	81.6
		경제학부		3.7	2.1	84.5
		응용통계학과		4.3	2.4	84.6
		광고홍보학과		3.8	2.1	84.3
		국제물류학과		4.5	3.2	83.6
		산업보안학과(인문)		-	-	-
서울	적십자간호대학	간호학과(인문)		4.0	2.5	78.6

(5) 논술 전형 경쟁률 및 충원합격률

캠퍼스	단과대학	모집단위		논술		
				최초경쟁률	실질경쟁률	충원율
서울	인문대학	국어국문학과		70.3	11.8	33.3
		영어영문학과		81.1	19.3	30
		유럽문화학부	독일어문학	76.8	12.8	0
			프랑스어문학	62	10.5	0
			러시아어문학	83.3	10.8	75
		아시아문화학부	일본어문학	71.5	13.5	50
			중국어문학	65	10.5	25
		철학과		67	11.2	40
		역사학과		69	11.2	0
서울	사회과학대학	정치·국제학과		99.7	20.7	16.7
		공공인재학부		94.6	20.4	12.5
		심리학과		75.8	15.5	0.0
		문헌정보학과		75.5	13.0	16.7
		사회복지학부		86.6	20.3	100.0
		미디어커뮤니케이션학부		84.2	17.6	0.0
		사회학과		98.6	22.7	6.7
		도시계획·부동산학과		107.2	20.8	88.9
서울	사범대학	교육학과		64	10	50
		유아교육과		-	-	-
		영어교육과		67.1	15	14
서울	경영경제대학	경영학부	경영학	58.6	13.6	17.5
			글로벌금융	53.8	11.2	0.0
		경제학부		52.1	12	9.1
		응용통계학과		64.3	14	0.0
		광고홍보학과		60.2	13	0.0
		국제물류학과		51.0	10	0.0
		산업보안학과	인문	-	-	-
서울	적십자간호대학	간호학과	인문	66.5	9.2	7.7

5) 2022학년도 (논술우수자전형) 결과

(1) 논술성적 분석

구분	지원		합격	
	평균	표준편차	평균	표준편차
인문사회계열	72.0	7.4	79.3	3.2
경영경제계열	68.6	10.3	80.4	2.8

● 합격자 논술 평균 인문사회 79.3점, 경영경제 80.4점, 자연(서울,의/약학부 제외) 73.6점
● 경영경제, 자연계열 논술 수리문항의 고득점이 중요

(2) 교과 성적 분석

구분	지원자		합격자	
	평균	표준편차	평균	표준편차
인문사회계열	3.5	1.3	2.5	1.0
경영경제계열	3.3	1.2	2.7	1.0

(3) 단과대별 지원 경쟁률

논술유형	모집인원	지원인원	최초경쟁률	실질경쟁률	추가합격률
인문사회	174	8,374	48.1	5.0	25.3%
경영경제	144	6,170	42.8	6.0	17.4%

(4) 논술 전형 합격자 교과등급 평균 및 논술성적 평균

캠퍼스	단과대학	모집단위		논술		
				전과목	상위10	성적
서울	인문대학	국어국문학과		3.8	2.5	84.4
		영어영문학과		3.6	2.3	78.6
		유럽문화학부	독일어문학	5.0	3.7	77.4
			프랑스어문학	4.1	2.8	80.7
			러시아어문학	2.8	1.7	82.5
		아시아문화학부	일본어문학	4.0	3.1	76.6
			중국어문학	4.6	3.6	77.8
		철학과		4.0	2.6	78.3
		역사학과		3.9	2.6	77.7
서울	사회과학대학	정치국제학과		3.7	2.6	78.6
		공공인재학부		4.3	2.8	78.4
		심리학과		3.6	2.3	78.6
		문헌정보학과		3.2	2.1	79.2
		사회복지학부		3.5	2.5	77.6
		미디어커뮤니케이션학부		3.7	2.8	82.7
		사회학과		3.2	2.1	79.2
		도시계획·부동산학과		3.9	2.6	78.9

캠퍼스	단과대학	모집단위				
서울	사범대학	교육학과		4.0	2.6	82.5
		유아교육과		3.2	2.1	82.5
		영어교육과		3.5	2.4	83.1
서울	경영경제대학	경영학부(경영학)		3.6	2.6	80.1
		경영학부(글로벌금융)		3.4	2.3	76.3
		경제학부		3.9	2.7	83.0
		응용통계학과		4.2	3.0	78.3
		광고홍보학과		3.9	2.8	79.9
		국제물류학과		4.0	2.7	81.2
		산업보안학과(인문)		3.5	2.5	80.5
서울	적십자간호대학	간호학과(인문)		3.8	2.7	76.4

(5) 논술 전형 경쟁률 및 충원합격률

캠퍼스	단과대학	모집단위		논술		
				최초 경쟁률	실질 경쟁률	충원율
서울	인문대학	국어국문학과		46.1	4.9	12.5
		영어영문학과		48.1	6.3	35.3
		유럽문화학부	독일어문학	37.0	3.4	0.0
			프랑스어문학	39.5	3.7	0.0
			러시아어문학	34.4	1.6	20.0
		아시아문화학부	일본어문학	33.4	2.2	20.0
			중국어문학	31.2	2.4	20.0
		철학과		41.7	4.5	33.3
		역사학과		44.0	5.0	16.7
서울	사회과학대학	정치·국제학과		58.1	6.6	66.7
		공공인재학부		56.8	8.4	0.0
		심리학과		60.9	6.1	45.5
		문헌정보학과		41.0	3.4	28.6
		사회복지학부		39.7	3.5	41.7
		미디어커뮤니케이션학부		125.8	14.2	20.0
		사회학과		51.8	6.2	20.0
		도시계획·부동산학과		51.1	5.2	10.0
서울	사범대학	교육학과		41.0	4.5	0.0
		유아교육과		30.5	2.6	25.0
		영어교육과		34.5	4.9	50.0
서울	경영경제대학	경영학부	경영학	49.4	7.4	12.5
			글로벌금융	34.7	5.4	14.3
		경제학부		36.1	4.7	6.7
		응용통계학과		34.7	3.5	10.0
		광고홍보학과		38.7	4.8	60.0
		국제물류학과		34.4	4.4	40.0
		산업보안학과	인문	41.2	5.2	40.0
서울	적십자간호대학	간호학과	인문	56.1	3.8	20.0

6) 2021학년도 (논술우수자전형) 결과

(1) 논술성적 분석

구분	지원		합격	
	평균	표준편차	평균	표준편차
인문사회계열	66.3	7.0	74.9	3.1
경영경제계열	71.3	8.7	80.7	3.7

(2) 교과 성적 분석

구분	지원자		합격자	
	평균	표준편차	평균	표준편차
인문사회계열	3.5	1.3	2.7	1.2
경영경제계열	3.4	1.3	2.6	1.1

(3) 단과대별 지원 경쟁률

논술유형	모집인원	지원인원	최초경쟁률	실질경쟁률	추가합격률
인문사회	190	9,024	47.5	9.9	20%
경영경제	216	8,025	37.2	11.3	14%

(4) 논술 전형 합격자 교과등급 평균 및 논술성적 평균

캠퍼스	단과대학	모집단위		논술		
				전과목	상위10	성적
서울	인문대학	국어국문학과		3.6	2.3	75.3
		영어영문학과		3.7	2.6	74.6
		유럽문화학부	독일어문학	4.0	3.0	76.7
			프랑스어문학	5.0	3.9	67.9
			러시아어문학	3.9	2.6	76.2
		아시아문화학부	일본어문학	3.4	2.3	76.5
			중국어문학	4.5	3.2	75.7
		철학과		5.1	3.8	78.3
		역사학과		3.6	2.2	79.1
서울	사회과학대학	정치국제학과		3.9	2.5	76.6
		공공인재학부		3.9	2.7	72.7
		심리학과		4.0	2.7	77.1
		문헌정보학과		3.7	2.7	71.4
		사회복지학부		4.1	3.0	73.6
		미디어커뮤니케이션학부		3.8	2.7	73.2
		사회학과		3.7	2.5	72.7
		도시계획·부동산학과		3.9	2.8	73.8
서울	사범대학	교육학과		3.6	2.4	67.6
		유아교육과		3.9	2.7	74.5
		영어교육과		4.0	3.0	77.2
서울	경영경제대학	경영학부(경영학)		4.0	2.8	82.2

		경영학부(글로벌금융)	4.3	3.1	80.2
		경제학부	3.9	2.7	74.8
		응용통계학과	3.6	2.4	80.8
		광고홍보학과	4.1	3.0	80.2
		국제물류학과	3.9	2.5	72.0
		산업보안학과(인문)	4.5	3.5	81.3
서울	적십자간호대학	간호학과(인문)	4.3	3.2	76.0

(5) 논술 전형 경쟁률 및 충원합격률

캠퍼스	단과대학	모집단위		논술		
				최초 경쟁률	실질 경쟁률	충원율
서울	인문대학	국어국문학과		44.3	9.6	63%
		영어영문학과		46.4	10.9	47%
		유럽문화학부	독일어문학	37.4	5.8	0%
			프랑스어문학	43.7	7.8	17%
			러시아어문학	38.2	9.0	0%
		아시아문화학부	일본어문학	40.0	6.6	0%
			중국어문학	41.6	9.6	20%
		철학과		38.2	6.7	17%
		역사학과		48.2	8.5	0%
서울	사회과학대학	정치·국제학과		54.6	12.8	33%
		공공인재학부		53.2	12.8	21%
		심리학과		57.4	11.8	0%
		문헌정보학과		37.3	7.7	0%
		사회복지학부		44.1	8.3	17%
		미디어커뮤니케이션학부		77.6	16.2	23%
		사회학과		49.4	11.0	10%
		도시계획·부동산학과		45.7	9.9	20%
서울	사범대학	교육학과		43.2	8.4	40%
		유아교육과		37.0	6.6	40%
		영어교육과		35.4	8.8	38%
서울	경영경제대학	경영학부	경영학	37.9	12.2	18%
			글로벌금융	33.1	8.4	29%
		경제학부		35.3	10.8	0%
		응용통계학과		38.0	11.5	10%
		광고홍보학과		37.5	9.6	0%
		국제물류학과		33.6	7.6	0%
		산업보안학과	인문	42.8	10.2	20%
서울	적십자간호대학	간호학과	인문	42.1	7.4	5%

2. 논술 분석

1) 출제 구분 : 계열 구분

2) 출제 유형 :

논술유형	모집단위	출제유형
인문사회	인문대학, 사회과학대학, 사범대학, 간호학과(인문)	언어논술(3문항)
경영경제	경영경제대학 인문계열 모집단위 전체	언어논술(2문항), **수리논술(1문항)**

3) 출제 방향 :

● 고등학교 교육과정의 내용과 수준에 맞추어 출제
● 대학에서의 수학에 필요한 사고력과 쓰기 능력 측정에 중점을 둔 출제

4) 출제 범위

논술유형	출제유형	교과	과목명
인문사회 / 경영경제	언어논술	국어교과	국어, 화법과 작문, 문학, 독서, 언어와 매체
		사회교과	통합사회, 한국지리, 세계지리, 세계사, 동아시아사, 경제, 정치와법, 사회·문화, 생활과윤리, 윤리와사상
경영경제	수리논술	수학교과	수학, 수학Ⅰ, 수학Ⅱ, 확률과 통계

3. 출제 문항 수

● 언어논술(3문항) : 인문대학, 사회과학대학, 사범대학, 간호학과(인문)
● 언어논술(2문항), 수리논술(1문항) : 경영경제대학 인문계열 모집단위 전체

4. 시험 시간

· **120분**

5. 답안 작성시 유의사항

1. 문제지는 표지를 제외하고 모두 6페이지로 구성되어 있습니다.
2. 연습지가 필요한 경우 문제지의 여백을 이용하시오.
3. 답안지의 수험 번호 표기란에는 반드시 '수정이 불가한' 흑색 필기구로 표기하고, 답안은 흑색 필기구를 사용하여 작성하시오.
4. 답안은 원고지 작성법에 따라 작성하시오(숫자, 수식, 표 등은 예외).
5. 주어진 답안 작성 분량을 지키고(띄어쓰기 포함) 답안지는 한 장만 사용하시오.
6. 답안을 작성할 때 답과 관련된 내용 이외에 어떤 것도 쓰지 마시오.

7. 제시문 속의 문장을 그대로 옮겨 쓰지 마시오.

8. 시험 종료 30분 전부터 답안지 교체는 불가합니다.

9. 휴대폰 등 전자기기는 전원을 끄고 가방에 넣어 바닥에 내려놓으시오. 시험 중 휴대폰(전자기기 포함)이 울리면 부정행위로 간주하고 즉시 퇴실 조치합니다.

※ 지정 구역을 벗어난 답안은 채점이 불가능함.

※ 수정액, 수정테이프 절대 사용 불가함.

6. 논술 작성 요령 및 유의점

● 답안지의 수험 번호 표기란은 컴퓨터용 수성 사인펜으로, 답안은 **흑색 필기구**로 작성해야 해요. **수정액, 수정테이프의 사용은 금지**되어 있습니다.

● **답안지는 한 장만** 사용해야 하므로 주어진 답안 작성 분량(띄어쓰기 포함)을 지키세요. **지정 구역을 벗어난 답안은 채점이 불가능합니다.**

● 답안은 원고지 작성법에 따라 작성해야 해요(단, 숫자, 수식, 표 등은 예외). 그렇지 않으면 감점을 받게 됩니다. 답안의 글자 수 제한이 있으니 문단은 나누지 마세요.

● 연습지가 필요한 경우 문제지의 여백을 이용하고, 답안지에는 답과 관련된 내용 이외에는 어떤 것도 적지 마세요.

● 제시문 속의 문장을 그대로 옮겨 쓰면 감점을 받게 됩니다.

● 시험 종료 30분 전부터는 답안지 교체가 허용되지 않아요.

II. 기출문제 분석

1. 출제 경향

기출 연도	교과목	질문 및 주제
2024학년도 수시 논술 [인문사회]	국어, 문학	자아성찰, 타자 이해, 과정 점검하여 읽기, 작품에 담긴 사회문화적 가치 평가하기, 주체적 수용
	국어, 독서, 생활과 윤리	사회적 상호작용으로서 읽기, 문제해결을 위한 읽기, 과정 점검하여 읽기, 작품에 담긴 사회문화적 가치 평가하기
	독서, 생활과 윤리	사실적 읽기, 비판적 읽기, 책임윤리, 매체 윤리
2024학년도 수시 논술 [경영경제]	문학	문학의 인식적·윤리적 미적 기능, 작품의 공감적·비판적·창의적 수용, 문학의 가치(자아 성찰, 타자 이해, 소통)
	독서, 문학, 화법과 작문	고정관념, 평균대푯값, 독서의 발견, 추론적 읽기, 비판적 읽기
	확률과 통계	독립, 이항분포, 정규분포, 표준정규분포
2023학년도 수시 논술 [인문사회]	국어, 독서, 문학	고민의 내용, 새로운 인식, 자기반성, 향수, 존재의 결핍, 성장
	문학, 독서, 윤리와 사상, 생활과 윤리	대화와 설득, 믿음과 사랑, 두려움에 기반한 통치, 존재의 의미, 저항, 역성혁명
	통합사회, 독서	자유주의적 정의관, 공동체주의, 공익과 사익의 조화
2023학년도 수시 논술 [경영경제]	국어, 문학	명칭, 호칭, 지칭, 맥락의 변화, 감정
	문학, 독서, 사회문화	관계, 나, 주체와 객체, 환대, 윤리의 주체, 자비, 사랑의 실천
	확률과 통계	확률변수와 확률의 분포, 이산확률변수의 기댓값
2022학년도 수시 논술 [인문사회Ⅰ]	국어, 문학	생각의 전환, 깨달음, 이치의 터득, 삶의 긍정, 섣부른 판단, 생명의 존엄함
	문학, 윤리와 사상, 생활과 윤리	칸트, 정언명령, 직업, 인간존중, 보편성
	윤리와 사상	쾌락, 평정심, 에피쿠로스, 쾌락의 역설
2022학년도 수시 논술 [인문사회Ⅱ]	문학	선물, 감정
	국어, 문학, 세계지리, 통합사회	역지사지, 편견, 왜곡된 가치관, 문화공존
	통합사회, 사회·문화, 세계사	문화 제국주의, 문화 상대주의, 세계화
2022학년도 수시 논술	국어, 독서	연결, 체계, 연쇄, 정통, 평가, 전문가, 전달 물질, 매개, 전달, 재배치, 화음, 공간, 자연스러움

기출 연도	교과목	질문 및 주제
[경영경제Ⅰ]	국어, 독서, 문학, 생활과 윤리, 윤리와 사상	마을, 누리소통망, 사회자본, 사회적 신뢰, 상호의존, 관용, 공존
	확률과 통계	확률변수와 확률분포, 이산 확률변수의 기댓값
2022학년도 수시 논술 [경영경제Ⅱ]	문학	선물, 감정
	국어, 세계지리, 통합사회, 문학	역지사지, 편견, 왜곡된 가치관, 문화공존
	확률과 통계	확률변수와 확률분포, 이산 확률변수의 기댓값
2021학년도 수시 논술 [인문사회Ⅰ]	국어, 독서	상대적 최적화, 교통 체증, 삶에 대한 후회, 땅의 근원, 이장, 가족 불화
	국어, 사회·문화, 생활과 윤리, 통합사회	관료제, 공직자 직업윤리, 공동체주의, 개인과 공동체 조화
	국어	땅의 의미, 갈등, 협상, 전략, 화해
2021학년도 수시 논술 [인문사회Ⅱ]	문학, 독서, 국어	정, 감정
	국어, 독서, 생활과 윤리, 윤리와 사상	정의(情誼), 다정한 사회, 의사소통적 이성, 사회적 감정, 공감
	윤리와 사상, 정치와 법, 통합사회	사회적인 감정, 공감, 죄형 법정주의, 정보화
2021학년도 수시 논술 [경영경제Ⅰ]	국어, 사회·문화, 문학	돌봄, 그리움, 연민, 관심, 문제 해결, 깨달음, 자생력, 관계, 정서, 안정, 통합, 친밀감
	문학, 독서, 국어, 윤리와 사상	돌봄, 기능, 감성 로봇, 인간 고유성, 감정, 성찰, 윤리
	확률과 통계	확률변수와 확률분포, 이산 확률변수의 기댓값
2021학년도 수시 논술 [경영경제Ⅱ]	문학, 독서, 국어	정, 감정
	국어, 독서, 생활과 윤리, 윤리와 사상	정의(情誼), 다정한 사회, 의사소통적 이성, 사회적 감정, 공감
	수학, 확률과통계	경우의수,확률의곱셈정리,이산확률변수의기댓값

2. 출제 의도

기출 연도	출제 의도
2024학년도 수시 논술 [인문사회]	1) 동일한 주제에 대한 다양한 제시문을 읽고 그 핵심 요지를 파악하는 독해력, 2) 제시문의 내적 요소들을 다양한 맥락에 비추어 해석함으로써 제시문의 논지를 밝히고 그 논지의 차이를 비교하고 종합하여 결론을 도출해 내는 논리적 사고력을 평가하는 데 있다. 주어진 네 제시문을 꼼꼼하게 읽음으로써 화자가 특정한 대상이나 상황의 비교를 통해 발견한 '차이점'과 이로인해 '깨달은 것'을 정확히 파악한 후, 이를 자신의 언어로 압축하여 단순 요약이 아닌 서론, 본론, 결론으로 구성된 '하나의 완성된 글로 논술하는 능력을 평가하고자 한다.
	1) 제시문을 정확하게 읽고 그 핵심 요지를 파악하는 독해력, 2) 제시문을 근거로 평가할 수 있는 비판능력, 3) 제시된 두 개의 글을 활용하여 목적에 맞게 재구성하여 활용하는 글쓰기 능력을 평가하는 데 있다. 이 문제에 답을 하기 위해서는 제시문 (마)의 논지를 정확하게 파악하여 (라)에 나타난 부탄 사람들의 '삶의 여유'를 글로 쓸 수 있어야 하고, 더불어 (바)와 (사)의 논지를 정확하게 파악하여, 이를 바탕으로 제시문 (라)에 언급된 '우리'에게 필요한 '삶의 자세'를 기술할 수 있어야 한다.
	1)오늘날 동네 편의점과 누리 소통망 속 가짜 뉴스가 급속하게 확산하게 된 이유가 각각 서비스 표준화와 이용자 맞춤형이라는 대조적인 전략에 있음을 주어진 제시문을 바탕으로 이해하고 이를 바탕으로 완결된 글을 쓸 수 있는 능력, 2) 뉴 미디어 시대에 우리 사회가 생산적 소비자로서 가짜 뉴스의 다양한 양상에 대처할 수 있는 세 가지 매체 윤리를 주어진 제시문에서 찾아 이를 토대로 완결된 글을 쓸 수 있는 능력을 평가하고자 한다.
2024학년도 수시 논술 [경영경제]	1) 동일한 주제에 대한 다양한 제시문을 읽고 그 핵심 요지를 파악 하는 독해력, 2) 제시문의 내적 요소들을 다양한 맥락에 비추어 해석함으로써 제시문의 논지를 밝히고 그 논지의 차이를 비교하고 종합하여 결론을 도출해 내는 논리적 사고력을 평가하는 데 있다. 주어진 네 제시문을 꼼꼼하게 읽음으로써 등장인물의 삶 전반에 드러난 난관 및 작품 속 음악의 역할을 정확히 파악한 후, 이를 자신의 언어로 압축하여 단순 요약이 아닌 서론, 본론, 결론으로 구성된 '하나의 완성된 글'로 논술하는 능력을 평가하고자 한다.
	1) 제시문을 정확하게 읽고 그 핵심 요지를 파악하는 독해력, 2) 특정 글의 논지에 근거하여 다른 글에서 문제점을 도출하는 비판적 사고력, 3) 서로 보완적인 관점들을 활용하여 특정한 목적을 위해 취해야 할 태도를 추론하는 능력을 평가하는 데 있다. 구체적으로 말하자면, 제시문 (마)와 (바)의 논리를 명확하게 분석하여, 이를 통해 제시문 (라)에서 나타난 고정관념에 대해 비판한 뒤, 제시문 (사)와 (아)의 요지를 파악하여, 이를 바탕으로 제시문 (라)의 등장인물에게 필요한 자세가 무엇인지 추론해야 한다.
	일상생활에서의 수많은 복잡한 상황들을 더 쉽고 잘 이해하기 위해서, 그 상황을 확률적 문제로 계량화하는 작업은 아주 중요하다. 특히, 상황에 따른 확률변수와 확률분포를 이해하는 과정은 확률적 상황 및 성질을 파악하

기출 연도	출제 의도
	기 위한 중요한 과정이다. 문제에서는 이항 분포와 정규분포의 성질을 이용하여 확률을 계산하고, 사건의 독립시행 조건을 이용하여 두 상황을 비교하는 능력을 평가한다.
2023학년도 수시 논술 [인문사회]	네 제시문을 고민이라는 키워드로 꼼꼼하게 읽음으로써 각각의 제시문이 "나'의 고민의 내용을 어떻게 보여주고 있는지 정확하게 이해한 후, 각 제시문에서 주인공이 '고민하는 내용' 및 이를 통해 얻은 '새로운 인식을 찾아 서술하고, 이를 결론에 자신의 언어로 압축하여 논술하는 능력을 평가하고자 한다.
	1) 마키아벨리의 군주론에 나타난 통치 윤리를 이해하는 능력과 이를 제시문에 비추어 해석, 비판하는 능력, 2) 통치 윤리의 윤리적인 측면을 도출해내는 분석력, 문제 해결 능력 및 통합적 사고력을 평가하는 데 있다. 제시문에 등장하는 군주의 통치 방식이 초래할 수 있는 문제를 분석하여 주어진 두 제시문을 읽고 통치 윤리의 논지를 통합적으로 고려하여, (마)의 군주의 통치 방식으로 초래될 수 있는 문제를 찾아내야 한다.
	1) 공유지의 비극이 초래된 상황과 그 기반이 된 자유주의적 관점을 이해하고 그 근본적 원인을 분석하는 능력과 주어진 제시문에서 근거를 찾고 이를 바탕으로 글을 일관되고 완결된 논리로 쓸 수 있는 능력, 2) 자유주의적 정의관과 공동체주의적 정의관의 상호 보완적 시각을 이해하고 공유지의 비극과 같은 문제를 해결할 수 있는 관점에 대해 완결된 글을 쓸 수 있는 능력을 평가하고자 한다.
2023학년도 수시 논술 [경영경제]	제시문을 '명칭/호칭/지칭' 이라는 키워드로 꼼꼼하게 읽음으로써 각각의 지문에 나타나는 명칭/호칭/지칭의 변화, 변화의 이유, 내재된 감정 등을 정확히 파악한 후, 이를 자신의 언어로 압축하여 단순 요약이 아닌 서론, 본론, 결론으로 구성된 '하나의 완성된 글'로 논술하는 능력을 평가하고자 한다.
	다른 사람과 관계 맺음 방식에서 기능적 관계 맺음과 온전한 주체로서의 관계 댓음을 구분하여 기능적 관계 맺음의 한계를 평가하고, 이를 넘어서 포용적 관계를 맺기 위해 타자의 존재 자체를 온전히 이해하는 윤리적 주체가 되는 자세와 타자를 사랑과 자비로 대하는 실천적 자세가 필요하다는 점을 추론해야 한다.
	일상 생활에서의 많은 복잡한 상황들을 쉽고 잘 이해하기 위해서, 그 상황을 확률적 문제로 계량화하는 작업은 중요하다. 특히 상황에 따라서 확률적 구조가 어떻게 변화하는지를 파악하는 것은 기업 및 개인의 의사 결정에서 중요한 역할을 한다. 본 문제에서는 상황의 변화에 따른 확률 구조를 파악하고 관련된 확률분포를 이용하여 기댓값을 계산하는 능력을 평가한다. 본 문제는 이산확률변수의 기댓값에 대한 이해도를 평가하며 난이도는 중하' 정도로 볼 수 있다.
2022학년도 수시 논술 [인문사회 I]	주어진 네 제시문을 '생각의 전환'이라는 키워드로 꼼꼼하게 읽음으로써 각각의 제시문이 생각의 전환을 어떻게 보여주고 있는지 정확하게 이해한 후, 각 제시문에서 주인공이 생각을 전환하는 '계기' 및 이를 통해 '깨달은 것'을 찾아 서술하고, 이를 결론에 자신의 언어로 압축하여 논술하는 능력을

기출 연도	출제 의도
	평가하고자 한다
	1) 칸트의 의무론적 윤리사상을 이해하는 능력과 이를 제시문에 비추어 해석, 비판하는 능력, 2) 직업의 윤리적인 측면을 도출해 내는 분석력, 문제 해결 능력 및 통합적 사고력을 평가하는데 있다. 이 문제에 답을 하기 위해서는 제시문에 등장하는 주인공에게 결여된 직업적 태도를 분석하여 주어진 두 제시문을 읽고 직업 윤리의 논지를 통합적으로 고려하여, 주인공이 지녀야 할 태도를 찾아내야 한다.
	1) 쾌락에 대한 추구 방식을 바라보는 두 개의 상반되는 관점을 이해하고 그 차이점을 비교 분석하는 능력과 주어진 제시문에서 근거를 찾고 이를 바탕으로 글을 일관되고 완결된 논리로 쓸 수 있는 능력, 2) 쾌락과 행복의 관계를 바라보는 두 개의 시각을 이해하고, 주어진 제시문에서 관련 근거를 찾아 이를 토대로 완결된 글을 쓸 수 있는 능력을 평가하고자 한다.
2022학년도 수시 논술 [인문사회Ⅱ]	주어진 네 제시문을 '선물'이라는 키워드로 꼼꼼하게 읽음으로써 각각의 지문에 직간접적으로 나타나는 선물을 주고받음의 유형과 특징 그리고 선물이 갖는 의미 등을 정확히 파악해야 한다. 이를 토대로 각 제시문에서 사람들이 선물을 주는 '이유'와 선물을 받은 이후, 선물을 받은 인물이 느끼는 감정의 변화를 파악한다. 이렇게 각 제시문에서 찾은 이유와 감정의 변화를 단순 요약하기보다는 자신의 언어로 요령 있게 압축하여 표현하는 능력, 말하자면 답안을 서론, 본론, 결론으로 구성된 '하나의 완성된 글'로 논술하는 논리적인 글쓰기 능력이 필요하다.
	사회발전에 있어 타인에 대한 '왜곡된 가치관 극복'의 중요성을 이해하고, 이를 바탕으로 왜곡된 가치관 극복 방법을 스스로 찾아 내는 문제 해결 능력을 평가하는 데 있다. 구체적으로 말하자면 아프리카 원주민에 대한 백인 우월주의자의 왜곡된 가치관에 대한 비판을 하기 위해 인간의 보편적 존엄성이라는 추상적, 윤리적 대전제를 파악해 내는 것이 첫 번째 단초이며, 이를 바탕으로 구체적인 경제교역 상황에 있어 선진국과 제3세계 간 공정하지 못한 노동 착취 구조를 비판하는 방식으로 통합적 이해하고 이러한 통합적 이해가 반영된 답안지 구성이 필요하다. 백인우월주의라는 왜곡된 가치관을 극복하기 위해서는 타인 공감의 방법인 역지사지가 필요하며, 이를 통하여 다른 문화의 고유성과 다양성을 존중할 수 있는 세계시민 공동체 의식 함양이 필요하다는 점을 파악하는 것이 본 문제의 출제의도이다. 종합적으로 보았을 때, 2번 문제 해결을 위해 서는, 다수의 지문을 통합적, 논리적으로 이해하는 통합적 사고력과 설득력 있는 대안 제시 능력이 중요하다.
	문화 제국주의는 서로 다른 문화 간 관계를 위계에 의한 종속관계로 파악하는 반면, 문화 상대주의는 이를 수평적으로 보기 때문에 다양한 문화 간 공존과 평화가 가능하다. 세계화의 양면성은 문화 제국주의와 문화 상대주의 모두에게 연관될 수 있는데, 부정적 측면은 문화 획일화를 통한 문화 제국주의와 긍정적 측면은 문화 다양성 증진을 통한 문화 상대주의로 귀결될 수 있다는 측면을 학생 스스로가 생각해 보도록 유도하는 것이, 이 문제의

기출 연도	출제 의도
	출제 방향이다.
2022학년도 수시 논술 [경영경제 I]	주어진 네 제시문을 '연결'이라는 키워드로 꼼꼼하게 읽음으로써 각각의 지문에 나타나는 연결의 대상, 유형, 특징, 의미 등을 정확히 파악한 후, 각 제시문에 나타난 연결이 되는 '방식'와 그 '결과'를 도출하여 이를 자신의 언어로 압축하여 단순 요약이 아닌 서론, 본론, 결론으로 구성된 '하나의 완성된 글'로 논술하는 능력을 평가하고자 한다.
	'마을 공동체'에서 일어날 수 있는 문제점을 집단과 집단과의 관계, 내부인과 외부인의 신뢰의 측면, 사회 전체의 통합력 측면을 나눠 도출할 수 있고, 상호의존적 관계와 포용적 관용을 연계하여 이를 근거로 '사회적 신뢰'를 높이기 위해 '공존과 관용'을 통합적으로 구성해내는 능력을 평가하는 데 있다.
	주어진 상황에서 확률변수가 가지는 값을 이해하고 관련된 확률을 이끌어내기 위한 능력은 중요하다. 특히, 반복된 실험에서 동일한 확률 구조를 가지지 않는 경우 확률 계산에서 이해력이 요구된다. 확률변수의 기댓값은 확률변수의 성질을 파악하기 위한 중요한 값이다. 본 문제에서는 이산확률변수 및 그 확률분포를 이용하여 기댓값을 계산하는 능력을 평가한다. 본 문제는 이산확률변수의 기댓값에 대한 이해도를 평가하며 난이도는 '중,하' 정도로 볼 수 있다.
2022학년도 수시 논술 [경영경제 II]	주어진 네 제시문을 '선물'이라는 키워드로 꼼꼼하게 읽음으로써 각각의 지문에 직간접적으로 나타나는 선물을 주고받음의 유형과 특징 그리고 선물이 갖는 의미 등을 정확히 파악해야 한다. 이를 토대로 각 제시문에서 사람들이 선물을 주는 '이유'와 선물을 받은 이후, 선물을 받은 인물이 느끼는 감정의 변화를 파악한다. 이렇게 각 제시문에서 찾은 이유와 감정의 변화를 단순 요약하기보다는 자신의 언어로 요령 있게 압축하여 표현하는 능력, 말하자면 답안을 서론, 본론, 결론으로 구성된 '하나의 완성된 글'로 논술하는 논리적인 글쓰기 능력이 필요하다.
	사회발전에 있어 타인에 대한 '왜곡된 가치관 극복'의 중요성을 이해하고, 이를 바탕으로 왜곡된 가치관 극복 방법을 스스로 찾아 내는 문제 해결 능력을 평가하는 데 있다. 구체적으로 말하자면 아프리카 원주민에 대한 백인 우월주의자의 왜곡된 가치관에 대한 비판을 하기 위해 인간의 보편적 존엄성이라는 추상적, 윤리적 대전제를 파악해 내는 것이 첫 번째 단초이며, 이를 바탕으로 구체적인 경제교역 상황에 있어 선진국과 제3세계 간 공정하지 못한 노동 착취 구조를 비판하는 방식으로 통합적 이해하고 이러한 통합적 이해가 반영된 답안지 구성이 필요하다. 백인우월주의라는 왜곡된 가치관을 극복하기 위해서는 타인 공감의 방법인 역지사지가 필요하며, 이를 통하여 다른 문화의 고유성과 다양성을 존중할 수 있는 세계시민 공동체 의식 함양이 필요하다는 점을 파악하는 것이다. 종합적으로 보았을 때, 2번 문제 해결을 위해서는, 다수의 지문을 통합적, 논리적으로 이해하는 통합적 사고력과 설득력 있는 대안 제시 능력이 중요하다.

기출 연도	출제 의도
	주어진 상황에서 확률변수가 가지는 값을 이해하고 관련된 확률을 이끌어 내기 위한 능력은 중요하다. 특히, 반복된 실험에서 동일한 확률 구조를 가지지 않는 경우 확률 계산에서 이해력이 요구된다. 확률변수의 기댓값은 확률변수의 성질을 파악하기 위한 중요한 값이다. 본 문제에서는 이산확률변수 및 그 확률분포를 이용하여 기댓값을 계산하는 능력을 평가한다. 문제는 이산확률변수의 기댓값에 대한 이해도를 평가하며 난이도는 '중, 하' 정도로 볼 수 있다.
2021학년도 수시 논술 [인문사회 I]	네 제시문을 '의사결정'이라는 키워드로 꼼꼼하게 읽음으로써 각각의 제시문이 의사소통에 관해 어떤 관점을 취하고 있는지를 정확하게 이해한 후, 각 제시문에서 특정한 상황에서 사람들이 의사결정을 하는 '이유'와 내려진 의사결정이 가져올 수 있는 다양한 '결과'를 찾아 서술하고, 이를 결론에 자신의 언어로 압축하여 논술하는 능력을 평가하고자 한다.
	1) 특정한 사회 조직의 관점에서 어떤 대상의 행동을 설명하는 입체적 분석력과 2) 공직자들이 지녀야 할 자세나 태도를 현대 사회에 적용해 논리적이고 통합적으로 유추하는 능력을 평가하는데 있다. 이 문제에 답을 하기 위해서는, 관료제 조직이 가지는 특징을 적용하여, 면장에게서 나타나는 공직자의 행동을 구체적으로 분석할 수 있어야 한다. 또한 주어진 두 제시문을 읽고 직업 윤리의 논지와 개인과 공동체의 관계에 대한 논지를 통합적으로 고려하여, 현대 사회에서 공직자가 지녀야 할 자세를 찾는 능력을 평가하는 데 있다.
	1) 문학 텍스트 속에 묘사된 어떤 상황이나 상태의 근본적인 원인을 찾아 비교하고 분석하는 능력과, 주어진 제시문을 통해 특정한 주제에 맞는 근거를 찾고 이를 바탕으로 자신의 주장을 뒷받침하는 글을 일관되고 완결된 논리로 쓸 수 있는 능력과 2) 의사결정이 필요한 상황에서 갈등이 발생했을 때 이러한 원인이 나타나는 근본적인 원인을 파악하고, 갈등문제를 해결할 수 있는 방안으로써의 대안을 찾는 과정에서 요구되는 협상태도와 전략의 의미를 학생 스스로가 생각해 보도록 유도하고자 한다.
2021학년도 수시 논술 [인문사회 II]	주어진 네 제시문을 '정'이라는 키워드로 꼼꼼하게 읽음으로써 각각의 지문에 직간접적으로 나타나는 정의 유형과 특징 그리고 정이 갖는 의미 등을 정확히 파악해야 한다. 이를 토대로 각 제시문에서 사람들이 사물, 자연, 사람 등에 정을 주는 '이유'와 그때 느끼는 감정들을 도출한다. 이렇게 각 제시문에서 찾은 이유와 감정들을 단순 요약하기보다는 자신의 언어로 요령 있게 압축하여 표현하는 능력, 말하자면 답안을 서론, 본론, 결론으로 구성된 '하나의 완성된 글'로 논술하는 논리적인 글쓰기 능력이 필요하다.
	사회발전에 있어 '정'의 중요성을 이해하고, 사회발전의 토대로 작용하는 정이 개인적 수준의 정의(情誼)에서 사회적 수준에서의 정의로 발전할 수 있는 방법을 스스로 찾아내는 문제 해결 능력을 평가하는 데 있다. 구체적으로 말하자면, 가족 사이에서 돈독하게 쌓여가는 정을 기본으로 다정한 사회가 만들어지는 것이 사회개조의 첫 번째 단초이며, 이러한 개인 간의 정의가 사회적 수준으로 확대되기 위해서는, 우선 사람 간 의사소통이 합리적인

기출 연도	출제 의도
	이성에 의해 진행되어야 한다. 의사소통적 이성이 있어야만 왜곡된 의사소통이 없어질 수 있으며, 합의에 이를 수 있는 길이 열리게 된다. 다정한 사회가 더 높은 수준의 사회로 발전하기 위해서는 이러한 이성적 접근에 더하여 감정의 측면이 통합적으로 고려되어야 한다. 즉 도덕적 실천의 기초가 되는 사회적 감정으로서 공감이 전제된 의사소통적 이성이 윤리적 기준으로 확립되어야 궁극적으로 우리 사회가 더욱 발전할 수 있다는 점을 파악하는 것이 본 문제의 출제 의도이다. 종합적으로 보았을 때, 2번 문제 해결을 위해서는, 다수의 지문을 통합적, 논리적으로 이해하는 통합적 사고력과 설득력 있는 대안 제시 능력이 중요하다.
	정보화 사회에서 새롭게 발생하는 다양한 문제점을 형식적 의미의 죄형 법정주의를 적용하여 그 한계를 찾아보고, 이 문제를 해결할 수 있는 실질적 의미의 죄형 법정주의를 실행하기 위해 필요한 윤리적인 측면을 학생 스스로가 생각해 보도록 유도하는 것이, 이 문제의 출제 방향이다.
2021학년도 수시 논술 [경영경제Ⅰ]	주어진 네 제시문을 '돌봄'이라는 키워드로 꼼꼼하게 읽음으로써 각각의 지문에 직간접적으로 나타나는 돌봄의 유형과 특징 그리고 돌봄이 갖는 의미 등을 정확히 파악한 후, 각 제시문에 나타난 돌봄의 '동기'와 그 '결과'를 도출하여 이를 자신의 언어로 압축하여 단순 요약이 아닌 서론, 본론, 결론으로 구성된 '하나의 완성된 문장'으로 논술하는 능력을 평가하고자 한다.
	감성 로봇의 돌봄을 기능적 차원에서 설명하고, 인간의 고유성을 설명하는 서로 다른 관점을 연계하여 중심 논지를 찾아내어 이를 근거로 돌봄 행위의 동기, 방식, 결과 측면에서 로봇의 돌봄 기능과 인간의 돌봄 행위의 차이점을 추론해 내는 능력을 평가하는 데 있다.
	다양한 상황에서 발생하는 확률적 사건과 이와 관련된 확률 및 기댓값의 개념은 논리적 사고 및 의사결정에서 중요한 부분이다. 문제는 기업의 수입 추론을 위해 위성사진으로 주차장에 주차된 차량 댓 수를 파악하여 예측하는 사례를 단순화한 간단한 확률 예제 문제이다. 본 문제는 이산확률변수와 기댓값에 대한 이해도를 평가하며 난이도는 중하 정도로 볼 수 있다.
2021학년도 수시 논술 [경영경제Ⅱ]	네 제시문을 '정'이라는 키워드로 꼼꼼하게 읽음으로써 각각의 지문에 직간접적으로 나타나는 정의 유형과 특징 그리고 정이 갖는 의미 등을 정확히 파악해야한다. 이를 토대로 각 제시문에서 사람들이 사물, 자연, 사람 등에 정을 주는 '이유'와 그때 느끼는 감정들을 도출한다. 이렇게 각 제시문에서 찾은 이유와 감정들을 단순 요약하기보다는 자신의 언어로 요령 있게 압축하여 표현하는 능력, 말하자면 답안을 서론, 본론, 결론으로 구성된 '하나의 완성된 글'로 논술하는 논리적인 글쓰기 능력이 필요하다.
	사회발전에 있어 '정'의 중요성을 이해하고, 사회발전의 토대로 작용하는 정이 개인적 수준의 정의(情誼)에서 사회적 수준에서의 정의로 발전할 수 있는 방법을 스스로 찾아내는 문제 해결 능력을 평가하는 데 있다. 구체적으로 말하자면, 가족 사이에서 돈독하게 쌓여가는 정을 기본으로 다정한 사회가 만들어지는 것이 사회개조의 첫 번째 단초이며, 이러한 개인 간의 정의가 사회적 수준으로 확대되기 위해서는, 우선 사람 간 의사소통이 합리적인

기출 연도	출제 의도
	이성에 의해 진행되어야 한다. 의사소통적 이성이 있어야만 왜곡된 의사소통이 없어질 수 있으며, 합의에 이를 수 있는 길이 열리게 된다. 다정한 사회가 더 높은 수준의 사회로 발전하기 위해서는 이러한 이성적 접근에 더하여 감정의 측면이 통합적으로 고려되어야 한다. 즉 도덕적 실천의 기초가 되는 사회적 감정으로서 공감이 전제된 의사소통적 이성이 윤리적 기준으로 확립되어야 궁극적으로 우리 사회가 더욱 발전할 수 있다는 점을 파악하는 것이 본 문제의 출제 의도이다. 종합적으로 보았을 때, 2번 문제 해결을 위해서는, 다수의 지문을 통합적, 논리적으로 이해하는 통합적 사고력과 설득력 있는 대안 제시 능력이 중요하다.
	다양한 상황에서 발생하는 확률적 사건과 이와 관련된 확률 및 기댓값의 개념은 논리적 사고 및 의사결정에서 중요한 부분이다. 본 문제는 조난 당한 관광객을 구출하러 가는 구조원의 경로 선택 문제를 확률과 관련시키고 경로 선택에 따르는 소요시간 문제를 기댓값 계산에 정확하게 반영할 수 있는지를 평가한다. 본 문제는 이산확률변수와 그 확률분포 및 기댓값에 대한 개념의 이해도를 평가하며 난이도는 중하 정도로 볼 수 있다.

III. 논술이란?

1. 논술이란?

1) 논술이란?

어떤 문제에 대해 자기 나름의 주장이나 견해를 내세운 다음, 여러 가지 근거를 제시하여 그 주장이나 견해가 옳음을 증명하는 글쓰기 활동을 말한다. 따라서 논술의 가장 기본적인 요소는 주장과 근거이다. 다시 말해 어떤 주제에 관해서 자신의 견해를 밝히고 자기 의견을 내세우는 글이 바로 논술이다. 때문에 논술은 특별히 논리적이어야 한다는 요구를 받게 된다. 왜냐하면 여러 가지 의견이 있을 수 있는 문제에 대해 자신의 의견을 세워 다른 사람을 설득하려면, 그 주장이 충분한 근거 위에서 논리적으로 개진될 때만 가능하기 때문이다.

2) 대한민국 논술고사는?

한국에서의 대학 입시 논술고사는 실제 교과 과정과 교과서가 기본이 되어 응용된 사고와 풀이 능력과 지식을 바탕으로 한다. 논술고사는 일반적을 비판적으로 글을 읽는 능력과 창의적으로 문제를 설정하고 해결하는 능력 그리고 논리적으로 서술하는 능력을 종합적으로 평가하는 시험이다. 비판적으로 글을 읽는다는 것은 능동적으로 자신의 관점에서 글을 읽는 것을 말하며, 창의적으로 문제를 설정하고 해결하는 능력이란 심층적이고 다각적으로 논제에 접근함으로써 독창적인 사고와 풀이를 이끌어낼 수 있는 능력을 말한다. 그리고 논리적 서술 능력은 글 구성 능력, 근거 설정 능력, 표현 능력 등을 포괄한다.

3) 인문계 논술? 그리고 그 변화

모든 글은 일반적으로 3가지 종류로 나뉘어진다. 시, 소설 등 문학 작품과 같은 글쓰기인 창작적 글쓰기(creative writing)와 설명문이나 해설문의 글쓰기는 해명적 글쓰기(expository writing), 그리고 논설문의 글쓰기인 비판적 글쓰기(critical writing)가 있다. 이 글쓰기 중 대한민국의 대학입시에서 시행되고 있는 인문계 논술은 창작적 글쓰기는 포함되지 않는다. 새로운 문학 작품을 쓰는게 아니라 제시문을 읽고 내용을 구체화시켜 잘 설명하는 설명문의 형태가 있고, 주어진 문제에 대해 생각하고 깊이있는 주장을 피력하는 비판적 글쓰기도 있다.

2. 논술의 기본 용어

1) 논제 : 논술의 문제를 의미한다.
   반드시 해결하고 접근하여야 할 논술 시험의 대상이다.
   (6) 중심 논제 : 채점할 때 가장 배점이 높으며, 핵심적으로 해결해야 할 논술의 문제
   (7) 세부 논제 : 큰 논제 속에 포함된 작은 문제, 각 단계별 채점의 기준이 되며 세부 채점 항목으로 필수 해결 항목이다.
2) 논거 : 논술에서 설명하고 주장하는 논리적인 근거 혹은 이유

3) 주장 : 수험생이 생각하고 채점자에게 알리고 싶은 생각
4) 제시문 : 보기 지문을 말한다.
    (8) 출제자가 논제 해결을 위해 보여주는 다양한 글
    (9) 각종 그래프, 도표, 그림 등
    자료가 정해져 있지는 않다. 하지만 고등학교 교과서를 가장 많이 인용하고, 고등학교 교과 과정으로 분석하고 판단할 수 있는 내용을 제시한다.
5) 개요 : 논제에 맞게 더 구체적으로는 세부 논제에 맞게 글의 진행 방향을 간략하게 정리하는 과정이다.

3. 논술의 명령어

논술고사 후 대학의 발표 자료를 보면 논술은 출제자의 의도에 부합하게 글을 써야 한다고 강조한다. 그런데 출제자의 의도를 파악하는 것은 자칫 상당히 모호하고 주관적인 것으로 판단하기 쉽다.

하지만 인문계 논술에서는 명령어가 한정되어 있다. 그 명령어들을 잘 익히고 의미를 파악한다면 훨씬 논술의 이해가 높아질 것이다. 또한 대학의 채점 기준에는 명령어의 요구 조건을 충족하는지를 평가한다. 그러므로 인문계 논술의 명령어는 수험생에게는 아주 기초적이지만 필수적이며 절대 잊지 말아야 할 중요한 핵심이다.

1) ~ 에 대해 논술하시오.
  ; 주장을 밝히고 근거를 제시한다.

2) ~ 에 대해 설명하시오.
  : 사실, 주장 등을 쉽게 풀어서 밝힌다.

> ● ~ 제시문 간의 관련성을 설명하시오.
> ● ~ 제시문의 논리적 타당성과 문제점을 설명하시오.
> ● ~ 제시문을 참고하여 주어진 자료의 특징을 설명하시오.
> ● ~ 제시문의 관점에서 왜 그런 현상이 생기는지 그 이유를 설명하시오.

3) ~ 의 비교하시오. 혹은 대조하시오.
  : 공통점과 차이점을 중심으로 설명한다.

> ● ~ 공통점과 차이점을 설명하시오.

4) ~ 을 분석하시오.
  : 주제를 구성요소로 나누고 각 부분의 의미와 상호관계를 밝힌다.

5) ~ 제시문과 주어진 자료를 참고하여 현상을 예측해 보시오.
  : 주어진 자료를 해석하고 자료로부터 얻을 수 있는 시간에 따른 변화나 자료의 발생 이유를 살핀다.

6) ~ 제시문의 문제점을 지적하고 그 문제점을 해결할 방법을 제시하시오.
  : 보통은 수학이나 과학의 역사에서 발생했던 여러 오류나 실험과정에서 나타난 문

제점을 가지고 있다. 또한 이론이나 실험, 학생의 실험보고서 등과 같이 확실한 오류가 있는 제시문을 주기도 한다. 분명히 문제점을 파악하여 답안에 서술하고 문제점이나 해결할 수 있는 방법 등을 명확히 하여야 한다.

> ● ~ 제시문의 관점에서 왜 그런 현상이 생기는지 그 원리를 설명하고 그런 현상을 예방할 수 있는 방안을 제시하시오.
> ● ~ 문제점을 지적하고 합리적 대안을 제안해 보시오.
> ● ~ 주어진 관점을 검증할 수 있는 방법을 논하시오.
> ● ~ 주어진 문제점을 해결할 수 있는 실험을 설계해 보시오.

7) 제시문의 관점에서 주장을 비판하시오.
: 어떤 주장의 타당성이나 가치 등을 평가한다.

4. 인문계 논술 글쓰기 유의사항
① 논제의 해결이 핵심이다. 출제자가 원하는 답을 써야 한다.
② 논제에 부합하는 글을 일관성 있게 써야 한다.
③ 한편의 글을 완성하여야 한다. 나열하거나 사례를 보여주는 것은 의미가 없다.
④ 제시문을 활용, 인용하는 것과 제시문을 그대로 옮겨 쓰는 것은 다르다. 적절하게 제시문의 내용을 사용하여 논제를 해결하여야 한다. 절대 제시문의 문장을 그대로 쓰면 안 된다. 금기사항이고 감점요인이다.
⑤ 부적절한 문장 즉, 비문을 만들지 말아야 한다. 주어와 서술어가 적절하게 있어 문장의 의미를 명확히 전달하여야 한다. 주어를 생략하거나 지시어를 과도하게 사용하면 문장의 의미가 모호해 진다.
⑥ 문장은 짧고 간결하게 써야 한다. 자신의 의견을 명확히 간결하고 효과적으로 밝혀야 한다.

5. 논술 확인 사항
① 시간의 제한이 시험이다. 논술 시험은 자유롭게 글을 쓴다고 생각하고 주어진 시간을 체크하지 않는 경우가 정말 많다. 대학별로 요구하는 시간에 알맞게 답안을 구성해야 한다.
② 문단의 구성, 맞춤법, 띄어쓰기 등을 무시하면 절대 안 된다. 글쓰기의 기본은 의미의 전달 과정임으로 효율적인 연습과 준비가 되어 있어야 한다.
③ 습관적으로 물어보는 의문문, 같이 할 것을 제안하는 청유형은 사용하지 않는 것이 좋다. 문법의 오류가 아니라 격을 떨어뜨리고 글을 단조롭고 어색한 글 전개가 될 가능성이 높다.
④ 500자 미만이면 서론에 해당하는 도입과정은 과감히 생략하고 바로 논점으로 들어간다.
⑤ 한국어에는 수동태가 없다. 그러나 워낙 영어 번역하며 많이 사용하다 보니 논술

답안에도 수험생들이 자주 사용한다. 문법에 맞는 효과적인 표현이 필요하다. 학생이 수험생이 대학의 논술 고사에 응시하고 답안지에 논술 답안을 쓰는 것이다. 대학의 논술 답안지가 수험생으로부터 답안으로 쓰여지는 것이 아니다.

⑥ 많은 수험생들은 착각을 한다. 논술을 멋진 글쓰기라고 생각해 감상적이거나 비유적인 표현도 많이 사용한다. 그런데 오히려 이러한 표현은 채점자가 수험생의 사고능력 파악이 힘들어지고, 오히려 논제 해결을 했는지 판단하는데 혼동을 준다. 또한 일상에서 사용하는 구어체도 사용하면 안 된다. 논술은 글쓰기에서 쓰는 조금 딱딱한 문어체를 사용하는 것이다.

⑦ 아무리 강조해도 글씨의 중요성은 지나치지 않을 것이다. 채점하는 교수님들의 한결같은 큰 애로점은 이해할 수 없는 학생의 글씨라고 한다. 글씨체를 갑자기 바꿀 수 없지만 타인이 알 수 있게 규칙적으로 줄을 맞춰 쓰고, 분량에 맞는 큰 글씨로, 흘려 쓰지 않는 정자체로 답안을 작성하여야 한다.

IV. 인문계 논술 실전

1. 각 대학별 논술 유의사항을 파악하라!

많은 대학에서 글자수 제한을 확인하여야 한다. 그래서 원고지 형이 많지만, 문항별 칸을 만들거나 밑줄 답안 형식도 있다. 논술 시험 시간은 각 대학별로 다양하다. 60분 즉, 한 시간을 시작으로 많게는 2시간까지 (120분)까지 다양하게 있다. 대학별로 준비해야 하는 중요한 이유이다. 답안을 작성하는 필기구도 다양하다. 연필(샤프펜)의 사용이 꾸준히 증가하지만 아직까지 검정색 볼펜이나 청색 볼펜으로 사용하는 학교도 많다. 주의할 것은 수정법이다. 수정은 학교에 따라 수정액, 수정테이프의 사용을 제한하는 경우도 있고 틀리면 두줄을 긋고 써야 하는 곳도 있다. 그러므로 각 대학별 특징을 파악하고, 미리 답안 작성 연습은 물론이고 작성할 때도 대학별로 금지하는 내용을 숙지하고 시험장에 가야 한다.

각 대학별 유의사항 사례

사례 1)

가. 답안은 한글로 작성하되, 글자수 제한은 없다.

나. 제목은 쓰지 말고 특별한 표시를 하지 말아야 한다.

다. 제시문 속의 문장을 그대로 쓰지 말아야 한다.

라. 반드시 본 대학교에서 지급한 필기구를 사용하여야 한다.

마. 수정할 부분이 있는 경우 수정도구를 사용하지 말고 원고지 교정법에 의하여 교정하여야 한다.

바. 본 대학교에서 지급한 필기구를 사용하지 않거나, 수정도구를 사용한 경우, 답안지에 특별한 표시를 한 경우, 또는 원고지의 일정분량 이상을 작성하지 않은 경우에는 감점 또는 0점 처리한다.

사례 2)

Ⅰ. 필요한 경우 한 개 또는 여러 개의 제시문을 선택하여 논의를 전개하고, 사용한 제시문은 꼭 참고문헌 형태로 표시하시오.

   예) …[제시문 1-4].

   예) …되며[제시문 2-4], …의 경우는 ~을 보여준다[제시문 2-1].

Ⅱ. [문제 1]부터 [문제 4]까지 문제 번호를 쓰고 순서대로 답하시오.

Ⅲ. 연필을 사용하지 말고, 흑색이나 청색 필기구를 사용하시오.

Ⅳ. 인적사항과 관련된 표현을 일절 쓰지 마시오.

Ⅴ. 문제당 배점은 동일함.

사례 3)

◇ 각 문제의 답안은 배부된 OMR 답안지에 표시된 문제지 번호에 맞춰 작성하시오.

◇ 각 문제마다 정해진 글자수(분량)는 띄어쓰기를 포함한 것이며, 정해진 분량에 미달하

거나 초과하면 감점 요인이 됩니다.
  ◇ 답안지의 수험번호는 반드시 컴퓨터용 수성 사인펜으로 표기하시오.
  ◇ 답안은 검정색 필기구로 작성하시오. (연필 사용 가능)
  ◇ 답안 수정시 원고지 교정법을 활용하시오. (수정 테이프 또는 연필지우개 사용 가능)
  ◇ 답안 내용 및 답안지 여백에는 성명, 수험번호 등 개인 신상과 관련된 어떤 내용, 불필
요한 기표하면 감점 처리됩니다.

사례 4)
  ◆ 답안 작성 시 유의사항 ◆
  □ 논술고사 시간은 90분이며, 답안의 자수 제한은 없습니다.
  □ 1번 문항의 답은 답안지 1면에 작성해야 하고, 2번 문항의 답은 답안지 2면에
작성해야 합니다. 1, 2번을 바꾸어 작성하는 경우 모두 '0점 처리'됩니다.
  □ 연습지는 별도로 제공하지 않습니다. 필요한 경우 문제지의 여백을 이용하시기
바랍니다.
  □ 답안은 검정색 또는 파란색 펜으로만 작성하며 연필, 샤프는 사용할 수 없습니다.
  □ 답안 수정은 수정할 부분에 두 줄로 긋거나 수정테이프(수정액은 사용 불가)를
사용해서 수정합니다.
  □ 답안지에는 답 이외에 아무 표시도 해서는 안 됩니다.
  □ 답안지 교체는 고사 시작 후 70분까지 가능하며, 그 이후는 교체가 불가합니다.

2. 제시문에 먼저 눈을 두지 말고 문제를 파악하라!!!

  대학별 고사인 논술의 어려운 점은 시간의 제한이 있는 글쓰기 시험이라는 것이다.
자유롭게 잘 쓸 수 있는 내용일지라도 시간의 제한이 있으면 얘기가 달라진다. 특히
지금과 같이 각 대학별로 다양하게 등장하는 시험에 익숙하지 않은 수험생에게는 더
큰 부담으로 작용을 한다.
  대학에서는 다양하게 제시문과 문제를 분포시킨다. 문제를 등장시키고 제시문이 등장
하는 경우, 그림과 도표, 그래프 등과 같이 자료를 제시하고 제시문과 문제를 함께 등
장시키는 경우, 제시문을 많이 등장시키고 마지막에 문제를 제시하는 경우 등... 이렇
듯 다양한 문제에 시간의 적절한 활용은 대학별 고사의 실전에서는 당락을 결정하는
중요 요소이다.
  이러한 실전적 논술에서 핵심은 바로 목적을 가지고 제시문의 읽기가 선행되어야 한
다. 글 읽기의 핵심은 문제를 통해 논제를 구체적으로 파악하고 그 논제에 부합하게
제시문을 분석하는 것이다.

  ① 문제를 먼저 확인하라!! - 제시문을 읽고 문제를 보면 다시 긴 제시문을 또 읽어 시간
을 낭비한다.
  ② 세부 논제 확인하라!! - 한 문제라도 그 문제 속에 다루는 논제는 여러 개가 될 수 있

다. 그 질문 내용을 파악하라. 그리고 요구한 논제에 맞게 글을 구성한다.
 ③ 전제적 요건 파악하라!! – 각 문제의 전제적 요건 및 글로 표현된 부연 설명 등이 중
요한 키워드가 될 수 있다.

V. 중앙대학교 기출
1. 2024학년도 중앙대 수시 논술 [인문사회]

※ 다음을 읽고 물음에 답하시오.

(가) 나와 같이 징역살이를 한 노인 목수 한 분이 있었습니다. 언젠가 그 노인이 내게 무얼 설명하면서 땅바닥에 집을 그렸습니다. 그 그림에서 내가 받은 충격은 잊을 수 없습니다. 집을 그리는 순서가 판이하였기 때문입니다. 지붕부터 그리는 나의 순서와는 거꾸로였습니다. 먼저 주춧돌을 그린 다음 기둥·도리*·들보·서까래·지붕의 순서로 그렸습니다. 그가 집을 그리는 순서는 집을 짓는 순서였습니다. 집을 지어본 적이 없는 나와 달리, 일하는 사람의 그림이었습니다. 세상에 지붕부터 지을 수 있는 집은 없습니다. 그럼에도 불구하고 지붕부터 그려 온 나의 무심함이 부끄러웠습니다. 나의 서가(書架)가 한꺼번에 무너지는 낭패감이었습니다.

나는 지금도 책을 읽다가 '건축'이라는 단어를 만나면 한동안 그 노인의 얼굴을 상기합니다. 교실과 공장, 종이와 망치, 이론과 실천……. 이러한 것들이 뒤바뀌어 있는 우리의 사고(思考)를 다시 한번 반성케 합니다.

만일 당신이 사회의 현장에 있다면 당신은 당신의 살아 있는 발로 서 있는 것입니다. 당신의 발로 당신의 삶을 지탱하고 있는 한 언젠가는 넓은 길, 넓은 바다를 만나리라고 믿고 있습니다. 주춧돌에서부터 집을 그리는 사람들의 견고한 믿음입니다.

*도리: 서까래를 받치기 위하여 기둥 뒤에 건너지르는 나무.

(나) 여기 마흔을 넘긴 한 남자의 초상화가 있다. 그것도 자기 얼굴을 자신이 직접 그린 그림이다. 이는 공재 윤두서(1668~1715)의 자화상이다. 이분의 눈매는 상당히 매서워 첫인상만으로도 보는 이를 압도한다. 활활 타오르는 듯한 수염은 내면 깊은 곳으로부터 기(氣)를 발산하는 듯하다.

윤두서의 '자화상'은 우리나라 초상화 가운데서 최고의 걸작, 불후의 명작이라고 일컬어지며 국보 제240호로 지정되어 있다. 인물은 정면상이다. 그러므로 정확한 좌우 대칭을 이룬다. 얼굴은 단순한 타원형이며 이목구비가 매우 단정하다. 얼굴 전체에서 바깥으로 뻗어 난 수염이 표정을 화면 위로 떠오르게 한다. 더하여 새까만 탕건 끝이 부드러운 곡선을 이루며 휘어져 있어 머리 전체의 부피감을 표현해 준다. 그런데 극사실로 그려진 이 작품 속의 인물은 놀랍게도 귀가 없다. 목과 상체도 없다. 마치 두 줄기 긴 수염만이 기둥인 양 양쪽에서 머리를 떠받들고 있는 것처럼 보인다.

1995년 가을, 국립 박물관에서 개최 예정인 '단원 김홍도전'을 준비하면서 백방으로 관련 자료를 찾던 바쁜 와중에 뜻밖에도 58년 전 윤두서 '자화상' 그림을 찍은 옛 사진을 발견하게 되었다. 그것은 1937년 조선사 편수회에서 편집하고 조선 총독부가 발행한 책 속에 들어 있었다. 옛 사진 속의 윤두서의 모습은 지금과는 크게 달랐다. 그의 몸 부분이 선명하게 그려져 있었던 것이다. 현 상태에서 몸 없이 얼굴만 따로 떠 있는, 거의 충격적이라고 부를 만큼 지나치게 강하고 날카롭기만 한 '자화상' 속

윤두서의 생김새는 훨씬 어질어 보이는 얼굴에 침착하고 단아한 분위기를 띠고 있었다. 윤두서는 옛 사진 속에서 도포를 입고 있었다. 단정하게 여민 옷깃과 정돈된 옷주름 선은 완만한 굴곡을 갖는 고르고 기품 있는 선으로 이루어졌다.

원래 있었던 윤두서 '자화상' 사진 속의 상반신 윤곽선이 그 후 어떻게 해서 감쪽같이 없어졌을까? 비밀은 몸이 유탄(柳炭)으로 그려진 데에 있었다. 유탄이란 요즘의 스케치 연필에 해당하는 것으로 버드나무 가지로 만든 가는 숯이다. 이것은 화면에 달라붙는 점착력이 약해서 쉽게 지워진다. 그래서 소묘하다가 수정하기에 편리하므로 통상 밑그림을 잡을 때 사용한다. 그런데 '자화상'의 경우, 주요 부분인 얼굴부터 먹선을 올려 정착시키고 몸체는 우선 유탄으로만 형태를 잡는 과정에서 그 몸에 미처 먹선을 올리지 않은 상태로 전해 오다가 언젠가 그 부분이 지워져 버린 것이다.

이제 지금껏 조선 초상화의 최고 걸작이며 파격적인 구도를 가진 완성작이라고 생각되어 온 '자화상'은 미완성작임이 확인되었다. 하지만 미완성작임이 드러났다고 해서 실망할 것은 없다. 작품의 예술성도 미완성이라고는 절대 말할 수 없기 때문이다. '자화상'은 미완성작이지만, 오히려 그 덕분에 마지막 손질이 더해지지 않은, 작가 자신에 대한 심오한 상념이 전개되는 과정, 그리고 생생한 자기 성찰의 흔적을 그대로 보여 준다는 것을 알 수 있었다.

(다) 밭 바로 옆에는 우물이나 수도가 없다. 조금 걸어가야 그 마을 사람들에게 농수를 공급하는 수로가 있는데, 호스나 관으로 연결하기에는 거리가 제법 된다. 또 그러기에는 작은 밭에 너무 수선스러운 일인 것 같아 그냥 물을 한 통 한 통 길어다 주었다. 푸성귀들을 키우는 것은 물이 아니라 농부의 발소리라는 말이 그냥 나온 게 아닌가 보다. 우리 밭을 흡족하게 적시려면 수로까지 적어도 열 번은 왕복을 해야 하니 그것도 만만치 않은 노릇이었다.

물통을 들고 걸을 때마다 생각나는 사람이 있다. 우리 집에서 가까운 텃밭을 일구시는 어떤 할아버지인데, 물을 주러 가시는 모습을 몇 번 본 적이 있다. 그 할아버지는 몸 반쪽이 마비되어 걷는 게 그리 자유롭지 못하다. 성한 한쪽 팔로 물통을 들고 걸어가시는 모습은 거의 몸부림에 가까우면서도 이상한 평화 같은 것을 느끼게 한다. 절뚝절뚝 몸이 심하게 흔들릴 때마다 물은 찰랑거리면서 그의 낡은 바지를 적시고 길 위에 쏟아져, 결국 반 통도 채 남지 않게 된다. 그렇게 몇 번씩 오가는 걸 나는 때로는 끌 듯이 지나가는 발소리로 듣기도 하고, 때로는 마른 길 위에 휘청휘청 내고 간 젖은 길을 보고 알기도 한다.

그 젖은 길은 이내 말라 버리곤 했지만, 나는 그 길보다 더 아름답고 빛나는 길을 별로 보지 못했다. 그리고 어느 날부터인가 나 역시 그 밭의 채소들처럼 할아버지의 발소리를 기다리게 되었다. 반 통의 물을 잃어버린 그 발소리를.

물통을 나르다가 문득 이런 생각이 들곤 한다. 내가 열 번 오가야 할 것을 그 할아버지는 스무 번 오가야 할 것이지만, 내가 이 채소들을 키우는 일도 그 할아버지와 크게 다르지 않은 어떤 안간힘 때문은 아닐까. 몸에 피가 돌지 않는 것처럼 문득문득 마음 한쪽이 굳어져 가는 걸 느끼면서, 절뚝거리면서, 그러면서도 남은 반 통의 물을 살아 있는 것들에게 쏟아붓고 싶은 마음, 그런 게 아니었을까.

이 짤막한 이야기는 그렇게 밭을 가꾸는 동안 절뚝거리던 내 영혼의 발소리 같은 것이다. 감히 농사라고는 할 수 없지만, 자연과의 행복한 합일이라고도 부를 수 없지만, 그 어둠과 불구에 힘입어 푸른 것들을 만나러 가곤 했다. 그들에게 물을 주고 돌아오는 물통은 언제나 비어 있다.

(라) 부탄의 마을 치몽은 산으로 둘러싸인 분지로 외부와 완벽하게 격리된 곳이다. 마을이 생긴 이래 이곳을 찾은 외국인 관광객은 처음이다. 치몽은 한눈에 봐도 가난한 마을이다. 전기가 들어오지 않는 마을답게 변변한 세간도 없다. 사람들 옷차림도 남루하다. 그런데 얼굴 표정은 놀랄 만큼 밝다. 순해 보이고 잘 웃는다. 몸가짐은 부드러우면서 당당하다. 무엇보다 매 순간 몸과 마음을 다해 여행자들을 접대한다. 동네를 어슬렁거리기가 무서울 정도다. 활쏘기를 구경하려고 걸음을 멈추면 집으로 뛰어들어가 돗자리를 꺼내 오고, 집 앞을 지나다 인사라도 하면 바로 방창과 아라* 세례를 받아야 한다. 논두렁길을 걷다 보면 어린 소년이 뛰어와 옷 속에 품은 달걀을 수줍게 내민다. 이 동네 사람들은 행복해 보일 뿐만 아니라 여행자들을 행복하게 해 주기 위해서는 무엇이든 할 준비가 되어 있는 것 같았다. 가진 게 별로 없는데도 아무렇지 않아 보였으며 빈한한* 살림마저도 기꺼이 나누며 살아가는 듯했다.

치몽에서는 늘 몸을 바쁘게 움직여야만 한다. 집 바깥에 있는 화장실에 가기 위해서도, 공동 수돗가에서 물을 받기 위해서도 움직여야만 한다. 빨래는 당연히 손으로 해야 하고, 쌀도 키로 골라야 하며, 곡물은 맷돌을 돌려 갈아야 한다. 생활에 필요한 모든 것은 열심히 몸을 써야만 얻을 수 있다. 이 나라에서 삶은 그야말로 사는 것이다. 텔레비전으로 보고, 인터넷으로 검색하고, 카메라로 찍는 삶이 아니라 몸을 움직여 직접 만들고 경험하는 삶이다. 이곳에서는 시간이 다른 속도로 흐르는 것 같다. 사람들이 여유로워 보이고 별걱정이 없어 보인다. 그냥 평생 이대로 살아도 괜찮을 것 같다는 느긋함이 번져 온다.

실제로 우리는 일을 더 빨리 해 주거나 대신 해 주는 것들을 가졌는데도 늘 시간이 없다고 불평하며 살아간다. 하지만 기계가 아닌 몸을 써서 수많은 일을 해야만 하는 이 동네 사람들이 "바빠 죽겠다."거나, "시간이 없다."라고 말하는 것을 듣지 못했다. 과학 기술이 우리를 더욱 편하게 해 준 것이 맞을 수도 있지만 그 속에서 우리는 더 많은 것, 더 빠른 것, 더 큰 것, 더 좋은 것만을 바라며 늘 '현재'를 저당 잡혀 살고 있는지도 모른다. 우리는 늘 많이 가질수록 행복해진다고 믿어 왔다.

부탄에 머무른 스무 날 내내 부탄은 내게 묻는 것 같았다. 당신은 행복하냐고. 당신에게 행복은 어떤 의미냐고. 서른넷에 여행자의 삶으로 들어선 이후, 내 삶이 행복하다고, 감사할 일로 가득하다고 믿고 살아왔는데, 부탄은 더 깊이 캐묻는다. 여전히 욕심이 너무 많은 거 아니냐고. 행복해지기 위해서는 무엇이 필요할까. 이제 충분하다고 멈출 수 있는 마음. 나눌 줄 아는 마음도 행복의 조건이 아닐까.

*방창, 아라: 부탄의 전통주.
*빈한한(貧寒-): 살림이 가난하여 집안이 쓸쓸한.

(마) 근교로 놀러 가자는 친구의 말에 "여유가 없어."라고 쏘아붙이고 전화를 끊었다. 머리를 굴려 보면 나들이를 갈 수도 있을 듯했지만, 단칼에 거절하고 나니 정말로 여유가 없는 것 같았다. 달력을 넘겨 보고 휴대 전화 메모를 들여다보았다. 해야 할 일들이 있었지만, 오늘 하루 놀러 가지 못할 정도는 아니었다. 문득 여유가 없다고 말할 때의 여유는 단순히 시간적 여유가 아니란 생각이 들었다.

여유는 세 가지로 이야기할 수 있다. 먼저 물질적 여유와 시간적 여유가 있다. 이 두 가지 여유는 내가 현재 처해 있는 상황으로 규정된다. 통장 잔액을 확인할 때, 나도 모르게 자꾸 시계를 볼 때 우리가 하루에도 몇 번씩 살피는 여유 말이다. 이때는 여유의 기준이, 넉넉함을 측정할 수 있는 척도가 비교적 객관적인 편이다. 물질적 여유가 없어서 초밥 대신 김밥을 사 먹고 커피숍이 아닌 자판기 앞에 가야 할 때도 있다. 시간적 여유가 없어서 택시를 타거나 기다려 왔던 약속을 뒤로 미룰 수밖에 없을지도 모른다.

세 번째로 여유는 마음의 상태를 얘기하는 데 사용되기도 한다. 마음의 상태라고 지칭하긴 했지만 그 마음이 드러나는 표정, 태도, 행동 등을 통해 여유를 가늠할 수 있다. 마음에 여유가 없으면 어떤 일도 손에 잡히지 않는다. 사람을 만나는 것도, 어디에 놀러 가는 것도 특별한 이유가 없이 다 싫어진다. 반면, 여유가 있는 사람은 그 사람을 둘러싼 분위기에서부터 여유로움을 감지할 수 있다. 비단 물질적인 여유를 말하는 것이 아니다. 여유 있음은 낯선 사람에게 얼마나 열려 있는지, 상대의 말을 얼마나 열심히 귀담아듣는지, 출퇴근길 지하철에서 주위를 살피고 걷는지 등 대부분 태도에서 드러나게 마련이다. 음식을 내온 사람에게 건네는 미소나 상대방을 배려하는 말투에서도 여유는 묻어난다.

(바) [앞부분 줄거리] 파리 중심가에서 정신과 의사로 살아가는 꾸뻬 씨. 그는 마음의 병에 걸려 자신을 찾아오는 사람들이 어떤 치료를 해도 진정으로 행복해질 수 없으며, 자신 역시 행복하지 않음을 깨닫는다. 그는 진료실 문을 닫고, 행복이 무엇인지 알기 위한 여행을 떠난다. 그리고 긴 여행을 마무리하면서 여행 초반에 만났던 노승과 재회한다. 꾸뻬 씨는 자신이 찾은 행복에 대한 배움의 목록을 노트에 적어 노승에게 전해주며 이야기를 나눈다.

책상에 앉아 노승은 꾸뻬가 내민, 행복에 대한 배움의 목록을 읽어 내려갔다.

"당신은 정말로 마음공부를 훌륭히 해냈어요. 덧붙일 게 아무것도 없군요."

꾸뻬는 기뻤지만 동시에 약간 실망스럽기도 했다. 노승이 새로운 정보나 가르침, 아니면 행복에 대한 훌륭한 이론을 줄 거라고 기대했기 때문이었다.

노승은 미소를 지은 채 그를 다시 바라보았다. 그러고는 덧붙여 말했다.

"날씨가 참 좋습니다. 한 바퀴 걷고 옵시다."

바깥 풍경은 실로 경이로웠다. 산과 바다와 하늘이 동시에 보였다. 장엄한 초록으로 눈부신 날이었다. 그 풍경 속에는 바라보는 것만으로도 생각이 멎고 충만감이 느껴지는 절대적인 힘이 깃들어 있었다. 노승이 지금 원하는 건 꾸뻬와 어떤 지적인 대화를 하는 것이 아니라, 단지 말할 수 없이 아름다운 이 순간을 함께 나누는 것이라고 느꼈다.

이윽고 노승이 말했다.

"진정한 지혜는 이 풍경 속에서 한순간에 발견할 수도 있고, 아니면 언제까지나 깊이 감추어져 있을 수도 있습니다."

꾸뻬는 문득 깊이 감추어져 있는 그것을 자신이 지금 이 순간 보고 있다는 것을 깨달았다.

두 사람은 그렇게 사원 앞에 서서 구름과 태양과 바람이 한순간 산과 어울려 노니는 것을 조용히 바라보았다. 꾸뻬는 이것이 지금까지의 그 어떤 것보다 새로운 배움이라는 느낌이 들었다. 모든 생각을 멈추고 세상의 아름다움을 바라볼 시간을 갖는 것, 그것이 진정한 행복이라는 것을.

역시 노승다운 가르침이었다. 노승은 침묵 속에서 꾸뻬에게 아주 먼 옛날부터 있어온 하나의 진리를 전달하고 있었다. 그것은 행복에 대한 욕망이나 추구마저 잊어버리고 지금 이 순간과 하나가 되어 존재할 때 저절로 얻어지는 근원적인 행복감이었다. 이러한 행복은 자주 찾아오지 않지만, 무엇으로도 대신할 수 없으며, 세상에서 얻는 다른 모든 행복의 기본을 이루는 것이었다. 꾸뻬는 순간순간 터져 나오는 노승의 웃음이 바로 그 근원적인 행복에서 비롯되고 있음을 느꼈다.

(사) 영국 시인 테니슨과 일본 시인 바쇼의 시를 읽어 보자. 두 시인은 비슷한 경험, 즉 산책 중에 꽃을 본 자신의 반응을 표현하였다. 먼저 테니슨의 시를 보자.

갈라진 돌담에 핀 한 송이 꽃이여.
너를 틈 사이에서 뽑아
뿌리째 내 손에 들고 있네.
작은 꽃이여, 만일 너에 관한 것,
뿌리와 네 모든 것을 알 수 있다면,
그때 나는 신도 인간도 훤히 알 수 있으리라.

그리고 바쇼의 시를 옮기면 다음과 같다.

가만히 살펴보니
냉이꽃이 피어 있네.
울타리 밑에!

테니슨의 반응은 꽃을 소유하려는 것이다. 그는 꽃을 '뿌리째' 뽑아낸다. 그는 신과 인간의 본성에 대한 통찰을 얻기 위해 꽃의 본질을 놓고 지적 명상에 잠기지만, 꽃은 그 관심의 결과로 죽어 버린다. 그러나 바쇼의 반응은 아주 다르다. 그는 꽃을 뽑으려 하지 않는다. 그는 꽃에 손을 대지조차 않는다. 다만 가만히 살펴볼 뿐이다. 단순히 꽃을 볼 뿐만 아니라 그것과 하나가 된다. 꽃을 그대로 살려 두면서 자신을 꽃과 일치시킨다.

꽃에 대한 테니슨의 생각은 소유 양식에 해당한다. 뿌리째 뽑아 든 꽃은 물질의 소유가 아니라 지식의 소유를 암시한다. 반면에 꽃에 대한 바쇼의 생각은 존재 양식에 해당한다. 존재 양식이란 어떤 것을 소유하지 않고 또 소유하려고 갈망하지도 않으면서, 살아 있는 것을 즐거워하고 자기의 재능을 생산적으로 사용하며 세계와 하나가 되는 삶의 양식을 뜻한다.

자본주의 사회는 소유 지향적이므로 존재가 소유에 가려지기 쉽다. 무언가 소유하고 있는 사람들은 안정감을 느끼는 것 같지만 실상 필연적으로 불안정하다. 그들은 돈, 명성 등 자신이 가지고 있는 것, 즉 자신 외부의 어떤 것에 의존하고 있다. 만약 그들이 자기가 소유한 것을 잃어버리면 어떻게 되겠는가? 실제로 소유한 것은 잃어버릴 수도 있는 것이다. 당연히 사람은 자기 재산을 잃을 수 있으며, 지위, 친구 등도 마찬가지다.

그러나 존재 양식의 삶에는 자기가 소유하고 있는 것을 잃어버릴지도 모르는 위험에서 오는 걱정과 불안이 없다. 나는 '존재하는 나'이며, 내가 소유하고 있는 것이 내가 아니기 때문에, 아무도 나의 안정감과 주체성을 빼앗거나 위협할 수 없다. 소유는 사용함으로써 감소되는 반면, 존재는 실천 함으로써 성장한다.

(아) 예전에 동네 어귀마다 들어서 있던 구멍가게는 단순히 물건을 사고파는 장소가 아니라 사람들 사이에 사귐이 이루어지고 이런저런 소식이나 소문들이 퍼져 나가는 중심지였다. 그런데 언제부터인가 구멍가게가 자취를 감추기 시작했다. 이러한 가운데 동네마다 속속 들어선 소형 매장이 있으니 바로 24시간 편의점이다.

구멍가게의 경우 주인이 늘 지키고 앉아 있다가 들어오는 손님들을 맞이한다. 그러나 편의점의 경우 점원은 출입할 때 간단한 인사만 건넬 뿐 손님이 말을 걸기 전에는 입을 열지도 않을뿐더러 시선도 건네지 않는다. 그래서 특별히 살 물건이 없어도 부담 없이 매장을 둘러볼 수 있다. 편의점이 매력적인 것 가운데 하나는 점원이 '귀찮게' 굴지 않는다는 점이다. 그러므로 익명의 고객들이 대거 드나드는 편의점에 단골이 생기기는 매우 어려울 것이다.

편의점은 24시간 열어 놓고 있어야 하기에 주인들은 자기가 계산대를 지키기보다는 아르바이트 점원을 세우는 경우가 훨씬 많다. 그런데 흥미로운 점은 그 점원들이 고객을 대하는 태도나 방식이 어느 편의점이든 똑같고 표준화되어 있다는 것이다. 한 사회학자가 즉석 식품점을 분석하기 위해 설정한 '각본에 의한 고객과의 상호 작용', '예측 가능한 종업원의 행동' 등의 개념은 편의점에도 그대로 적용될 수 있다. 이 사회학자는 종업원들이 고객을 대하는 규칙이 매우 세밀하게 짜여 있고, 그 편안한 의례와 각본 때문에 손님들이 즉석 식품점에 매료된다고 보고 있다. 종업원이 누구든 그 외모, 말씨, 감정 등을 예측할 수 있기에 고객들은 편안하게 음식을 주문하고 구매할 수 있다. 깔끔한 인간관계 그 자체이다. 그리고 그러한 효율적인 소통이 짧은 시간에 많은 손님을 접대할 수 있도록 해 준다. 즉석 식품점의 그러한 속성을 편의점도 거의 그대로 지니고 있다.

(자) 가짜 뉴스의 정의에 대해서는 의견이 여러 갈래로 나뉜다. 언론사의 오보에서부터 인터넷상의 뜬소문까지, 가짜 뉴스라는 용어는 넓은 의미 영역 안에서 사용되고 있다. 이에 2017년 한국 언론 학회 주최로 열린 토론회에서는 가짜 뉴스를 '정치·경제적 이익을 위해 의도적으로 언론 보도의 형식을 하고 유포된 거짓 정보'라고 정의하였다. 뉴스가 범람하는 상황에서 바쁜 현대인들은 선택과 집중을 할 수밖에 없기 때문에 눈길을 끄는 뉴스가 잘 팔리는 뉴스가 된다. 그 결과 혐오나 선동과 같은 자극적인 요소를 담아 눈에 띄게 만든 가짜 뉴스가 판을 치게 된다.

누리 소통망(SNS)의 정보 처리 규칙도 혐오와 차별, 극단적 주장을 확대 재생산하는 데 기여했다. 이때 정보 처리 규칙은 이용자가 좋아하고 자주 보는 것 위주로 정보를 선별하여 보여 주는 방식을 통해 개인 맞춤형 뉴스를 제공한다. 문제는 이 과정에서 개인의 편견과 고정 관념 역시 강화된다는 점이다. 이른바 '필터 버블(Filter Bubble)' 현상이 일어나는 것이다. 필터 버블은 인터넷 검색 업체 (포털)와 누리 소통망 등이 이용자 맞춤형 정보를 제공하는 과정에서 이용자가 특정 정보만 편식하게 되는 현상을 말한다. 이 용어를 처음 사용한 엘리 프레이저는 자신의 누리 소통망 계정에 보수 성향의 글이 올라오지 않는 이유가 정보 통신 업체 측이 자신의 이용 내역을 분석하는 정보 처리 규칙으로 보수 성향의 정보들을 걸러 냈기 때문이라고 지적했다. 이처럼 개인 맞춤형 정보 처리 규칙이 정치·사회 분야의 뉴스와 만나게 되면 특정 정보 편식 현상이 극대화될 수도 있다.

(차) 뉴 미디어의 발달로 정보의 공급자와 소비자 간 경계가 허물어졌다. 즉 정보를 소비할 뿐만 아니라 직접 생산하고 유통하는 생산적 소비자(prosumer)의 시대, 또는 1인 미디어 시대가 가능해 진 것이다. 그렇다면 정보를 생산하고 동시에 유통, 소비하는 주체인 현대인에게 요구되는 매체 윤리에는 어떤 것이 있을까?

먼저 개인 정보를 신중하게 다루어야 한다. 뉴 미디어를 통한 개인 정보의 공개는 사람들의 알 권리를 충족시킬 수 있지만, 한편으로는 인격권의 침해로 이어질 수도 있다. 인격권이란 인간의 존엄성에 바탕을 둔 사적 권리로 인격적 이익을 기본 내용으로 하며 그 주체만이 행사할 수 있는 권리이다. 사람들의 알 권리와 개인의 인격권은 둘 다 기본적으로 우리에게 보장되어야 할 중요한 권리이다. 이러한 점을 인식하여 서로의 권리를 침해하지 않도록 개인 정보는 신중하게 다루어져야 한다.

또한 표현의 자유에는 한계가 있다는 것을 인식해야 한다. 뉴 미디어는 개인적인 생각을 자유롭게 표현할 수 있는 소통의 장이 될 수 있지만, 다수에게 영향을 끼칠 수 있는 공적인 영역이다. 따라서 뉴 미디어상에서의 표현의 자유는 타인의 권리를 침해하지 않고, 사회 질서 및 공공복리를 침해하지 않는 범위에서 허용되어야 한다.

나아가 매체 이해력(media literacy)을 갖추어야 한다. 매체 이해력이란 매체가 형성하는 현실을 비판적으로 읽어 내면서 매체를 제대로 사용하고 바람직하게 표현하는 능력을 말한다. 뉴 미디어가 만들어내는 정보 중에는 잘못된 정보도 포함되어 있다. 이러한 잘못된 정보를 무비판적으로 받아들이고, 이를 뉴 미디어상에 유포하면 광범위한 피해가 발생할 수 있다. 따라서 비판적 사고를 바탕으로 정보를 올바르게 이해하고 표현할 수 있어야 한다.

[문제 1] 제시문 (가)~(라)에는 특정한 대상이나 상황이 서로 비교되는 다양한 모습이 나타난다. 제시문 (가), (나), (다), (라)에서 화자가 비교를 통해 발견한 '차이점'과 이로 인해 '깨달은 것'을 각각 찾아 하나의 완성된 글로 논술하시오. [40점, 550-570자]

[문제 2] 제시문 (라)에 나타난 부탄 사람들의 '삶의 여유'를 제시문 (마)의 내용을 토대로 평가하고, 제시문 (라)에 언급된 '우리'에게 필요한 삶의 자세를 제시문 (바)와 (사)를 각각 고려하여 서술하시오. [40점, 550-570자]

[문제 3] 제시문 (아)의 편의점 서비스 공급자와 제시문 (자)의 누리 소통망(SNS)의 뉴스 공급자가 이용자를 대하는 '전략의 차이'를 기술하고, 제시문 (자)의 가짜 뉴스에 대처하기 위해 우리 사회에 필요한 것이 무엇인지 제시문 (차)를 토대로 서술하시오. [20점, 330-350자]

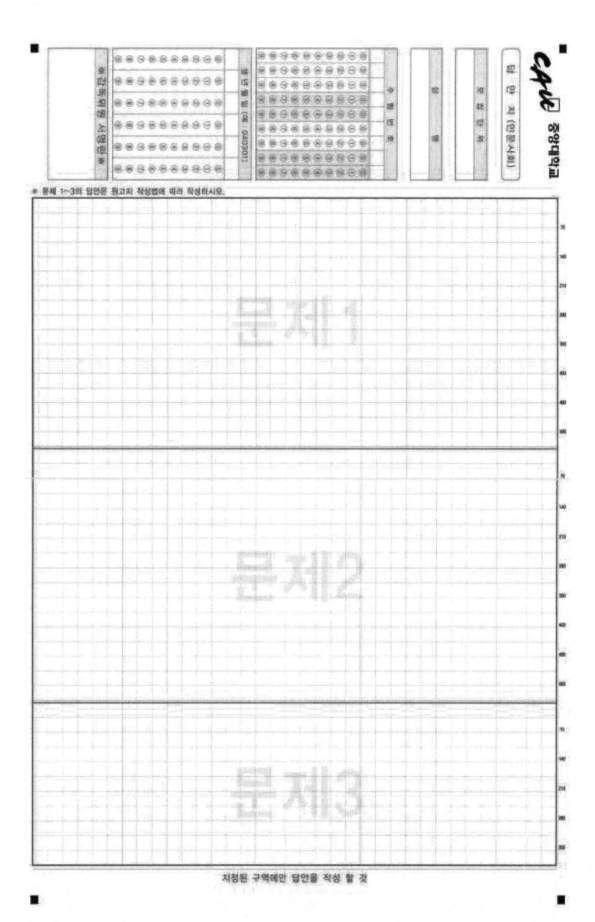

2. 2024학년도 중앙대 수시 논술 [경영경제]

※ 다음을 읽고 물음에 답하시오.

(가) 홍건적은 집을 불태우고 사람을 죽이고 가축을 잡아먹었다. 백성들은 이리저리 달아나 숨은 채 각자 자기 살기를 도모해야 하는 처지가 되었다. 이생도 가족들을 데리고 외진 산골로 숨었는데 도적 한 명이 칼을 빼 들고 그들의 뒤를 쫓아왔다. 이생은 달아나 겨우 목숨을 건졌지만 최 씨는 도적에게 사로잡히고 말았다. 도적이 자신을 겁탈하려 하자 최 씨는 크게 꾸짖으며 말하였다.

"나를 죽여 삼켜 버려라. 차라리 죽어 승냥이와 이리의 배 속에 들어갈지언정 어찌 개돼지 같은 놈의 짝이 되겠느냐."

도적은 노하여 최 씨를 죽였다. 이생은 거친 들판에 숨어서 겨우 목숨을 보전하다가 얼마 후 도적이 물러갔다는 소식을 듣고 부모님이 사시던 옛집을 찾아갔다. 그러나 집은 이미 전쟁 통에 불타 버린 후였다. 그래서 이번에는 최 씨의 집으로 가 보았더니 행랑채만 덩그러니 남아 황량한 가운데 쥐들이 찍찍대고 새들이 지저귀고 있었다. 그런데 회랑 끝에서 웬 발소리가 들려왔다. 발소리가 이생 앞에 이르렀을 때 보니 바로 최 씨였다. 이생은 그녀가 이미 죽은 것을 알고 있었지만 너무도 사랑하는 나머지 한 치의 의심도 없이 물었다.

"당신은 어디로 피란하여 목숨을 부지하였소?"

최 씨는 이생의 손을 잡고 한바탕 통곡하더니 그간의 사정을 이야기하기 시작했다. 그 뒤 이생은 벼슬을 구하지 않고 최 씨와 함께 살았다. 그는 항상 최 씨와 더불어 시를 지어 주고받으며 금실 좋게 행복한 시간을 보냈다. 그렇게 몇 년이 흘러갔다.

어느 날 저녁 최 씨가 이생에게 말했다.

"세상일은 뜻대로 되지 않고 어그러지기만 하네요. 즐거움이 다하기도 전에 갑자기 슬픈 이별이 닥쳐오니 말이에요."

"무슨 일로 그러시오?"

"저승길의 운수는 피할 수가 없답니다. 하느님께서 저와 당신의 연분이 아직 끝나지 않았고, 또 저희가 아무런 죄악도 저지르지 않았음을 아시고 이 몸을 환생시켜 당신과 지내며 잠시 시름을 잊게 해 주신 것이었어요. 그러나 인간 세상에 오랫동안 머물면서 산 사람을 미혹시킬 수는 없답니다."

최 씨는 시녀를 시켜 술을 올리게 하고는 노래를 부르면서 이생에게 술을 권하였다.

> 창과 방패가 눈에 가득한 싸움터
> 옥이 부서지고 꽃도 흩날리고 원앙도 짝을 잃네.
> 여기저기 흩어진 해골을 그 누가 묻어 주랴.
> 피에 젖어 떠도는 영혼 하소연할 곳 없어라.
> 무산 선녀*가 고당*에 한 번 내려온 후
> 깨졌던 거울이 다시 갈라지니 마음만 쓰려라.
> 이제 한번 이별하면 둘 사이 아득하니
> 하늘과 인간 사이에 소식마저 막히리라.

*무산 선녀: 중국 전설에 등장하는 아름다운 선녀.
*고당: 중국 동정호라는 호수에 있는 높은 누각.

(나) **[앞부분 줄거리]** 나는 학원에서 피아노를 배우고, 만둣집을 하는 엄마는 '나'에게 피아노를 사 준다. 고3 겨울방 학에 '나'의 집은 아빠가 선 빚보증 때문에 망하고, '나'는 그즈음 서울권 대학의 컴퓨터학과에 합격한다. '나'는 피아노와 함께 서울에 있는 언니의 반지하방에 도착하고, 그 모습을 못마땅해하는 집주인에게 피아노는 절대 치지 않겠다고 약속을 한다. 언니는 프랜차이즈 식당에서 일하며 새벽에는 학원에 가서 공부를 하고, '나'는 반지하에서 디귿자가 잘 먹지 않는 컴퓨터로 학원 교재나 시험지를 타이핑하는 일을 밤늦게까지 하며 등록금을 모은다.

방 안은 눅눅했다. 벽지 위론 하나둘 곰팡이 꽃이 피었다. 피아노 뒤에 벽은 상태가 더 심했다. 건반 하나라도 누르면 꼭 그 음의 파동만큼 날아올라, 곳곳에 포자를 흩날릴 것 같은 모양이었다. 나는 피아노가 썩을까 봐 걱정이었다. 몇 번 마른걸레로 닦아 봤지만 소용없었다. 우선 달력 몇 장을 찢어 피아노 뒷면에 덧대 놓는 수밖에 없었다. 문득 피아노를 치고 싶은 마음이 들었다. 이사 후 처음 있는 일이었다. 그리고 일단 그런 마음이 들자, 주체할 수 없는 감정이 솟구쳤다. 한 음 정도는 괜찮지 않을까. 소리는 금방 사라져 아무도 모를 것이다. (중략)

저녁부터 폭우가 내렸다. 현관에서부터 물이 새고 있었다. 이물질이 잔뜩 섞인 새까만 빗물이었다. 그것은 벽지를 더럽히며 창틀 아래로 흘러내렸다. 벽면은 검은 눈물을 뚝뚝 흘리는 누군가의 얼굴 같았다. 빗물은 어느새 무릎까지 차 있었다. 나는 피아노가 물에 잠겨 가고 있다는 걸 깨달았다. 순간 쇼바를 잔뜩 올린 오토바이 한 대가 부르릉 - 가슴을 긁고 가는 기분이 들었다. 오토바이가 일으키는 흙먼지 사이로 수천 개의 만두가 공기 방울처럼 떠올랐다 사라졌다. 언니의 영어 교재도, 컴퓨터와 활자 디귿도, 우리의 여름도 모두 하늘 위로 떠올랐다 톡톡 터져 버렸다. 나는 피아노 뚜껑을 열었다. 건반 위에 가만 손가락을 얹어 보았다. 나는 나도 모르게 손가락에 힘을 주었다.

"도ー" 도는 긴소리를 내며 방 안을 날아다녔다. 나는 레를 짚었다.

"레ー" 나는 편안하게 피아노를 연주하기 시작했다. 하나 둘 손끝에서 돋아나는 음표들이 눅눅했다. "솔 미 도레 미파솔라솔……" 물에 잠긴 페달에 뭉텅뭉텅 공기 방울이 새어 나왔다.

(다) 그의 고향은 대구에서 멀지 않은 K군 H란 외딴 동리였다. 넉넉지는 못할망정 평화로운 농촌으로 남부럽지 않게 지낼 수 있었다. 그러나 세상이 뒤바뀌자 그 땅은 전부 동양 척식 회사의 소유에 들어가고 말았다. 그 후로 '죽겠다', '못 살겠다' 하는 소리는 중이 염불하듯 그들의 입길에서 오르내리게 되었다. 지금으로부터 구 년 전 그가 열일곱 살 되던 해 봄에 그의 집안은 살기 좋다는 바람에 서간도로 이사를 갔다. 조금 좋은 땅은 먼저 간 이가 모조리 차지를 하였고 황무지는 비록 많다 하나 그곳 당도하던 날부터 아침거리 저녁거리 걱정이라, 무슨 행세로 적어도 일 년이란 장구한 세월을 먹고 입어 가며 거친 땅을 풀 수가 있으랴. 이태 동안을 사는 것이 아니라 억지로 버티어 갈 제 그의 아버지는 우연히 병을 얻어 타국의 외로운 혼이 되고

말았다. 열아홉 살밖에 안 된 그가 홀어머니를 모시고 악으로 악으로 모진 목숨을 이어 가던 중, 사 년이 못 되어 영양 부족한 몸이 심한 노동에 지친 탓으로 그의 어머니 또한 죽고 말았다. 그 후 그는 부모 잃은 땅에 오래 머물기 싫었다. 신의주로 안동현으로 품을 팔다가 일본으로 또 벌이를 찾아가게 되었다. 구주 탄광에 있어도 보고 대판 철공장에도 몸을 담가 보았다. 벌이는 조금 나았으나 외롭고 젊은 몸은 자연히 방탕해졌다. 화도 나고 고국산천이 그립기도 하여서 훌쩍 뛰어나왔다가 오래간만에 고향을 둘러 보고 벌이를 구할 겸 서울로 올라가는 길이라 한다.

"고향에 가시니 반가워하는 사람이 있습디까?"

"반가워하는 사람이 다 뭐기오? 고향이 통 없어졌더마."

"그래, 이번 길에 고향 사람은 하나도 못 만났습니까?"

"하나 만났구마, 단지 하나. 나와 혼인 말이 있던 여자구마."

그 여자는 자기보다 나이 두 살 위였는데 한 이웃에 사는 탓으로 같이 놀기도 하고 싸우기도 하며 자라났었다. 그가 열네댓 살 적부터 그들 부모 사이에 혼인 말이 있었고 그도 어린 마음에 매우 탐탁하게 생각하였었다. 그런데 그 처녀가 열일곱 살 된 겨울에 별안간 간 곳을 모르게 되었다. 알고 보니 그 아비 되는 자가 이십 원을 받고 대구 유곽에 팔아먹은 것이었다. 이번에야 빈터만 남은 고향을 구경하고 돌아오는 길에 읍내에서 그 아내 될 뻔한 댁과 마주치게 되었다. 처녀는 어떤 일본 사람 집에서 아이를 보고 있었다. 이십 원 몸값을 십 년을 두고 갚았건만 그래도 주인에게 빚이 육십 원이나 남았었는데 몸에 몹쓸 병이 들고 나이 늙어져서 산송장이 되니까 주인 되는 자가 특별히 빚을 탕감해 주고 작년 가을에야 놓아준 것이었다.

"자, 우리 술이나 마저 먹읍시다."

그는 취흥에 겨워서 우리가 어릴 때 멋모르고 부르던 노래를 읊조리었다.

볏섬이나 나는 전토는 신작로가 되고요ㅡ.
말마디나 하는 친구는 감옥소로 가고요ㅡ.
담뱃대나 떠는 노인은 공동묘지 가고요ㅡ.
인물이나 좋은 계집은 유곽으로 가고요ㅡ.

(라) 태수가 주머니에서 엠피스리(MP3)를 꺼내 켠다. 태수가 건네주는 헤드폰을 받아서 머리에 쓰며 나는 버스 안을 흘끔 살펴본다. 그때 갑자기 분수대에서 떨어지는 시원한 샘물 방울처럼 또렷하고 생기에 찬 목소리가 내 귓속으로 빠르게 쏟아져 들어온다.

언제부턴가 거울을 쳐다보는 습관이 생겼지
이젠 그게 너무도 익숙하니 꽤 멋진 표정도 어색하지 않을 정도로 지을 수 있어
하지만 내 주위에서 나를 바라보는 시선은 결코 편하지 않아
그들이 내게 강요하는 것은 오로지 하나 남자스러움 말야
난 자꾸 그럴수록 마냥 불쾌한 듯 찡그리다가 나중엔 그냥 웃지

그 목소리는 천둥처럼 나를 전율시킨다. 가슴이 뛰기 시작한다. 이건, 내 이야기잖아! 한순간 온몸이 굳었으며, 마치 누군가의 손이 나타나서 뻣뻣해진 내 몸을 낚아채 잡아끌기라도 한 듯이, 그대로 나는 다른 세계로 빨려 들어간다.

　무엇다워야 한다는 가르침에 난 또 놀라
　우린 아마 이렇게 멍들어 가는지도 몰라
　습관적으로 모든 일들에 익숙한 척 가슴을 펴지만
　그 속에서 곪은 상처는 아주 천천히 우리들을 바보로 만들어
　우리는 진짜보다 더 강한 척해야 하므로

　다섯 살 때였던가, 내가 여자 옷을 입고 싶다고 말한 적 있었다. 엄마는 레이스가 달린 원피스를 사 와서 내게 입히고, 뭘 하든 기왕이면 예뻐야 한다며 머리핀도 꽂아 주었다. 나는 치맛자락을 날리며 들뜬 표정으로 놀이터로 뛰쳐나갔다. 이웃 아줌마들에게 놀림은 당했던 것 같다. 고추가 떨어진다나 뭐라나.
　유치원 다닐 무렵 내 주변에는 고의로 자전거를 넘어뜨리거나 놀이터 흙을 뿌리면서 시비를 거는 애들이 늘 있었다. 체격이 작아서 만만해 보이는 탓도 있었겠지. 나보다 어린애들에게까지 곧잘 맞고 들어오는 나를 엄마는 괘씸하게 여겼다. 솔직히 말해봐. 이기고 싶다고 생각해 본 적이 한 번도 없었단 말야? 응. 곰곰이 생각해 보면 힘이 달려서라고는 할 수 없다. 시도해 본 적도 없으니까 모르는 일이다. 엄마가 답답해하면 나는 늘 싸우는 게 싫다고 대답했다. 진심이었다.

　내 친구들은 나에게 박력을 요구하고 친밀감의 표시라며 인사로 욕을 하고
　그 모습을 보는 나도 어느새 머릿속에 머쓱해지는 느낌만이 머물더라도

　육교 아래에서 돈을 뜯겼을 때는 정말 무서웠다. 태어나서 제일 많이 맞은 거 아닐까. 내 주머니에는 이천 원밖에 들어 있지 않았다. 그 정도의 돈을 뺏기 위해 자기보다 약한 대상을 붙잡아서 마구 주먹을 휘두르고 발길질을 하는 치사함, 그리고 그런 일이 예사로 벌어지는 세상이라니. 그런데도 내가 할 수 있는 일이란 겨우 엄마에게 화를 내는 것뿐이었다. 정당하게 맞서지 못하고 만만한 데에 화풀이를 하는 나는 또 얼마나 비겁한가. 한 곡의 노래를 듣는 짧은 순간 이 모든 일들이 머리를 스쳐 지나갔다.
　노래가 끝났다. 나의 가슴은 터질 듯 빠르게 뛰었고 아랫배에는 잔뜩 힘이 들어가 있었다. 어쩐지 눈물이 날 것만 같아 창밖으로 고개를 돌린 나는 그제야 정류장을 지나쳤을지도 모른다는 생각이 들었다.

(마) 왼손잡이인지 오른손잡이인지 아이가 태어난 순간 알아볼 수 있다고 상상해 보자. 관습적으로 왼손잡이 아기의 부모들은 아이에게 분홍색 옷을 입히고, 분홍색 담요를 덮고, 아기방을 분홍빛으로 장식한다. 왼손잡이 아기의 젖병, 턱받이, 고무젖꼭지 그리고 큰 다음에는 컵, 접시, 도시락, 책가방까지 주로 분홍색이나 보라색이며

나비, 꽃, 요정으로 장식되어 있다. 반면에 오른손잡이 아기들은 분홍색 옷을 입을 일이 없다. 분홍색 장신구나 장난감을 가질 일도 없다. 오른손잡이 아기들에게는 파란색이 인기 있는 색상이지만, 아이들이 크면서 분홍색이나 보라색을 제외하고는 모든 색을 받아들일 수 있다. 오른손잡이 아이들의 옷이나 다른 물건들에는 보통 자동차, 스포츠 장비, 우주 로켓이 그려져 있고, 나비, 꽃, 요정은 결코 그려져 있지 않다.

한 사회에서 아주 어린 아이들조차 금세 오른손잡이와 왼손잡이라는 두 부류의 사람들이 있다는 걸 배우고, 옷과 머리 모양과 같은 표시를 사용해 그 두 부류의 아이들을 구분하는 데 금방 능숙해질 것이다. 또한 이런 구분에 대해 너무나 호들갑을 떨고 강조하기 때문에 아이들은 오른손잡이냐 왼손잡이냐에 따라 무언가 근본적으로 중요한 것이 있다고 여기게 될 것이다. 아이들은 특정 손을 잘 쓰는 사람이 된다는 것이 무슨 뜻인지 알고 싶어하고, 어느 한 손을 잘 쓰는 아이와 다른 손을 잘 쓰는 아이를 구분 짓는 것이 무엇인지 배우고 싶어 하게 될 것이다.

(바) 주어진 자료들을 대표하는 값으로 가장 유명하고 많이 활용되는 것이 평균이다. 한 집단을 평가할 때 또는 다른 집단과 비교할 때 평균은 유용한 수단이 된다. 그러나 평균이 대상을 잘 반영하는 대푯값이라고 판단하기 위해서는 전체 자료의 다양한 변수와 양상을 먼저 검토하는 것이 필요하다. 이런 점을 고려하지 않고 평균을 대푯값으로 삼으면 사실을 잘못 이해할 수 있으며, 나아가 평균만으로 섣부르게 어떤 결정을 내린 경우에는 여러 부정적 결과를 초래할 수도 있다. 예를 들어 주방에서 일하는 한국인들의 평균 키에 맞추어 일률적으로 만들어지는 개수대는 모든 대상에게 평균에 따라 행동하라고 강요하는 것이다.

포드주의(Fordism)식의 소품종 대량 생산의 시대에는 평균이 중요한 개념으로 자리 잡았고 많은 영향을 끼쳤다. 하지만 현대에는 그런 평균의 개념이 소비자들의 다양한 특성을 반영하지 못하는 경우가 많다. 미국의 일반 가구당 평균 가족 수는 3.6명이라고 한다. 이 평균값에 맞추어 건축업자들은 3인 또는 4인을 대상으로 하는 주택을 짓는다. 하지만 평균 가족 수에서 벗어나는 가족도 상당수에 달한다. 통계에 의하면 미국에서는 3인이나 4인 가족이 전체의 45퍼센트에 불과하며 1인이나 2인 가족이 35퍼센트, 그리고 5인 이상인 가족이 20퍼센트에 달한다고 한다.

평균은 편리한 방법으로 다양하게 사용될 수 있지만, 대푯값으로 잘못 사용되면 사실을 정확하게 판단하지 못하게 만들 가능성이 매우 높다. 현대 사회는 점점 더 많은 변수들에 의해 다변화되는 양상을 보이고 있다. 이는 평균의 시대가 가고 있음을 나타낸다.

(사) 세상을 살면서 한 권의 책 때문에 인생관, 가치관, 세계관이 하루아침에 바뀌는 경험을 하는 이들이 과연 몇이나 될까? 나는 『이기적 유전자』를 읽으면서 그런 엄청난 경험을 했다. 이 책은 그야말로 유전자의 관점에서 이 세상의 모든 것을 재해석하고 있었다. 책의 내용에 따르면, 우리의 디엔에이(DNA)는 태초부터 지금까지 여러

생명체의 몸을 빌려 끊임없이 생존해 왔다. 그리고 스스로 살아 숨 쉰다고 생각했던 우리 역시 우리 몸속의 디엔에이를 보존하고, 이를 널리 퍼뜨리기 위한 대상일 뿐이다.

나는 책을 읽은 그날 그 새벽에 바라본 세상의 모습, 그 순간을 잊지 못한다. 그때부터 내 삶은 그 전과 후로 완벽하게 갈렸다. 유전자의 관점에서 세상을 다시 분석하면 모든 것이 명쾌하게 설명되었다. 그런데 그 황홀감은 시간이 지나면서 좌절감으로 변하기 시작했다. 처음에 읽었을 때는 답을 얻은 기분에 세상이 달라 보였는데, 그 단계가 지나니 시간이 지날수록 만사가 시시하게 여겨졌다. '그래. 무엇 때문에 난 그렇게 애를 썼나? 모든 것이 유전자 때문인데, 어차피 우리야 유전자가 계획한 대로 움직이는 존재일 뿐인데…… 이런 생각이 드니까 모든 것에서 맥이 풀렸다.

하지만 다행히 방황이 길지는 않았고, 재해석을 통해 세상의 의미를 정리했다. 인간 행동의 모든 근원이 유전자의 생존과 직결된다는 사실은 인간이라는 존재에 대한 이해를 더욱 명료하게 해 주었으며, 동시에 인간이 단순히 유전자의 지배를 받는 수동적인 기계만은 아님을 깨닫게 했다. 인간은 의식을 갖고 있는데, 이러한 의식은 자유의지의 형태로 나타나 인간이 유전자의 일방적인 지시를 극복해 갈 수 있게 한다. 모든 생명체 중에 인간만이 유전자에 대항할 수 있는 존재임을 알게 된 순간에는 인간에 대한 또 다른 경외감과 기대를 갖게 되었다. 또한 인간은 자유 의지뿐 아니라 문화의 힘을 통해서도 삶을 더욱 발전하도록 이끈다. '이 세상에 태어난 이상, 온 힘을 다해 모든 상황을 즐기며 살아가면 되는 거야. 나에게 주어진 삶의 길을 아름답게 걸어가자.'

(아) 나의 두 손등과 손가락들에는 세 종류의 흉터가 선명하게 남아 있다. 시골에서 광주로 중학교 진학을 나오면서부터 나에게는 한동안 그 흉터들이 큰 부끄러움거리가 되었다. 도회지 아이들의 희고 깨끗하고 부드러운 손에 비해 일로 거칠어지고 흉터까지 낭자한, 그 남루하고 못생긴 내 손꼴이라니. 그러나 그 후 세월이 흘러 직장 일을 다니는 청년기가 되었을 때 그 흉터들과 볼품없는 손 꼴이 거꾸로 아름답고 떳떳한 사랑과 은근한 자랑거리로 변해 갔다.

"아무개 씨도 무척 어려운 시절을 힘차게 살아 냈구먼. 나는 그 흉터들이 어떻게 생긴 것인 줄을 알지." 직장의 한 나이 든 선배님이 어떤 자리에서 내 손등의 흉터를 보고 그의 소중스러운 마음속 비밀을 건네주듯 자신의 손을 내게 가만히 내밀어 보였을 때, 그리고 그 손등에 나보다도 더 많은 상처 자국들이 수놓여 있는 것을 보았을 때부터였다.

그렇다. 그 흉터와, 흉터 많은 손꼴은 내 어려웠던 어린 시절의 모습이요, 그것을 힘들게 참고 이겨 낸 떳떳하고 자랑스러운 내 삶의 한 기록일 수 있었다. 그 나이 든 선배님의 경우처럼, 우리 누구나가 눈에 보이게든 안 보이게든 삶의 쓰라린 상처들을 겪어 가며 그 흉터를 지니고 살아가게 마련이요, 어떤 뜻에선 그 상처의 흔적이야말로 우리 삶의 매우 단단한 마디요 숨은 값이라 할 수도 있을 것이기 때문이다. 아무

쪼록 자기 흉터엔 겸손한 긍지를, 남의 흉터엔 위로와 경의를, 그리고 흉터 많은 우리 삶엔 사랑의 찬가를!

[문제 1] 제시문 (가)~(라)에는 다양한 음악적 행위를 하는 인물이 등장한다. 제시문 (가), (나), (다), (라)에서 등장인물의 삶 전반에 드러난 '난관'과 각 제시문에 나타난 음악의 '역할'을 각각 찾아 하나의 완성된 글로 논술하시오. [40점, 550-570자]

[문제 2] 제시문 (라)에 나타나는 '남자다움'에 대한 고정관념을 제시문 (마)와 (바)의 내용을 각각 고려하여 비판하고, 제시문 (라)의 등장인물 '나'에게 필요한 자세가 무엇인지 제시문 (사)와 (아)를 각각 고려하여 서술하시오. [40점, 550-570자]

※ 다음 상황에 기초하여 문제에 답하시오.

한 음악 평론가는 새롭게 발표된 노래 한 곡을 듣고, 다음 두 가지 기준을 모두 만족시키면 작곡가 A가 작곡한 노래라고 판정한다. 새롭게 발표된 이 노래는 작곡가 A 아니면 작곡가 B가 작곡했고, 두 기준은 서로 독립적으로 적용된다고 가정한다.

- 기준 1: 새로운 노래의 마지막 2개 소절 중 1개 소절 이상이 예전에 A가 작곡했던 노래의 소절과 유사하다.
- 기준 2: 새로운 노래의 후렴구 길이가 44초 이상 58초 이하이다.

각 기준에 대한 가정은 다음과 같다.

- 가정 1: 음악 평론가가 A가 작곡한 노래의 1개 소절에 대해 예전에 A가 작곡했던 노래의 1개 소절과 유사하다고 판단할 확률은 a이다. 그리고 B가 작곡한 노래의 1개 소절에 대해 예전에 A가 작곡했던 노래의 1개 소절과 유사하다고 판단할 확률은 0.2이다.
- 가정 2: A가 작곡한 노래의 후렴구 길이는 정규분포 $N(50, 4^2)$, B가 작곡한 노래의 후렴구 길이는 정규분포 $N\left(58, \left(\frac{14}{3}\right)^2\right)$을 따른다.

[문제 3] 새로 발표된 노래가 실제 A가 작곡한 노래인 경우 음악 평론가가 이 노래를 A가 작곡한 노래라고 판정할 확률은 p이고, 실제 B가 작곡한 노래인 경우 이 노래를 A가 작곡한 노래라고 판정할 확률은 q라고 하자. 이때 p가 q의 $\frac{16}{5}$배 이상이 될 a의 최솟값을 오른쪽 표준정규분포표를 이용하여 구하시오. [20점, 원고지 작성법을 준수할 필요 없음]

z	$P(0 \leq Z \leq z)$
0.5	0.19
1.0	0.34
1.5	0.43
2.0	0.47
2.5	0.49
3.0	0.50

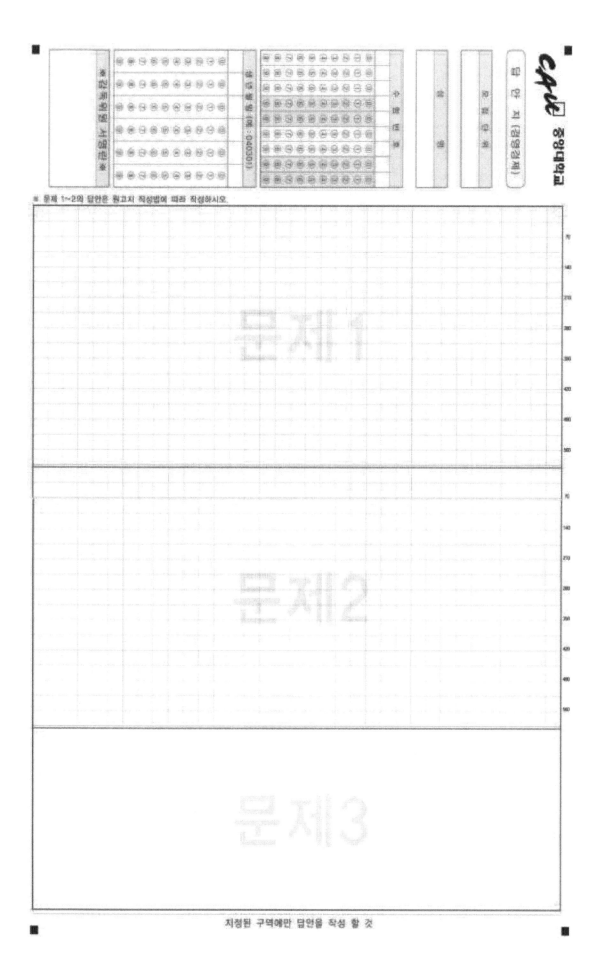

※ 문제 1~2의 답안은 원고지 작성법에 따라 작성하시오.

문제1

문제2

문제3

지정된 구역에만 답안을 작성 할 것

3. 2024학년도 중앙대 모의 논술 [인문사회]

※ 다음을 읽고 물음에 답하시오.

(가) [앞부분의 줄거리] 데릴사위로 살고 있는 '나'는 아내가 될 '점순'의 키가 크면 혼인을 시켜준다는 장인의 말을 믿고 3년이 넘도록 열심히 일하며 기다리지만, 장인은 혼인을 시켜주지 않는다. 그러던 어느 날 아버지와 담판을 지어 결혼을 허락받으라는 점순이의 성화에 자극을 받은 나는 관격*을 빙자하여 일을 안 하며 꾀를 부린다.

내가 일 안 하면 장인님 나이가 먹어 못 하고 결국 농사 못 짓고 만다. 뒷짐으로 트림을 꿀꺽 하고 대문 밖으로 나오다 날 보고서
"이 자식아, 너, 왜 또 이러니?"
"관격이 났어유, 아이구 배야!"
"기껀 밥 처먹구 나서 무슨 관격이야? 남의 농사 버려 주면 이 자식아, 징역 간다, 봐라!"
참말 난 일 안 해서 징역 가도 좋다 생각했다. 오늘은 열 쪽이 난대도 결정을 내고 싶었다. 장인님이 일어나라고 해도 내가 안 일어나니까 눈에 독이 올라서 저편으로 힁하게 가더니 지게막대기를 들고 왔다. 그리고 그걸로 내 허리를 마치 돌 떠넘기듯이 쿡 찍어서 넘기고 넘기고 했다.
[중략] 내 골이 난 것이 아니라 정말은 아까부터 부엌 뒤 울타리 구멍으로 점순이가 우리들의 꼴을 몰래 엿보고 있었기 때문이다. 가뜩이나 말 한마디 톡톡히 못 한다고 바보라는데 매까지 잠자코 맞는 걸 보면 정말로 바보로 알 게 아닌가. 점순이도 미워하는 이까진 놈의 장인님 나곤 아무것도 안 되니까 막 때려도 좋지만, 사정 보아서 수염만 채고(제 원대로 했으니까 이때 점순이는 퍽 기뻤겠지.) 저기까지 잘 들리도록 "부려만 먹구 왜 성례* 안 하지유!" 나는 이렇게 호령했다. 하지만 장인님이 선뜻 오냐 낼이라두 성례시켜 주마 했으면 나도 성가신 걸 그만두었을지 모른다.
한번은 장인님이 내 바짓가랑이를 요렇게 노리고서 단박 움켜잡고 매달렸다. 나는 한참을 못 일어나고 쩔쩔맸다. 사지가 부르르 떨리면서 나도 엉금엉금 기어가 장인님의 바짓가랑이를 꽉 움키고 잡아낚았다.
"아! 아! 이놈아! 놔라, 놔, 놔……."
장인님은 헛손질을 하며 솔개미에 챈 닭의 소리를 연해 질렀다.
그래도 안 되니까, "얘, 점순아! 점순아!"
안에 있었든 장모님과 점순이가 헐레벌떡하고 단숨에 뛰어나왔다.
나의 생각에 장모님은 제 남편이니까 역성*을 할는지도 모른다. 그러나 점순이는 내 편을 들어서 속으로 고소해 하겠지……. 대체 이게 웬 속인지(지금까지도 난 영문을 모른다.) 아버질 혼내 주기는 제가 내래 놓고 이제 와서는 달려들며 "에그머니! 이 망할 게 아버지 죽이네!"하고 내 귀를 뒤로 잡아당기며 마냥 우는 것이 아니냐. 그만 여기에 기운이 탁 꺾이어 나는 얼빠진 등신이 되고 말았다. 이렇게 꼼짝도 못 하게 해 놓고 장인님은 지게막대기를 들어서 사뭇 나려조겼다. 그러나 나는 구태여 피

하려 하지도 않고 암만해도 그 속 알 수 없는 점순이의 얼굴만 멀거니 들여다보았다.

*관격 : 먹은 음식이 체하여 가슴 속이 막히고 위로는 계속 토하며 아래로는 대소변이 통하지 않는 위급한 증상.
*성례 : 혼인의 예식을 지냄.
*역성 : 옳고 그름에 관계없이 무조건 한쪽 편을 들어 주는 일.

(나) 1927년 연말의 일이었다. 이치오카에서 하숙을 하고 있었는데 그 하숙집에는 조선 사람들만 있었다. 모두 부두 노동자들이었고, 나만 한때 가스 회사 일을 하고 있다가 나중에 부두 노동자 틈에 끼었다. 부두 노동은 내가 했던 최고의 육체노동이었다. 처음 사흘간 무리하게 일을 했다가 나흘이나 병으로 누워 있어야 했다. 그러나 그렇게 많은 노임을 받은 것은 평생 처음이었다. 첫날은 3원 20전이었고, 둘째 날과 셋째 날에는 3원 50전을 받았다.

그런데 이상한 일이 생겼다. 무슨 일을 하든 시간이 지나면 보수가 오르는 것이 상식인데 나의 노임은 내려가는 것이었다. 하도 이상해서 주변에 물었더니 '반장이 처음에는 너를 일본 사람인 줄 알고 그 임금을 주었는데, 지금은 조선 사람인 것을 알았기 때문에 보수가 달라진 것'이라고 말해 주었다. 조선인이면 부두 노동을 월등히 잘해도 하루 3원 50전은 못 받는다는 것이었다. 기가 막혔다. 이런 육체노동까지 조선인이라고 차별 대우를 받아야 한다니.

그러다가 생각을 바꾸어 완전히 일본 사람으로 속이고 살아 보려고 했다. 그래서 1929년 오사카시 쓰루하시에 있는 비누 도매상에서 일본인이라고 속이고 점원 생활을 했다. 쓰루하시 부근은 오사카시에서 조선인이 가장 많이 살고 있는 곳이었다. 그러나 나는 일본인 행세를 하느라 조선인들과는 교제를 완전히 끊고 지냈다. 심지어 사랑하는 조카딸의 집조차 출입을 하지 않고 지냈다.

조선 사람들은 물건을 사러 와서 서투른 일본 말로 물건의 값을 묻고 때로는 흥정을 하려 했다. 그럴 때면 일본인 주인은 귀찮아하면서 욕을 하고 더러 물건을 팔지 않는 때도 있었다. 한번은 일본 말을 한마디도 모르는 조선 여자가 물건을 사러 와서 가게 앞에서 서성거리고 있는 것을 보고, 일본인 주인은 물건을 훔치러 온 것으로 오해해서 큰소리를 질렀다. 그럴 때 내가 나서서 한마디 거들어 주면 일본인 주인과 조선 여자 모두에게 도움이 되어 원만하게 해결될 수 있다는 것을 알고 있었다. 하지만 나는 입을 다물고 보고만 있었다. 참으로 서글펐다.

왜 나는 일본 사람인 양 속이고 있는 것일까? 일본인으로 속이고 살면 조금이나마 고통에서 벗어날 수 있다고 생각했는데, '역시 이것은 고통이다. 조선 사람이 조선 사람으로 살지 않는 것은 거짓이다. 일본인으로 속이고 산다는 것은 잘못이다.' 하고 여러 번 후회했다.

(다) [앞부분의 줄거리] 어느 날 갑자기 아빠가 사라지며 집까지 없어진 '지소'와 '지석'은 엄마와 함께 한 달째 작은 승합차에서 살고 있다. 다음 달이 생일인 '지소'는 생일 파티 계획을 묻는 선생님의 질문에 얼떨결에 집에서 할 생각이라고 답하고 친구 '채랑'과 함께 당장 집을 구할 방법을 고민한다. 돈을 구하기 위해 '지소'와 '채랑'은

레스토랑 '마르셀'에서 보았던 개 '월리'를 몰래 훔친 후에 사례금 오백만 원만 받고 바로 돌려주기로 한다.

S# 75 레스토랑 마르셀 - 집무실, 낮

노부인 월리를 어디에서 봤니?

지소 (사이를 두고) 아, 하……, 학교 앞에서 봤어요.

수영 (지소를 노려보며) 월리가 맞아?

지소 네, 확실해요.

노부인 잃어버린 거 아니다. 월리는 집을 나간 거야.

지소 (급한 마음으로) 아니요, 길을 잃어버린 걸 수도 있어요.

노부인 네가 그걸 어떻게 아니?

지소 우리……. 우리 아빠도 길을 잃어버렸어요.

지소의 말에 굳은 표정이 풀리는 노부인의 얼굴.

노부인 아빠가 집을 나갔니?

지소 아니요, 집을 나간 게 아니라……. 아니, 나가긴 한 건데 길을 잃어버려서 집을 못 찾고 있는거 같아요. 그래도 아빠는 언젠가 길을 찾아서 집에 돌아올 거예요. 월리도 그렇고요.

노부인 음? (자리에서 일어나 지소에게 다가오며) 그럼 뭘 어떻게 해야 하는 건데?

지소 (당당히) 전단요. 개를 찾는다는 전단. (다시 기어들어 가는 목소리로) 거기에 사례금도…….

노부인 사례금? (대충 알겠다는 표정으로) 그래, 얼마면 되겠니?

지소 (갑자기 큰 소리로) 오……, 오백만 원이요.

노부인 (가만히 지소를 바라보다가 수영을 손짓으로 부르며) 들었지? 꼬마가 하라는 대로 해 줘.

S# 84 레스토랑 마르셀 - 홀과 집무실, 낮

벽에 걸린 커다란 유화를 바라보는 노부인과 지소.

노부인 이 그림을 그린 화가는 나이 서른에 혼자 그림을 그리다가 사고로 죽었어. 그래서 작품이 몇 개 되지 않아. 난 이 사람 그림을 모으고 있어. 그런데 인제 그만둘 때가 된 거 같아.

지소, 그림 밑에 보이는 화가의 이름을 찾아서 쳐다본다.

지소 윤서오? 혹시 이 사람이…….

노부인 내 아들이란다. 얘는 그림 그리는 걸 아주 좋아했어. 화가가 되고 싶어 했어. 난 절대 안된다고 그랬고……. 그랬더니 어느 날 집을 나갔어. 집 나가면서 나한테 마지막으로 한 말이뭔지 알아? 이 세상에서 날 제일 미워한다고 그랬어. 그리고 죽을 때까지 한 번도 나한테 연락을 하지 않았단다. 죽었다고 연락이 와서 찾아갔더니 개가 한 마리 지키고 있더라고.

지소 그 개가……, 월리인가요?

S# 90 학교 – 교실, 낮

지소가 표지에 "개를 훔치는 완벽한 방법"이라고 써 놓은 공책을 열고, 그 공책에 적어 놓은 글을 쳐다본다. "개를 훔친다. → 전단을 발견한다. → 개를 데려다준다. → 돈을 받는다. → 행복하게 끝!"이라는 글이 보인다.

지소(내레이션) 하지만 인생은 목표를 이룬다고 끝나는 게 아니었다. 전세 오백만 원짜리 집에 사는 걸 목표로 혹은 그 집에서 생일 파티를 하는 걸 목표로 산다는 게 어쩌면 끔찍한 일인지도 모른다.

지소는 '돈을 받는다.' 부분에 연필로 줄을 긋는다.

채랑 (지소의 행동을 보더니 작은 소리로) 왜?

지소 너 말이야, 내가 계속 차에서 살아도 친구 할 거야?

채랑 응, 당연하지. 너랑 노는 거 재밌어.

지소 나……. 생일 파티 안 할래. 우리는 월리를 마르셀 앞에까지만 데려다줄 거야. 마치 할머니가 보고 싶어서 혼자 돌아온 것처럼.

채랑 오, 완벽한데? 좋았어!

S# 97 레스토랑 마르셀 – 홀, 저녁

홀에 들어온 지소는 월리에게 방울 목걸이를 달아 준다.

지소 월리, 내가 미안했어. 내가 너무 나만 생각해서……. 너도 나랑 마찬가지로 집이 필요한데 말이지. 미안. 널 기다리는 사람이 있어. 나도 내가 기다리는 사람이 빨리 돌아왔으면 좋겠는 데…… 안녕.

(라) [앞부분의 줄거리] 아내는 겉보기엔 평범한 성격의 가정주부이다. 아내는 피가 뚝뚝 흐르는 생고기를 먹는 끔찍한 꿈을 꾸게 되면서 고기를 아주 멀리하게 된다. '나'는 이런 아내를 못마땅해 하지만 어쩔 수 없이 받아들인다. 어느 날 '나'와 아내는 회사 임원들의 부부 동반 모임에 나가게 된다.

처음 우리 앞에 놓인 것은 탕평채였다. 가늘게 채 썬 묵청포와 표고버섯, 쇠고기를 버무린 정갈한 음식이었다. 그때까지 한마디의 말도 없이 자리를 지키고 있던 아내는, 웨이터가 자신의 접시에 탕평채를 덜어 놓으려고 국자를 드는 찰나 작은 목소리로 말했다. "저는 안 먹을게요."

아주 작은 목소리였지만 좌중의 움직임이 멈췄다. 의아해하는 시선들을 한 몸에 받은 그녀는 이번엔 좀 더 큰 소리로 말했다. "저는, 고기를 안 먹어요."

"그러니까, 채식주의자시군요?" 사장이 호탕한 어조로 물었다.

"아무리 그래도, 고기를 아주 안 먹고 살 수 있나요?" 사장 부인이 미소 띤 얼굴로 말했다. 아내의 접시가 하얗게 빈 채 남아 있는 동안, 웨이터는 나머지 아홉 사람의 접시를 모두 채운 뒤 사라졌다. 화제는 자연스럽게 채식주의로 흘러갔다.

"얼마 전에 오십만 년 전 인간의 미라가 발견됐죠? 거기에도 수렵의 흔적이 있었다는 것 아닙니까. 육식은 본능이에요. 채식이란 본능을 거스르는 거죠. 자연스럽지가 않아요."

"요샌 사상 체질 때문에 채식하는 분들도 있는 것 같던데…… 저도 체질을 알아보려고 몇 군데 가봤더니 가는 데마다 다른 얘길 하더군요. 그때마다 식단을 바꿔 짜 봤지만 항상 마음이 불편하고…… 그저 골고루 먹는 게 최선이 아닌가 하는 생각이 들어요."

"골고루, 못 먹는 것 없이 먹는 사람이 건강한 거 아니겠어요? 신체적으로나, 정신적으로나 원만하다는 증거죠." 전무 부인이 말했다. 마침내 그녀의 화살은 아내에게 직접 날아왔다.

"채식을 하는 이유가 어떤 건가요? 건강 때문에…… 아니면 종교적인 거예요?"

"아니요." 아내는 이 자리가 얼마나 어려운 자리인지 전혀 의식하지 않은 듯, 태연하고 조용하게 입을 떼었다. 불현듯 소름이 끼쳤다. 아내가 무슨 말을 하려는지 직감했기 때문이었다.

"……꿈을 꿨어요."

나는 재빨리 아내의 말끝을 덮었다.

"집사람은 오랫동안 위장병을 앓았어요. 그래서 숙면을 취하지 못했죠. 한의사의 충고대로 육식을 끊은 뒤 많이 좋아졌습니다."

그제야 사람들은 고개를 끄덕였다.

"다행이네요. 저는 아직 진짜 채식주의자와 함께 밥을 먹어 본 적이 없어요. 내가 고기를 먹는 모습을 징그럽게 생각할지도 모를 사람과 밥을 먹는다면 얼마나 끔찍할까. 정신적인 이유로 채식을 한다는 건, 어찌 됐든 육식을 혐오한다는 거 아녜요? 안 그래요?"

"꿈틀거리는 세발낙지를 맛있게 젓가락에 말아 먹고 있는데, 앞에 앉은 여자가 짐승 보듯 노려보고 있는 것과 비슷한 기분이겠죠."

좌중이 웃음을 터뜨렸다. 따라 웃으며 나는 의식하고 있었다. 아내가 함께 웃지 않는다는 것을. 허공을 오가는 어떤 대화에도 귀를 기울이지 않은 채, 사람들의 입술에 번들거리는 탕평채의 참기름을 지켜보고 있다는 것을. 그것이 모두의 마음을 불편하게 하고 있다는 것을.

(마) 장자는 만물은 끊임없이 변화하므로 인간의 감각과 마음을 통해서는 참된 지식을 얻을 수 없다고 주장하였다. 감각과 마음을 통해 얻는 지식은 때와 상황에 따라 다를 수 있을 뿐만 아니라 관점에 따라서도 달라지기 때문이다. 그래서 장자는 편견이나 선입견과 같은 자기중심적인 관점에서 벗어날 것과 만물의 상대적 가치를 인식할 것을 강조하였다. 장자는 인간의 자기중심적 편견에서 비롯된 분별은 상대적인 것일 뿐이라고 보았다. 이러한 관점에서 그는 옳고 그름, 귀함과 천함, 아름다움과 추함 등의 분별을 초월하여 자연 만물이 절대적으로 평등하다고 주장하였다.

한편 갈퉁은 폭력의 의미를 '인간의 기본적 욕구를 무시하는 것'이라고 정의하면서 적극적 평화를 실현하기 위해 노력해야 한다고 보았다. 폭력에는 물리적·언어적 폭력으로 대변되는 직접적 폭력과 법률과 제도에 의한 억압을 의미하는 구조적 폭력, 그리고 직접적·구조적 폭력을 정당화하는 사회 기저의 문화적 폭력이 있다는 것이다. 그는 진정한 평화의 실현을 위해서는 직접적 폭력이 제거된 소극적 평화를 넘어 구조적·문화적 폭력까지 제거된 적극적 평화가 중요하다고 말한다.

(바) 서민들의 경우 조선 후기까지 비 오는 날에 우산을 쓰지 않았다. 민가에서는 오히려 비를 의도적으로 가리는 행동을 금하는 풍습까지 있었다. 이러한 풍습은 기후에 민감했던 농경 사회 문화와 밀접한 관련이 있다. 과학 기술이 발달하지 못한 당시 사회에서 농민들은 하늘에 의존하며 살 수 밖에 없었기 때문에 하늘의 뜻을 거스르지 않고 순종하기 위해 늘 조심하였다. 비를 의도적으로 가리는 행위는 하늘의 뜻을 거역하는 부도덕한 행위로 반드시 재앙이 따른다고 믿었던 것이다.

기록에 따르면 우산이 도입된 초기에는 우리나라 사람들은 물론 우리나라에 와 있던 외국인들도 비 오는 날에 우산 사용을 꺼려했다고 한다. 당시 『독립신문』의 기사에 의하면 오랜 가뭄 끝에 비가 내렸을 때 외국인이 우산을 쓰고 거리에 나갔다가 몰매를 맞은 일까지 있었을 정도다. 우산에 대한 사회적 거부 반응이 어느 정도였는지 짐작할 수 있다.

그러나 시간이 흐르면서 우산의 사용은 점차 확산된다. 개화기에 들어서면서 여성도 신학문을 배울 수 있는 여학교가 설립되었다. 다만 얼굴을 드러내 놓고 외출하는 것을 꺼리는 사회 분위기 때문에 여학생들은 쓰개치마*를 쓰고 등·하교하였다. 그런데 배화 학당에서 쓰개치마를 교칙으로 금한 일이 있었다. 학생들과 가족들은 얼굴을 내놓고 거리를 다닐 수 없다며 반발하였고 이 때문에 학생들 상당수가 학교를 그만둘 정도로 파장이 컸다. 결국 배화 학당은 쓰개치마 대안으로 얼굴을 가리고 다닐 수 있도록 검정 우산을 나누어 주었다. 이후 우산은 일반 여인들 사이에서도 널리 유행했고, 얼굴을 가리는 용도와 더불어 햇빛을 가리는 양산으로까지 확대되어 멋을 내는 도구가 되었다.

*쓰개치마 : 예전에, 부녀자가 나들이할 때, 내외(남의 남녀 사이에 서로 얼굴을 마주 대하지 않고 피함.)를 하기 위하여 머리와 몸 윗부분을 가리어 쓰던 치마.

(사) 좋은 논쟁이란 '상호 부딪침'이 있는 논쟁을 뜻한다. 서로 부딪치는 지점을 논쟁 용어로는 '접점'이라고 하는데, '상호 갈등 해소를 위한 개념적 장소'로 풀이할 수 있다. 이러한 접점에서 만나지 않는 사람들, 즉 다른 의견을 듣지 않는 사람들은 마치 메아리 방에서 살 듯 자신의 소리만 듣고 살 가능성이 크다. 아니면 비슷한 생각을 가진 사람끼리 만나 서로 동의하며 기존의 입장을 견고하게 다질지도 모른다. 서로 다른 의견을 가진 사람들 각각의 집단 편향이나 쏠림 현상이 강화되는 것이다. 밀은 "사회에서 널리 통용되는 의견이나 감정이 부리는 횡포 그리고 그런 통설과 다른 생각과 습관을 가진 이견 제시자에게 사회가 윽박지르면서 통설을 행동 지침으로 받아들이도록 강요하는 경향에 대해서도 대비를 해야 한다."라고 했다. 이는 다수의 의견을 모든 사회 구성원에게 강요하는 사회의 위험성과 폭력성을 경계하는 말이다.

무릇 모든 소통이 그러하듯 논쟁의 출발점도 상대방의 입장을 듣는 데서 시작한다.

상대방의 논리에서 허점을 찾아내고 상대방이 납득할 만한 이유를 제공하는 것이 논쟁의 규칙이다. 그러자면 어울리기 싫어도 생각이 다른 이들과 대화를 하고 그들의 입장을 들어야 한다. 미국의 법학자 선스타인은 "나는 네 의견에 동의하지 않는다."라고 말하지 않는 사람들은 집단의 의견에 동조하거나 강화된 자기 의견 속에 안주한다고 했다. 그렇게 되면 자기 합리화와 상호 비방만 있게 된다. 반대 의견을 내고 기꺼이 논쟁하는 사람들이 이러한 상황을 흔들 수 있는 생산적 논쟁에 나서야 한다. 의견 양극화와 쏠림 현상이 두드러진 곳에서는 집단들 간에 공유되지 않는 정보가 많아지고 소수자들은 침묵한다. 그래서 사람들이 의견을 잘 내지 않는 사회가 되기 쉽다.

(아) '루틴(routine)'이란 스포츠에서 '경기를 하기 전에 긴장감을 떨치려고 습관적으로 행하는 반복적 행동'을 일컫는 말이다. 스포츠 심리학자에 따르면, 루틴은 선수가 승리를 위해 최상의 조건으로 최대 능력을 낼 수 있는 상태를 만드는 데 필요하다고 한다. 루틴은 행동만 일컫는 말이 아니다. 경기 전 인터뷰에서 "이길 수 있다."라든지 "자신 있다."라고 호언장담하는 선수를 흔히 볼 수 있다. 이런 말은 단순히 허세나 자만심이 아니라, 스스로 잘할 수 있다는 자신감을 불러일으키는 행위이다. 자신의 생각을 긍정적으로 유지하려는 일종의 루틴인 것이다.

루틴은 '징크스(jinx)'라는 개념과 매우 유사하다. 징크스는 '좋지 않은 일이 운명적으로 일어나는 것'을 말한다. 예컨대 면도를 한 날 경기에서 패했다면 면도라는 행위 자체가 해당 선수에게는 징크스가 된다. 징크스는 자신이 경험한 행동으로 인해 우연히 시합에서 나쁜 결과가 초래됐을 때, 그것을 단순한 우연으로 여기지 않고 강력한 인과 관계가 있는 것으로 생각해서 과도하게 집착하는 행동이다. 이는 나에게 해가 되는 결과를 피하고 싶은 마음에서 나온다.

(자) 나는 자전거를 못 탄다. 나도 자전거를 배우려고 몇 번 시도를 해 봤다. 뒤에서 아버지께서 잡아 주시고 내가 페달을 밟아 바퀴를 굴리는 식이었는데, 운동 신경이 형편없었던 나는 계속 넘어지곤 했다. 몇 번 넘어지는 그 순간만 넘어서면 다음부터는 쉽게 배울 수 있는 것이었는데, 나는 넘어지는 순간의 두려움과 아픔이 겁나서 끝끝내 자전거를 배우지 못했다.

한 번의 사업 실패는 아버지를 움츠러들게 하기에 충분했다. 하지만 아버지께서는 곧 다시 일어서셨다. 서울에서 홀로 실패의 아픔에 맞서 싸우셔야 했지만, 아버지께서는 포기하지 않으셨다. 실패는 두렵지만 이전에 겪었던 한 번의 실패가 다음번에는 실패하지 않으려고 노력하는 데 원동력이 되어 줄 것이라고 생각하고, 우리 가족이 함께 모여 행복하게 사는 모습 등을 떠올리면 좀 더 쉽게 그 두려움을 떨쳐 버릴 수 있다는 것이 아버지의 말씀이셨다. 마당 한쪽에 쓰러져 있는 녹슨 자전거를 보니 아버지 생각이 났다. 나에게 자전거를 가르치시려고 애를 쓰시던 그 모습. 그때도 아버지께서는 나에게 넘어지는 걸 무서워하지 말라고 하셨던 것 같다. 몇 번 넘어지다 보면, 안 넘어지는 방법을 알게 될 거라고.

(차) 선생님은 어려운 이야기를 하는 법이 없었다. 언제나 구체적이었다. 이를테면 이런 식이었다.

"좋은 목소리를 가지고 싶어? 누구든지 그렇게 될 수 있어. 방법을 이야기해 주겠다. 매일 아침, 잠에서 깨어 목이 풀리기 전에 도, 레, 미, 파, 솔, 라, 시, 도를 두 옥타브씩 세 번만 불러라. 빨리 좋아지기를 바라는 사람은 세 번이 아니라 열 번쯤 부르면 된다. 중요한 건 하루도 빼먹지 말고 매일 하라는 거야. 그렇게 변성기 지나고 목소리가 정해지는 고등학교 3년 동안만 해도 누구한테나 좋은 인상을 주는 매력적인 목소리를 가지게 된다."

같은 반에 학교 주변 폭력계의 실력자로 알려진, 학교에서는 거의 말을 하지 않는 친구가 있었다. 그 친구와 단 한 번 마음속에 있는 이야기를 나눈 적이 있다. 그는 대학에 꼭 가고 싶다고 했다. 학교 성적으로는 불가능하고 싸움은 자신 있지만 싸움 실력으로는 체대에도 못 가니 예능 쪽으로 알아봐야겠다는 것이었다. 그로부터 일 년쯤 뒤인 2학년 봄 소풍을 갔을 때였다. 장기 자랑 시간에 음악 선생님이 갑자기 그 친구에게 나와서 노래를 불러 보라고 하는 것이었다. 그러자 그 친구가 망설임 없이 나오더니 독일어로 된 가곡을 유창하게 불렀다. 아이들은 깜짝 놀랐다.

나중에 알고 보니 그는 음악 선생님을 찾아가 대학에 가고 싶고 노래를 잘 부르고 싶다는 자신의 바람을 말했다고 한다. 선생님은 시키는 대로 꾸준히 실천한다는 조건 하에 아무런 대가 없이 음대에 진학할 수 있는 노래 실력을 갖출 수 있게 도와주었다. 고등학교 2학년, 생애 마지막 음악 시간이 되어 버린 그 시간에 음악 선생님은 지금까지도 가끔 곱씹고 있는, 오래도록 여운이 남는 말씀을 해 주었다.

"너희의 미래는 지금 너희가 되기를 열렬히, 간절하게 바라는 바로 그것이다."

[문제 1] 제시문 (가), (나), (다), (라)에서 등장인물이 거짓된 언행을 하는 '이유'와 이러한 거짓된 언행으로 인해 초래된 '예상과 다른 결과'를 각각 찾아 하나의 완성된 글로 논술하시오. [40점, 550-570자]

[문제 2] 제시문 (마)와 제시문 (바)를 통합적으로 고려하여 제시문 (라)의 모임 참석자들이 채식주의자인 '아내'를 대하는 태도를 비판하고, 모임 참석자들과 아내가 서로를 이해하기 위해 각각 어떤 노력을 해야 하는지를 제시문 (사)를 토대로 서술하시오. [40점, 550-570자]

[문제 3] 제시문 (아)에서 설명된 '루틴'과 '징크스'의 공통점과 차이점을 서술하고, 목표한 바를 이루고자할 때 지녀야 할 자세를 제시문 (자)와 제시문 (차)를 각각 고려하여 서술하시오. [20점, 330-350자]

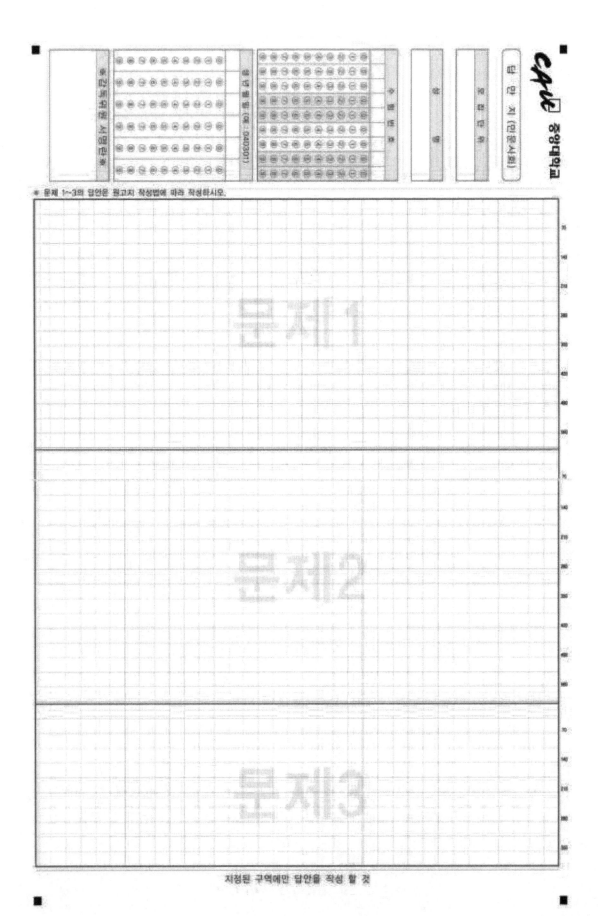

※ 문제 1~3의 답안은 원고지 작성법에 따라 작성하시오.

문제1

문제2

문제3

지정된 구역에만 답안을 작성 할 것

58

4. 2024학년도 중앙대 모의 논술 [경영경제]

※ 다음을 읽고 물음에 답하시오.

(가) [앞부분의 줄거리] 데릴사위로 살고 있는 '나'는 아내가 될 '점순'의 키가 크면 혼인을 시켜준다는 장인의 말을 믿고 3년이 넘도록 열심히 일하며 기다리지만, 장인은 혼인을 시켜주지 않는다. 그러던 어느 날 아버지와 담판을 지어 결혼을 허락받으라는 점순이의 성화에 자극을 받은 나는 관격*을 빙자하여 일을 안 하며 꾀를 부린다.

내가 일 안 하면 장인님 나이가 먹어 못 하고 결국 농사 못 짓고 만다. 뒷짐으로 트림을 꿀꺽 하고 대문 밖으로 나오다 날 보고서
"이 자식아, 너, 왜 또 이러니?"
"관격이 났어유, 아이구 배야!"
"기껏 밥 처먹구 나서 무슨 관격이야? 남의 농사 버려 주면 이 자식아, 징역 간다, 봐라!"
참말 난 일 안 해서 징역 가도 좋다 생각했다. 오늘은 열 쪽이 난대도 결정을 내고 싶었다. 장인님이 일어나라고 해도 내가 안 일어나니까 눈에 독이 올라서 저편으로 힝하게 가더니 지게막대기를 들고 왔다. 그리고 그걸로 내 허리를 마치 돌 떠넘기듯이 쿡 찍어서 넘기고 넘기고 했다.
[중략] 내 골이 난 것이 아니라 정말은 아까부터 부엌 뒤 울타리 구멍으로 점순이가 우리들의 꼴을 몰래 엿보고 있었기 때문이다. 가뜩이나 말 한마디 톡톡히 못 한다고 바보라는데 매까지 잠자코 맞는 걸 보면 정말로 바보로 알 게 아닌가. 점순이도 미워하는 이까진 놈의 장인님 나곤 아무것도 안 되니까 막 때려도 좋지만, 사정 보아서 수염만 채고(제 원대로 했으니까 이때 점순이는 퍽 기뻤겠지.) 저기까지 잘 들리도록 "부려만 먹구 왜 성례* 안 하지유!" 나는 이렇게 호령했다. 하지만 장인님이 선뜻 오냐 낼이라두 성례시켜 주마 했으면 나도 성가신 걸 그만두었을지 모른다.
한번은 장인님이 내 바짓가랑이를 요렇게 노리고서 단박 움켜잡고 매달렸다. 나는 한참을 못 일어나고 쩔쩔맸다. 사지가 부르르 떨리면서 나도 엉금엉금 기어가 장인님의 바짓가랑이를 꽉 움키고 잡아낚았다.
"아! 아! 이놈아! 놔라, 놔, 놔……."
장인님은 헛손질을 하며 솔개미에 챈 닭의 소리를 연해 질렀다.
그래도 안 되니까, "얘, 점순아! 점순아!"
안에 있었든 장모님과 점순이가 헐레벌떡하고 단숨에 뛰어나왔다.
나의 생각에 장모님은 제 남편이니까 역성*을 할는지도 모른다. 그러나 점순이는 내 편을 들어서 속으로 고소해 하겠지…… 대체 이게 웬 속인지(지금까지도 난 영문을 모른다.) 아버질 혼내 주기는 제가 내래 놓고 이제 와서는 달려들며 "에그머니! 이 망할 게 아버지 죽이네!"하고 내 귀를 뒤로 잡아당기며 마냥 우는 것이 아니냐. 그만 여기에 기운이 탁 꺾이어 나는 얼빠진 등신이 되고 말았다. 이렇게 꼼짝도 못 하게 해 놓고 장인님은 지게막대기를 들어서 사뭇 나려조겼다. 그러나 나는 구태여 피

하려 하지도 않고 암만해도 그 속 알 수 없는 점순이의 얼굴만 멀거니 들여다보았다.

*관격 : 먹은 음식이 체하여 가슴 속이 막히고 위로는 계속 토하며 아래로는 대소변이 통하지 않는 위급한 증상.
*성례 : 혼인의 예식을 지냄.
*역성 : 옳고 그름에 관계없이 무조건 한쪽 편을 들어 주는 일.

(나) 1927년 연말의 일이었다. 이치오카에서 하숙을 하고 있었는데 그 하숙집에는 조선 사람들만 있었다. 모두 부두 노동자들이었고, 나만 한때 가스 회사 일을 하고 있다가 나중에 부두 노동자 틈에 끼었다. 부두 노동은 내가 했던 최고의 육체노동이었다. 처음 사흘간 무리하게 일을 했다가 나흘이나 병으로 누워 있어야 했다. 그러나 그렇게 많은 노임을 받은 것은 평생 처음이었다. 첫날은 3원 20전이었고, 둘째 날과 셋째 날에는 3원 50전을 받았다.

그런데 이상한 일이 생겼다. 무슨 일을 하든 시간이 지나면 보수가 오르는 것이 상식인데 나의 노임은 내려가는 것이었다. 하도 이상해서 주변에 물었더니 '반장이 처음에는 너를 일본 사람인 줄 알고 그 임금을 주었는데, 지금은 조선 사람인 것을 알았기 때문에 보수가 달라진 것'이라고 말해 주었다. 조선인이면 부두 노동을 월등히 잘해도 하루 3원 50전은 못 받는다는 것이었다. 기가 막혔다. 이런 육체노동까지 조선인이라고 차별 대우를 받아야 한다니.

그러다가 생각을 바꾸어 완전히 일본 사람으로 속이고 살아 보려고 했다. 그래서 1929년 오사카시 쓰루하시에 있는 비누 도매상에서 일본인이라고 속이고 점원 생활을 했다. 쓰루하시 부근은 오사카시에서 조선인이 가장 많이 살고 있는 곳이었다. 그러나 나는 일본인 행세를 하느라 조선인들과 교제를 완전히 끊고 지냈다. 심지어 사랑하는 조카딸의 집조차 출입을 하지 않고 지냈다.

조선 사람들은 물건을 사러 와서 서투른 일본 말로 물건의 값을 묻고 때로는 흥정을 하려 했다. 그럴 때면 일본인 주인은 귀찮아하면서 욕을 하고 더러 물건을 팔지 않는 때도 있었다. 한번은 일본 말을 한마디도 모르는 조선 여자가 물건을 사러 와서 가게 앞에서 서성거리고 있는 것을 보고, 일본인 주인은 물건을 훔치러 온 것으로 오해해서 큰소리를 질렀다. 그럴 때 내가 나서서 한마디 거들어 주면 일본인 주인과 조선 여자 모두에게 도움이 되어 원만하게 해결될 수 있다는 것을 알고 있었다. 하지만 나는 입을 다물고 보고만 있었다. 참으로 서글펐다.

왜 나는 일본 사람인 양 속이고 있는 것일까? 일본인으로 속이고 살면 조금이나마 고통에서 벗어날 수 있다고 생각했는데, '역시 이것은 고통이다. 조선 사람이 조선 사람으로 살지 않는 것은 거짓이다. 일본인으로 속이고 산다는 것은 잘못이다.' 하고 여러 번 후회했다.

(다) [앞부분의 줄거리] 어느 날 갑자기 아빠가 사라지며 집까지 없어진 '지소'와 '지석'은 엄마와 함께 한 달째 작은 승합차에서 살고 있다. 다음 달이 생일인 '지소'는 생일 파티 계획을 묻는 선생님의 질문에 얼떨결에 집에서 할 생각이라고 답하고 친구

'채랑'과 함께 당장 집을 구할 방법을 고민한다. 돈을 구하기 위해 '지소'와 '채랑'은 레스토랑 '마르셀'에서 보았던 개 '월리'를 몰래 훔친 후에 사례금 오백만 원만 받고 바로 돌려주기로 한다.

S# 75 레스토랑 마르셀 - 집무실, 낮

노부인 월리를 어디에서 봤니?

지소 (사이를 두고) 아, 하……, 학교 앞에서 봤어요.

수영 (지소를 노려보며) 월리가 맞아?

지소 네, 확실해요.

노부인 잃어버린 거 아니다. 월리는 집을 나간 거야.

지소 (급한 마음으로) 아니요, 길을 잃어버린 걸 수도 있어요.

노부인 네가 그걸 어떻게 아니?

지소 우리……. 우리 아빠도 길을 잃어버렸어요.

지소의 말에 굳은 표정이 풀리는 노부인의 얼굴.

노부인 아빠가 집을 나갔니?

지소 아니요, 집을 나간 게 아니라……. 아니, 나가긴 한 건데 길을 잃어버려서 집을 못 찾고 있는거 같아요. 그래도 아빠는 언젠가 길을 찾아서 집에 돌아올 거예요. 월리도 그렇고요.

노부인 음? (자리에서 일어나 지소에게 다가오며) 그럼 뭘 어떻게 해야 하는 건데?

지소 (당당히) 전단요. 개를 찾는다는 전단. (다시 기어들어 가는 목소리로) 거기에 사례금도…….

노부인 사례금? (대충 알겠다는 표정으로) 그래, 얼마면 되겠니?

지소 (갑자기 큰 소리로) 오……, 오백만 원이요.

노부인 (가만히 지소를 바라보다가 수영을 손짓으로 부르며) 들었지? 꼬마가 하라는 대로 해 줘.

S# 84 레스토랑 마르셀 - 홀과 집무실, 낮

벽에 걸린 커다란 유화를 바라보는 노부인과 지소.

노부인 이 그림을 그린 화가는 나이 서른에 혼자 그림을 그리다가 사고로 죽었어. 그래서 작품이 몇 개 되지 않아. 난 이 사람 그림을 모으고 있어. 그런데 인제 그만둘 때가 된 거 같아.

지소, 그림 밑에 보이는 화가의 이름을 찾아서 쳐다본다.

지소 윤서오? 혹시 이 사람이…….

노부인 내 아들이란다. 얘는 그림 그리는 걸 아주 좋아했어. 화가가 되고 싶어 했어. 난 절대 안된다고 그랬고……. 그랬더니 어느 날 집을 나갔어. 집 나가면서 나한테 마지막으로 한 말이뭔지 알아? 이 세상에서 날 제일 미워한다고 그랬어. 그리고 죽을 때까지 한 번도 나한테 연락을 하지 않았단다. 죽었다고 연락이 와서 찾아갔더니 개가 한 마리 지키고 있더라고.

지소 그 개가……, 월리인가요?

S# 90 학교 - 교실, 낮

지소가 표지에 "개를 훔치는 완벽한 방법"이라고 써 놓은 공책을 열고, 그 공책에 적어 놓은 글을 쳐다본다. "개를 훔친다. → 전단을 발견한다. → 개를 데려다준다. → 돈을 받는다. → 행복하게 끝!"이라는 글이 보인다.

지소(내레이션) 하지만 인생은 목표를 이룬다고 끝나는 게 아니었다. 전세 오백만 원짜리 집에 사는 걸 목표로 혹은 그 집에서 생일 파티를 하는 걸 목표로 산다는 게 어쩌면 끔찍한 일인지도 모른다.

지소는 '돈을 받는다.' 부분에 연필로 줄을 긋는다.

채랑 (지소의 행동을 보더니 작은 소리로) 왜?

지소 너 말이야, 내가 계속 차에서 살아도 친구 할 거야?

채랑 응, 당연하지. 너랑 노는 거 재밌어.

지소 나……. 생일 파티 안 할래. 우리는 월리를 마르셀 앞에까지만 데려다줄 거야. 마치 할머니가 보고 싶어서 혼자 돌아온 것처럼.

채랑 오, 완벽한데? 좋았어!

S# 97 레스토랑 마르셀 - 홀, 저녁

홀에 들어온 지소는 월리에게 방울 목걸이를 달아 준다.

지소 월리, 내가 미안했어. 내가 너무 나만 생각해서……. 너도 나랑 마찬가지로 집이 필요한데 말이지. 미안. 널 기다리는 사람이 있어. 나도 내가 기다리는 사람이 빨리 돌아왔으면 좋겠는 데……. 안녕.

(라) [앞부분의 줄거리] 아내는 겉보기엔 평범한 성격의 가정주부이다. 아내는 피가 뚝뚝 흐르는 생고기를 먹는 끔찍한 꿈을 꾸게 되면서 고기를 아주 멀리하게 된다. '나'는 이런 아내를 못마땅해 하지만 어쩔 수 없이 받아들인다. 어느 날 '나'와 아내는 회사 임원들의 부부 동반 모임에 나가게 된다.

처음 우리 앞에 놓인 것은 탕평채였다. 가늘게 채 썬 묵청포와 표고버섯, 쇠고기를 버무린 정갈한 음식이었다. 그때까지 한마디의 말도 없이 자리를 지키고 있던 아내는, 웨이터가 자신의 접시에 탕평채를 덜어 놓으려고 국자를 드는 찰나 작은 목소리로 말했다. "저는 안 먹을게요."

아주 작은 목소리였지만 좌중의 움직임이 멈췄다. 의아해하는 시선들을 한 몸에 받은 그녀는 이번엔 좀 더 큰 소리로 말했다. "저는, 고기를 안 먹어요."

"그러니까, 채식주의자시군요?" 사장이 호탕한 어조로 물었다.

"아무리 그래도, 고기를 아주 안 먹고 살 수 있나요?" 사장 부인이 미소 띤 얼굴로 말했다. 아내의 접시가 하얗게 빈 채 남아 있는 동안, 웨이터는 나머지 아홉 사람의 접시를 모두 채운 뒤 사라졌다. 화제는 자연스럽게 채식주의로 흘러갔다.

"얼마 전에 오십만 년 전 인간의 미라가 발견됐죠? 거기에도 수렵의 흔적이 있었다는 것 아닙니까. 육식은 본능이에요. 채식이란 본능을 거스르는 거죠. 자연스럽지가 않아요."

"요샌 사상 체질 때문에 채식하는 분들도 있는 것 같던데…… 저도 체질을 알아보려고 몇 군데 가 봤더니 가는 데마다 다른 얘길 하더군요. 그때마다 식단을 바꿔 짜 봤지만 항상 마음이 불편하고…… 그저 골고루 먹는 게 최선이 아닌가 하는 생각이 들어요."

"골고루, 못 먹는 것 없이 먹는 사람이 건강한 거 아니겠어요? 신체적으로나, 정신적으로나 원만하다는 증거죠." 전무 부인이 말했다. 마침내 그녀의 화살은 아내에게 직접 날아왔다.

"채식을 하는 이유가 어떤 건가요? 건강 때문에…… 아니면 종교적인 거예요?"

"아니요." 아내는 이 자리가 얼마나 어려운 자리인지 전혀 의식하지 않은 듯, 태연하고 조용하게 입을 떼었다. 불현듯 소름이 끼쳤다. 아내가 무슨 말을 하려는지 직감했기 때문이었다.

"……꿈을 꿨어요."

나는 재빨리 아내의 말끝을 덮었다.

"집사람은 오랫동안 위장병을 앓았어요. 그래서 숙면을 취하지 못했죠. 한의사의 충고대로 육식을 끊은 뒤 많이 좋아졌습니다."

그제야 사람들은 고개를 끄덕였다.

"다행이네요. 저는 아직 진짜 채식주의자와 함께 밥을 먹어 본 적이 없어요. 내가 고기를 먹는 모습을 징그럽게 생각할지도 모를 사람과 밥을 먹는다면 얼마나 끔찍할까. 정신적인 이유로 채식을 한다는 건, 어찌 됐든 육식을 혐오한다는 거 아녜요? 안 그래요?"

"꿈틀거리는 세발낙지를 맛있게 젓가락에 말아 먹고 있는데, 앞에 앉은 여자가 짐승 보듯 노려보고 있는 것과 비슷한 기분이겠죠."

좌중이 웃음을 터뜨렸다. 따라 웃으며 나는 의식하고 있었다. 아내가 함께 웃지 않는다는 것을. 허공을 오가는 어떤 대화에도 귀를 기울이지 않은 채, 사람들의 입술에 번들거리는 탕평채의 참기름을 지켜보고 있다는 것을. 그것이 모두의 마음을 불편하게 하고 있다는 것을.

(마) 장자는 만물은 끊임없이 변화하므로 인간의 감각과 마음을 통해서는 참된 지식을 얻을 수 없다고 주장하였다. 감각과 마음을 통해 얻는 지식은 때와 상황에 따라 다를 수 있을 뿐만 아니라 관점에 따라서도 달라지기 때문이다. 그래서 장자는 편견이나 선입견과 같은 자기중심적인 관점에서 벗어날 것과 만물의 상대적 가치를 인식할 것을 강조하였다. 장자는 인간의 자기중심적 편견에서 비롯된 분별은 상대적인 것일 뿐이라고 보았다. 이러한 관점에서 그는 옳고 그름, 귀함과 천함, 아름다움과 추함 등의 분별을 초월하여 자연 만물이 절대적으로 평등하다고 주장하였다.

한편 갈퉁은 폭력의 의미를 '인간의 기본적 욕구를 무시하는 것'이라고 정의하면서 적극적 평화를 실현하기 위해 노력해야 한다고 보았다. 폭력에는 물리적·언어적 폭력으로 대변되는 직접적 폭력과 법률과 제도에 의한 억압을 의미하는 구조적 폭력, 그리고 직접적·구조적 폭력을 정당화하는 사회 기저의 문화적 폭력이 있다는 것이다. 그는 진정한 평화의 실현을 위해서는 직접적 폭력이 제거된 소극적 평화를 넘어 구조적·문화적 폭력까지 제거된 적극적 평화가 중요하다고 말한다.

(바) 서민들의 경우 조선 후기까지 비 오는 날에 우산을 쓰지 않았다. 민가에서는 오히려 비를 의도적으로 가리는 행동을 금하는 풍습까지 있었다. 이러한 풍습은 기후에 민감했던 농경 사회 문화와 밀접한 관련이 있다. 과학 기술이 발달하지 못한 당시 사회에서 농민들은 하늘에 의존하며 살 수 밖에 없었기 때문에 하늘의 뜻을 거스르지 않고 순종하기 위해 늘 조심하였다. 비를 의도적으로 가리는 행위는 하늘의 뜻을 거역하는 부도덕한 행위로 반드시 재앙이 따른다고 믿었던 것이다.

기록에 따르면 우산이 도입된 초기에는 우리나라 사람들은 물론 우리나라에 와 있던 외국인들도 비 오는 날에 우산 사용을 꺼려했다고 한다. 당시 『독립신문』의 기사에 의하면 오랜 가뭄 끝에 비가 내렸을 때 외국인이 우산을 쓰고 거리에 나갔다가 몰매를 맞은 일까지 있었을 정도다. 우산에 대한 사회적 거부 반응이 어느 정도였는지 짐작할 수 있다.

그러나 시간이 흐르면서 우산의 사용은 점차 확산된다. 개화기에 들어서면서 여성도 신학문을 배울 수 있는 여학교가 설립되었다. 다만 얼굴을 드러내 놓고 외출하는 것을 꺼리는 사회 분위기 때문에 여학생들은 쓰개치마*를 쓰고 등·하교하였다. 그런데 배화 학당에서 쓰개치마를 교칙으로 금한 일이 있었다. 학생들과 가족들은 얼굴을 내놓고 거리를 다닐 수 없다며 반발하였고 이 때문에 학생들 상당수가 학교를 그만둘 정도로 파장이 컸다. 결국 배화 학당은 쓰개치마 대안으로 얼굴을 가리고 다닐 수 있도록 검정 우산을 나누어 주었다. 이후 우산은 일반 여인들 사이에서도 널리 유행했고, 얼굴을 가리는 용도와 더불어 햇빛을 가리는 양산으로까지 확대되어 멋을 내는 도구가 되었다.

*쓰개치마 : 예전에, 부녀자가 나들이할 때, 내외(남의 남녀 사이에 서로 얼굴을 마주 대하지 않고 피함.)를 하기 위하여 머리와 몸 윗부분을 가리어 쓰던 치마.

(사) 좋은 논쟁이란 '상호 부딪침'이 있는 논쟁을 뜻한다. 서로 부딪치는 지점을 논쟁 용어로는 '접점'이라고 하는데, '상호 갈등 해소를 위한 개념적 장소'로 풀이할 수 있다. 이러한 접점에서 만나지 않는 사람들, 즉 다른 의견을 듣지 않는 사람들은 마치 메아리 방에서 살 듯 자신의 소리만 듣고 살 가능성이 크다. 아니면 비슷한 생각을 가진 사람끼리 만나 서로 동의하며 기존의 입장을 견고하게 다질지도 모른다. 서로 다른 의견을 가진 사람들 각각의 집단 편향이나 쏠림 현상이 강화되는 것이다. 밀은 "사회에서 널리 통용되는 의견이나 감정이 부리는 횡포 그리고 그런 통설과 다른 생각과 습관을 가진 이견 제시자에게 사회가 윽박지르면서 통설을 행동 지침으로 받아들이도록 강요하는 경향에 대해서도 대비를 해야 한다."라고 했다. 이는 다수의 의견을 모든 사회 구성원에게 강요하는 사회의 위험성과 폭력성을 경계하는 말이다.

무릇 모든 소통이 그러하듯 논쟁의 출발점도 상대방의 입장을 듣는 데서 시작한다. 상대방의 논리에서 허점을 찾아내고 상대방이 납득할 만한 이유를 제공하는 것이 논쟁의 규칙이다. 그러자면 어울리기 싫어도 생각이 다른 이들과 대화를 하고 그들의 입장을 들어야 한다. 미국의 법학자 선스타인은 "나는 네 의견에 동의하지 않는다."라고 말하지 않는 사람들은 집단의 의견에 동조하거나 강화된 자기 의견 속에 안주한다고 했다. 그렇게 되면 자기 합리화와 상호 비방만 있게 된다. 반대 의견을 내고 기꺼이 논쟁하는 사람들이 이러한 상황을 흔들 수 있는 생산적 논쟁에 나서야 한다. 의견 양극화와 쏠림 현상이 두드러진 곳에서는 집단들 간에 공유되지 않는 정보가 많아지고 소수자들은 침묵한다. 그래서 사람들이 의견을 잘 내지 않는 사회가 되기 쉽다.

[문제 1] 제시문 (가), (나), (다), (라)에서 등장인물이 거짓된 언행을 하는 '이유'와 이러한 거짓된 언행으로 인해 초래된 '예상과 다른 결과'를 각각 찾아 하나의 완성된 글로 논술하시오. [40점, 550-570자]

[문제 2] 제시문 (마)와 제시문 (바)를 통합적으로 고려하여 제시문 (라)의 모임 참석자들이 채식주의자인 '아내'를 대하는 태도를 비판하고, 모임 참석자들과 아내가 서로를 이해하기 위해 각각 어떤 노력을 해야 하는지를 제시문 (사)를 토대로 서술하시오. [40점, 550-570자]

※ 다음 상황에 기초하여 문제에 답하시오.

- 용의자가 거짓말을 할 확률은 0.4이고 참말을 할 확률은 0.6이라고 가정한다.
- 과거의 자료에 의하면 용의자가 참말을 할 때 분당 심장 박동수는 평균이 90, 표준편차가 10인 정규분포를 따르고, 거짓말을 할 때 분당 심장 박동수는 평균이 120, 표준편차가 20인 정규분포를 따른다고 알려져 있다.
- 심장 박동수를 이용하는 거짓말 탐지기 A는 용의자가 말을 할 때 분당 심장 박동수가 100 이상 이면 용의자가 거짓말을 한다고 판정한다.
- 거짓말 탐지기의 성능은 거짓말 탐지기가 거짓이라고 판정했을 때 실제로 용의자가 거짓말을 했을 확률로 평가한다.

[문제 3] 과학수사대에서 심장 박동수 대신 혈압을 이용하는 새로운 거짓말 탐지기 B를 만들었다. 거짓말 탐지기 B는 용의자가 거짓말을 했을 때 거짓이라고 판정할 확률과 참말을 했을 때 참이라고 판정할 1 확률이 같도록 설계되었다. 과학수사대가 실시한 실험에 의하면 거짓말 탐지기 B의 성능이 거짓말 탐지기 A에 비하여 20% 향상되었다고

표준정규분포표	
z	$P(0 \le Z \le z)$
0.5	0.19
1	0.34
1.5	0.43
2	0.48

한다. 그렇다면, 용의자가 거짓말을 했을 때 거짓말 탐지기 B가 거짓이라고 판정할 확률을 구하시오. 단, 필요한 경우 오른쪽 표준정규분포표를 이용하시오. [20점, 원고지 작성법을 준수할 필요 없음]

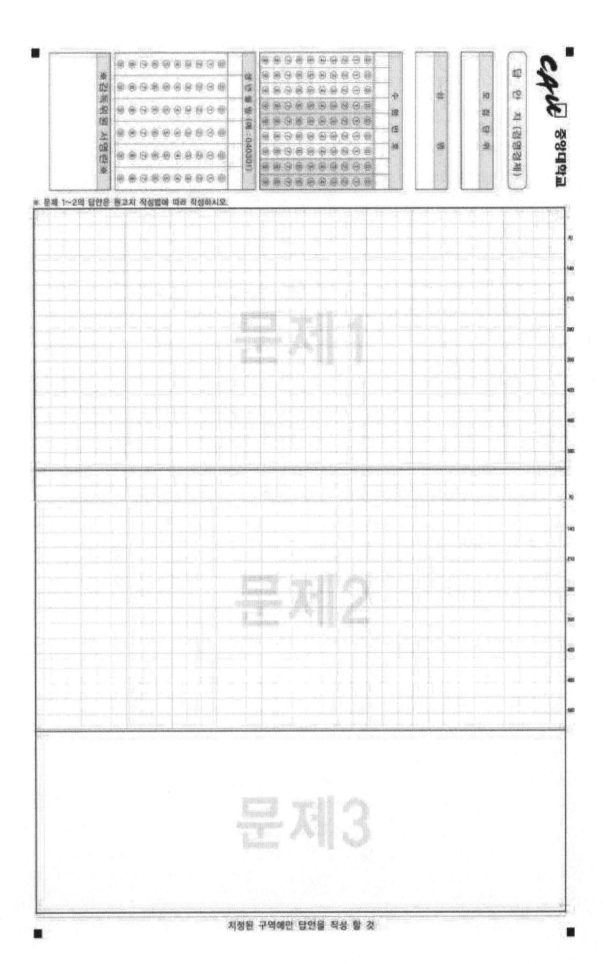

5. 2023학년도 중앙대 수시 논술 [인문사회]

※ 다음을 읽고 물음에 답하시오.

(가) 어린 시절 가장 많이 받은 질문. "너 커서 뭐가 될래?"

내 꿈은 계절마다 바뀌어서, 지금은 기억조차 가물가물하다. 하지만 초등학교 시절까지 가장 오래 간직했던 꿈은, 부끄럽지만 피아니스트였다. 피아니스트의 삶이 어떤 건지는 잘 몰랐지만 나는 그저 피아노가 좋았다. 피아노를 '잘 쳐서' 좋은 것이 아니라, '그냥 좋아서' 좋아했다. 특출한 재능이 있는 것은 아니었다.

꿈의 불꽃이 타오르기 시작한 순간은 이상하게도 잘 기억나지 않는데, 꿈의 불꽃이 사그라지던 순간은 정확히 기억난다. 어린 시절 우리 집에서 같이 살던 이모와 수다를 떨다가, 내가 피아니스트의 꿈을 꾸는 것이 부모님께 부담될 수 있다는 이야기를 듣게 되었다. 그때부터 나는 피아노 연습을 게을리하기 시작했다. 그 이후로도 나는 꿈을 여러 번 포기했다. 때로는 성적이 모자라서, 때로는 사람들의 평가가 두려워서, 때로는 그저 꿈만 꾸는 것이 싫증 나서 수도 없이 꿈을 포기했다. 내 꿈의 역사는 '포기의 역사'였다. 그런데 그 수많은 꿈을 포기하며 살아가다 보니, 정말 인정하기 싫지만 나의 진짜 문제를 알게 되었다. 실패가 두려워 한 번도 제대로 된 도전을 해 보지 못했다는 것을. 아무리 이모의 말이 충격적이었더라도, 내가 피아노를 좀 더 뜨겁게 사랑했더라면, 좀 더 세상과 싸워 볼 용기가 있었다면, 그렇게 쉽게 포기하진 않았을 것이다.

얼마 전 내 소중한 벗이 불쑥 물었다. "넌 왜 그렇게 매사에 자신감이 없냐?"

나는 아무렇지도 않다는 듯 적당히 둘러대긴 했지만, 그 말이 오랫동안 아팠다. 가슴에 날카로운 사금파리*가 박힌 것처럼, 시리게 아팠다. 내 삶의 치명적인 허점을 건드리는 말이었기 때문이었다.

나를 오래 알아 온 사람만이 알아볼 수 있는 내 아픔이었기 때문이다. 나는 이제야 깨닫는다. 피아노를 포기한 것이 문제가 아니라, 그때부터 '포기하는 버릇'을 가슴 깊이 내면화한 것이 문제라는 것을. 도전하기 전에, 미리 온갖 잔머리를 굴려 내 인생을 머릿속으로 그려 보고, 안 되겠구나 싶어 지레 포기하는 것. 아주 어릴 때부터 나도 모르게 생긴 버릇이라 쉽게 고칠 수도 없었다. 내게 주어진 현실을 실제 상황보다 훨씬 나쁘게 인식하는 것. 내가 가진 것을 실제보다 훨씬 작게 생각하는 버릇. 그것은 금속에 슬기 시작한 '녹' 같다. 처음에는 아주 하찮아 보이지만 나중에는 가득 덮인 녹 때문에 원래 모습조차 알 수 없게 되어 버리는. 나는 진로에 대한 공포 때문에, 미래에 대한 비관 때문에, 나의 원래 모습마저 잃어버린 것 같았다.

*사금파리: 사기그릇의 깨어진 작은 조각.

(나) 내가 라면을 처음 먹어 본 것은 초등학교 5학년 무렵이다. 초겨울 찬바람이 손을 시리게 만드는 저녁 무렵, 나는 생애 최초로 라면을 먹었다. 그 맛은 기존의 질서에서 살짝 일탈한 위반의 맛이었다. 동시에 인스턴트했고 중독의 예감을 안겨 주는 맛이었다.

그로부터 삼 년 뒤에 나는 서울의 변두리 동네로 전학을 와서 어느 독서실에 출입하게 되었다. 독서실에서 라면을 끓이는 방법은 환경에 걸맞게 더욱 도시적이고 현대적이었다. 빈 분유 깡통에 물을 넣고 라면과 수프를 함께 넣은 다음 뚜껑을 덮는다. 비닐 뚜껑에는 미리 뚫어 놓은 구멍이 두 개 있는데 그 구멍에 전극이 연결된 젓가락을 꽂는다. 그러면 곧 몇 분도 지나지 않아 깡통 안의 물이 끓어오른다. 물이 끓는 것과 동시에 젓가락을 빼고 자기 자리로 깡통을 들고 와서 몇 분 기다렸다가 먹으면 된다. 그 라면은 시골에서 먹던 것보다 짰고 더욱 인스턴트했고 냄새가 강했다.

그로부터 대략 이 년 뒤, 서울 도심에 있는 고등학교로 진학했다. 수업이 끝난 뒤 우리는 각자 밥을 꽉 눌러 채운 도시락을 하나씩 들고 분식집에 모였다. 그러면 주인은 미리 껍질을 벗겨 놓은 라면을, 역시 미리 수프를 풀어 끓여 놓은 냄비 속에 빠뜨렸다. 그러고는 시큼하고 커다란 단무지 세 쪽 아니면 네 쪽을 접시에 담아 냄비와 함께 가져다주었다. 식탁에 있는 고춧가루를 살짝 풀어 라면과 함께 밥을 말아 먹으면 도서관에서의 한밤까지도 든든했다. 그때 그 라면이 얼마나 맛있었으면 도서관에 남아 공부를 하려고 라면을 먹는지, 라면을 먹으려고 도서관에 남아 있는지 잘 모를 지경이었다.

그런데 언제부터인가 라면의 맛을 잃어버렸다. 라면의 종류는 과거와 비교할 수 없이 많아졌고 재료 역시 좋아졌지만 내가 찾는 그 맛은 어디에도 없었다. 한동안 나는 초겨울 빈 들에 구하기도 힘든 찌그러진 양은 냄비를 들고 나가 짚으로 라면을 끓여 먹어 보기도 했다. 또 어렵사리 분유 깡통을 구해 젓가락을 넣다가 합선 사고를 내기도 했고 납작한 양은 냄비를 찾아 시장을 헤맨 적도 있다. 여러 사람의 자문을 얻어 이것저것 실험도 해 보았다. 라면을 끓이는 냄비는 성냥불만 닿아도 파르르 반응하도록 얇을수록 좋다. 수프는 미리 찬물에 풀고 그 물을 최대한 오래 끓인 뒤 면을 넣는데 뚜껑은 덮지 말고 면을 섞거나 뒤집지 않는다. 날씨는 추울수록 좋고 끓는 부분과 차가운 대기에 접촉하는 면이 공존해야 한다. 이런 식으로 한겨울에 마당에서 라면을 끓여 먹다가 아이들에게 놀림을 받은 적도 있다. 그렇지만 그때와 같은 맛은 결코 돌아오지 않았다.

얼마 전에 나는 나름의 결론을 내렸다. 나는 라면을 먹고 싶어 하는 것이 아니라 그때 그 시절을 먹고 싶어 하는 거라고. 무지개를 찾는 소년처럼 헛되이, 저 멀리에서 황홀하게 빛나는 그 시절을 되찾으려는 것이라고.

(다) 귀퉁이 한 조각이 떨어져 나가 온전치 못한 동그라미가 있었다. 동그라미는 너무 슬퍼서 잃어버린 조각을 찾기 위해 길을 떠났다. 여행하며 동그라미는 노래를 불렀다.

"나의 잃어버린 조각을 찾고 있지요. 잃어버린 내 조각 어디 있나요."

때로는 눈에 묻히고 때로는 비를 맞고 햇볕에 그을리며 이리저리 헤맸다. 그런데 한 조각이 떨어져 나갔기 때문에 빨리 구를 수가 없었다. 그래서 힘겹게, 천천히 구르다가 멈춰 서서 벌레와 대화도 나누고, 길가에 핀 꽃 냄새도 맡았다. 어떤 때는 딱정벌

레와 함께 구르기도 하고, 나비가 머리 위에 내려앉기도 했다.

　오랜 여행 끝에 드디어 몸에 꼭 맞는 조각을 만났다. 이제 완벽한 동그라미가 되어 이전보다 몇 배 더 빠르고 쉽게 구를 수 있었다. 그런데 떼굴떼굴 정신없이 구르다 보니 벌레와 얘기하기 위해 멈출 수가 없었다. 꽃 냄새도 맡을 수 없었고, 휙휙 지나가는 동그라미 위로 나비가 앉을 수도 없었다.

　"내 잃어버린 힉, 조각을 힉, 찾았어요! 힉!"

　노래를 부르려고 했지만, 너무 빨리 구르다 보니 숨이 차서 부를 수가 없었다.

　한동안 가다가 동그라미는 구르기를 멈추고, 찾았던 조각을 살짝 내려놓았다. 그리고 다시 한 조각이 떨어져 나간 몸으로 천천히 굴려 가며 노래했다.

　"내 잃어버린 조각을 찾고 있어요……."

　나비 한 마리가 동그라미의 머리 위에 내려앉았다.

(라) [앞부분의 줄거리] 나(정수)는 공부를 잘하는 형을 둔, 가난한 농가의 둘째 아들이다. 아버지 몰래 친구와 함께 떠난 여행에서 대관령의 넓은 채소밭을 본 뒤 그곳에서 고랭지* 채소 농사를 짓겠다고 결심하고, 나는 적성에 맞지 않는 공부를 하느니 학교를 그만두고 하루빨리 농사를 짓겠다고 선언한다.

　"아버지, 드릴 말씀이 있는데요."

　"무슨 얘긴데."

　"저, 이제 학교 안 다녀요."

　"안 다니면?"

아버지는 애써 화를 참으며 물었다.

　"앞으로는 절대 속을 썩이지 않을 테니 저를 대관령으로 보내 주세요."

　"대관령엔 왜? 또 남의 집 종살이를 하고 싶어서?"

　"아뇨, 거기 가서 농사를 짓고 싶어요. 저 자신 있어요, 아버지."

　"이봐라, 정수야."

　"예."

　"니 올해 나이가 몇이나?"

　"열일곱 살요."

　"그러면 그건 스무 살이 넘어서도 할 수 있는 거 아니냐? 나중에라도."

　"저는 빨리 하고 싶어요. 한 해라도 빨리요."

　"그런 거 빨리 해서 뭘 할 건데?"

　"돈 벌려구요. 공부도 취미가 없고 하니까."

　"글쎄, 그런 건 학교를 졸업하고도 얼마든지 할 수 있는 거라니까. 그렇게 해도 늦지 않고. 그러니까 다시 학교로 가. 내일 개학이고 하니까."

　"저 이제 정말 학교 안 다녀요. 그러면 또 집 나가고 말 거라구요. 이번엔 아주 멀리요."

　(중략)

"어쩌면 이게 니 학업의 마지막이 될지 몰라서 하는 얘기야. 나중에 커 보면 안다. 사람이 세상을 살아가는 데 공부 많이 한 사람과 적게 한 사람의 차이는 그렇게 나지 않는다. 잘한 사람과 못한 사람의 차이도 그렇고. 그렇지만 책을 많이 읽은 사람과 적게 읽은 사람의 차이는 몇 마디 얘기만 나눠 봐도 금방 눈에 보인다. 니가 대관령에 가서 농사를 짓든 뭘 하든 애비가 보내 주는 책만 제대로 챙겨 읽는다면 학교 공부 손을 놓는다 해도 어디 가서 무식하다는 소리는 듣지 않을 게다."

"예, 명님(명념)* 할게요."

"니두 이다음 자식 키워 봐라. 부모가 돼서 이렇게 하기가 쉬운지. 학교 다니기 싫다고 제 손으로 책에 불을 지르긴 했다만, 지금은 그렇다 해도 나중에라도 니가 니 갈 길을 잘 찾아갈 거라는 걸 애비가 믿기 때문에 보내는 게야. 학문이든 뭐든 세상 살며 한두 해 무얼 늦게 시작한다고 해서 마지막 서는 자리까지 뒤처지는 것도 아니고. 이 말이 무슨 말인지도 늘 생각하고."

[생략된 부분의 줄거리] 대관령에서 고랭지 배추 농사를 시작한 나는 운 좋게 풍작을 거두어 처음으로 큰돈을 손에 쥐게 된다. 배추 상인들과 직접 흥정하고, 오토바이를 사서 타고 다니는 등 나는 어른처럼 행동하지만, 허전한 마음을 가눌 길이 없다.

나는 다음 해에 펼칠 내 뜻을 아버지에게 말했다. 아버지가 그러길 바라서가 아니라 나중에 다시 농사를 짓더라도 어떤 일에는 다 때가 있는 것이 아닐까 하는 생각을, 지난 시간에 대한 두려움처럼 두 번째 여름과 가을 사이에 했던 것이다. 그동안 아버지한테 받은 숙제처럼, 그리고 나중엔 거기에 내가 더 깊이 빠져 한 권 두 권 읽기 시작해 커다란 서가 하나를 채우고 남을 정도에 이른 책들도 나의 그런 생각을 도와주었을 것이다. 그 무렵 무엇보다 나를 우울하게 했던 것은 지난 이태 동안의 내 삶에 대한 나 스스로의 생각이었다. 왠지 그 기간 동안 내가 했던 것은 어른 노릇이었던 것이 아니라 어른놀이였다는 생각이 자꾸만 내 가슴을 무겁게 한 것이었다. 이런 상태로 다시 한 해가 지나고 또 한 해가 지나 스무 살이 된다고 해도, 아니 그보다 더 많은 시간이 흘러 서른이 되고 마흔이 된다 해도 그 일에 대해 어떤 후회나 미련 같은 것이 남는다면 그때에도 내가 하는 짓은 여전히 어른 노릇이 아니라 어른놀이일 것 같은 생각이 들었던 것이다.

지난해와 마찬가지로 이번 해에도 배추 농사에서 큰돈을 만졌다 하더라도 지난여름 어느 날 갑자기 들기 시작한 그 생각만은 변함없을 것 같았다. 같은 나이의 다른 아이들이 하지 못하고 있는 무언가를 내가 하고 있다는 것이 아니라 같은 나이의 다른 아이들이 다 하고 있는 어떤 것을 나만 하지 못하고 있다는 생각이 뒤늦게야 어떤 후회나 소외감처럼 조금씩 내 가슴에 스며들어 오던 것이었다.

아버지는 이렇게 말했다.

"그래, 늦기는 했지만 믿었다 애비는. 니 이렇게 제자리로 올 줄."

[뒷부분의 줄거리] 나는 그동안 어른놀이를 하느라 길렀던 머리를 깎고, 두 살 아래 후배들의 동급생이 되어 학교로 돌아간다.

(마) 사랑을 느끼게 하는 것과 두려움을 느끼게 하는 것 중에서 어느 편이 더 나은가에 대해서는 논쟁이 있었습니다. 제 견해는 사랑도 느끼게 하고 동시에 두려움도 느끼게 하는 것이 바람직하다는 것입니다. 그러나 동시에 둘 다 얻는 것은 어렵기 때문에, 굳이 둘 중에서 하나를 선택해야 한다면 저는 사랑을 느끼게 하는 것보다는 두려움을 느끼게 하는 것이 훨씬 더 안전하다고 생각합니다.

이것은 인간 일반에 대해서 말해 줍니다. 즉, 인간이란 은혜를 모르고 변덕스러우며 위선적인 데다 기만에 능하며 위험을 피하려고 하고 이익에 눈이 어둡습니다. 당신이 은혜를 베푸는 동안 사람들은 모두 당신에게 온갖 충성을 바칩니다. 이미 말한 것처럼, 막상 그럴 필요가 별로 없을 때, 사람들은 당신을 위해서 피를 흘리고, 자신의 소유물, 생명 그리고 자식마저도 바칠 것처럼 행동합니다. 그렇지만 당신이 정작 그러한 것들을 필요로 할 때면, 그들은 등을 돌립니다. 따라서 전적으로 그들의 약속을 믿고 다른 대책을 소홀히 한 군주는 몰락을 자초할 뿐입니다.

인간은 두려움을 불러일으키는 자보다 사랑을 베푸는 자를 해칠 때에 덜 주저합니다. 왜냐하면 사랑이란 일종의 감사의 관계에 따라서 유지되는데, 인간은 악하기 때문에 자신의 이익을 취할 기회가 생기면 언제나 그 감사의 상호 관계를 팽개쳐 버리기 때문입니다. 그러나 두려움은 항상 효과적인 처벌에 대한 공포로써 유지되며, 실패하는 경우가 결코 없습니다.

군주는 자신의 군대를 통솔하고 많은 병력을 지휘할 때, 잔인하다는 평판쯤은 개의치 말아야 합니다. 왜냐하면 군대란 그 지도자가 거칠다고 생각되지 않으면 군대의 단결을 유지하거나 군사 작전에 적합하게 만반의 태세를 갖추지 못하기 때문입니다. 한니발*의 활약에 관한 설명 가운데 특히 주목할 만한 사실은 그가 비록 수많은 종족이 뒤섞인 대군을 거느리고 이역*에서 싸웠지만, 상황이 유리하든 불리하든 상관없이, 군 내부에서 또 그들의 지도자에 대해서 어떠한 분란도 일어나지 않았다는 것입니다. 이 사실은 그의 많은 다른 훌륭한 역량과 더불어, 그의 부하들이 그를 항상 존경하고 두려워하도록 만든 그의 비인간적인 잔인함으로 설명할 수 있습니다. 그리고 그가 그토록 잔인하지 않았더라면, 그의 다른 역량 역시 그러한 성과를 거두는 데 충분하지 않았을 것입니다. 분별없는 저술가들은 이러한 성공적인 행동을 찬양하면서도 그 성공의 주된 이유를 비난하는 어리석음을 범하고 있습니다.

*한니발: 카르타고의 장군. 기원전 218년 제2차 포에니 전쟁을 일으키고 이탈리아에 침입하여 로마군을 격파하였다.
*이역(異域): 다른 나라의 땅. 또는 고향이 아닌 딴 곳.

(바) 아무 데나 나는 풀도 이름이 없는 풀은 없다고 한다. 그러나 농부는 저마다 논밭에 심고 가꾸는 것이 아닌 것은 죄다 잡풀이라고 한다. 자기에게 필요할 때는 나물도 되고 화초도 되고 약초도 되고 목초도 되고 거름도 되고 하는 풀도 필요가 없을 때는 잡풀이 되는 것이다. 잡풀로 그치는 것만도 아니다. 논밭에 나서 서로가 살려고

작물과 경쟁을 할 때는 여지없이 농부의 원수가 되어 낫에 베이거나 호미에 뽑히거나 농약에 마르거나 하여 덧없이 죽어 가기 마련이다. 논밭의 작물은 주인의 발걸음 소리에 자란다는 말을 들을 때 잡풀의 서러움은 그 무엇에 견주어 말한대도 성에 찰리가 없을 터이다.

나는 장마 전에 시골집에 가서 고추밭과 집터서리*에 뒤덮인 잡풀을 이틀에 걸쳐서 뽑고 베고 하였다. 장마가 지면 고추밭이 풀밭이 되고 울안의 빗물도 빠지지 않아서 나간 집이나 다름이 없어질 터이기 때문이었다. 풀을 뽑고 베는 동안에 팔과 다리에 '풀독'이 올랐다. 뽑히고 베일 때 성이 난 풀잎에 팔과 다리가 긁히더니 이윽고 벌겋게 부르트면서 옻*이나 옴*이 오른 것처럼 가렵고 따갑고 쓰라려서 안절부절못하게 된 거였다. 약국에서는 접촉성 피부염이라면서 먹는 약과 바르는 약을 주었지만, 열흘이 지나고 보름이 지나도 가라앉지 않았다. 한갓 잡풀일망정 뽑히고 베일 때 왜 느낌이 없을 수 있겠는가. 느낌이 있다면 왜 가만히 있을 수 있겠는가.

*집터서리: 집 바깥 둘레의 근방.
*옻: 옻나무에서 나는 진액.
*옴: 옴진드기가 기생하여 일으키는 전염 피부병.

(사) 맹자는 사람에게는 단지 도덕적인 마음의 단서가 있을 뿐, 이를 확충하려는 노력이 없다면
선한 마음의 싹이 말라 죽게 된다고 보았다. 그러한 까닭에 맹자는 사람의 선한 마음을 보존하고 선한 본성을 기르는 존심양성(存心養性)의 수련을 강조하였다.

맹자는 성선설에 기초하여 정치사상을 전개하였다. 사람에게는 누구나 차마 그냥 지나치지 못하는 도덕적 마음이 있다고 전제하고, 통치자가 이러한 마음을 정치로 확장할 때 올바른 정치가 이루어진다는 것이다. 무력으로써 사람을 복종시킨다면 사람들이 진심으로 복종하지 않고, 단지 자신의 힘이 부족하기 때문에 억지로 복종한다. 덕으로써 사람을 복종시킨다면 진심으로 기뻐하며 진정으로 복종한다. 따라서 맹자는 형벌로 강제하는 패도 정치를 비판하고, 백성들의 고통을 차마 그냥 지나치지 못하고 자신의 고통처럼 느낄 수 있는 왕도 정치를 이상적 정치라 하였다. 맹자는 "백성이 귀하고 군주는 가볍다."라고 하며, 통치자가 백성의 삶을 안정시키지 못할 경우 통치자를 바꿀 수
있다는 역성혁명*을 주장하였다.

*역성혁명: 군주가 군주답지 못할 때 하늘의 뜻에 따라 혁명으로 왕조를 바꿀 수 있다는 뜻.

(아) 근대 시민 혁명을 전후로 등장한 자유주의 사상에서는 개인의 독립성과 자율성을 우선시하며 개인의 자유에 최고의 가치를 부여한다. 또한, 개인이 자유롭게 이익을 추구함으로써 사회 전체의 부가 증가한다고 보며, 국가는 국민의 자유와 권리를 보호하기 위해 존재한다고 주장한다. 자유주의적 정의관에서는 자유로운 경쟁을 통해 공정하게 취득한 이익을 보장하는 것이 옳다고 본다. 개인의 배타적인 소유권을 강조하기 때문에 국가의 소득 재분배 정책도 재산권을 침해하는 것으로 보기

도 한다.

오늘날 우리 사회에 만연한 공공성 결핍 현상이 사회적 쟁점으로 부상하고 있다. 공공성 결핍 현상은 개인을 사회와 독립된 별개의 존재이자 경제적 효용을 추구하는 합리적 존재로 보는 경향과 관련이 있다. 개인을 경제적 효용을 추구하는 존재로 보는 경향은 끊임없이 개인에게 자신의 경제적 효용 가치를 높일 것을 요구한다.

(자) 중세 시대 어느 작은 마을의 가장 중요한 경제 활동은 양을 기르는 일이었다. 마을의 많은 사람들이 양을 키워서 양털을 팔아 생계를 유지하고 있었다. 양들은 마을 공유지인 초원에서 풀을 뜯어 먹으면서 대부분의 시간을 보냈다. 마을 주민 누구도 이 초원을 소유하고 있지 않았다. 이 초원은 마을 주민의 공동 소유지로 마을 주민이라면 누구든지 이곳에서 자신의 양이 풀을 먹게 할 수 있었다. 초원의 풀이 풍부할 때 이 공동 소유 제도는 별 문제가 없었다. 그러나 마을 주민들은 공유지의 풀을 활용하여 자신의 이익을 극대화하기 위해 각자 양의 수를 경쟁적으로 늘렸다. 초원의 면적은 제한되어 있으나 양의 수는 계속 증가하여 초원에 풀이 자랄 수 없게 되었고, 결국 초원은 황무지가 되고 말았다. 마을 공유지에 더 이상 풀이 없기 때문에 양을 기를 수 없게 되었고, 한때 융성하던 이 마을의 양털 산업은 쇠퇴하였다. 마을은 결국 생활 기반을 상실하였다.

(차) 권리는 의무를 전제로 하고, 의무는 권리를 전제로 하므로, 권리와 의무는 상호 보완적인 관계이다. 모두가 자신의 권리만을 내세우며 책임이나 의무를 회피한다면 결과적으로 누구도 자신의 권리를 누릴 수 없게 될 것이고, 공동체에 대한 의무만을 강요한다면 개인이 사회를 위한 수단으로 취급될 것이다. 자유주의와 공동체주의는 서로 대립하는 것처럼 보이지만, 모두 개인의 행복한 삶과 정의로운 사회를 지향한다는 점에서 상호 보완적이라고 할 수 있다. 이는 개인의 권리를 중시하는 자유주의가 사회 구성원으로서의 의무를 경시하지는 않으며, 공동선과 공익을 강조하는 공동체주의가 개인의 이익이나 행복 등 사익을 경시하지 않는다는 점에서도 알 수 있다.

[문제 1] 제시문 (가), (나), (다), (라)에는 고민하는 '나'가 나타난다. 제시문 (가)~(라)에서 '나'가 고민하는 내용을 기술하고, 그 결과 도달한 새로운 인식을 찾아 하나의 완성된 글로 논술하시오. [40점, 550-570자]

[문제 2] 제시문 (라)의 부자 간 대화에 나타난 '아버지'의 태도를 토대로 제시문 (마)의 논지를 비판하고, 제시문 (마)에서 언급된 군주의 통치 방식으로 인해 초래될 수 있는 문제를 제시문 (바)와 (사)를 통합적으로 고려하여 서술하시오. [40점, 550-570자]

[문제 3] 제시문 (아)를 토대로 제시문 (자)에 언급된 마을의 생활 기반 상실의 원인을 설명하고, 제시문 (자)의 마을이 쇠퇴하지 않도록 하기 위해 마을 주민들에게 필요한 자세를 제시문 (차)에서 찾아 서술하시오. [20점, 330-350자]

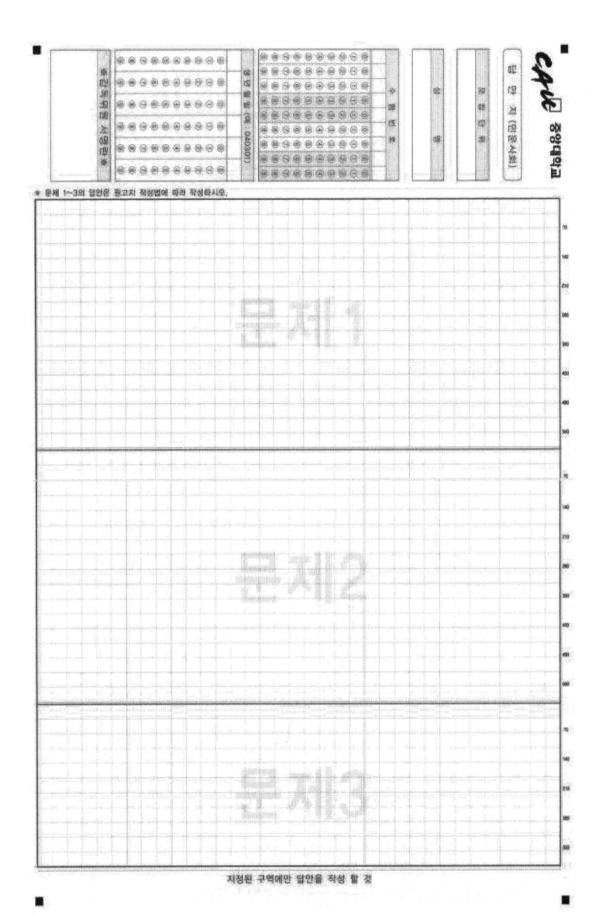

6. 2023학년도 중앙대 수시 논술 [경영경제]

※ 다음을 읽고 물음에 답하시오.

(가) 엄 행수는 마을 안의 똥거름을 쳐내는 것으로 생계를 삼고 있다. 행수는 막일을 하는 늙은이의 칭호요, 엄은 그의 성이다.

자목이 선귤자에게 물었다.

"그전에 선생님이 제게 말씀하시기는 벗은 동거 생활을 하지 않는 아내요, 한 탯줄에서 나오지 않은 형제라고 했습니다. 엄 행수로 말하면 막일을 하는 하층의 처지요, 마주 서기 욕스러운 자리입니다. 선생님이 장차 교분을 맺어서 벗이 되려고 하시니 저까지 부끄러워 견디지 못하겠습니다."

선귤자가 웃으면서 말하였다.

"엄 행수가 언제 나와 알고 지내자고 한 것일까마는 그저 내가 늘 찬양하고 싶어서 견디지 못하네. 밥을 자실 때에는 굴떡굴떡, 걸어 다닐 때에는 어청어청, 잠을 잘 때에는 쿨쿨, 웃음을 웃을 때에는 허허, 가만히 앉아 있을 때에는 멍하니 보이네. 흙으로 쌓고 짚으로 덮은 데다가 구멍을 뚫어 놓고서는 등을 꾸부리고 들어가서 주둥이를 틀어박고 자네. 다시 아침나절에는 즐거이 일어나서 발채를 짊어지고 똥거름을 치러 마을 안으로 들어오네.

엄 행수가 뒷간에서 사람 똥, 마구간에서 말똥, 외양간에서 소똥, 집 안 구석구석에서 닭똥, 개똥, 거위 똥, 돼지우리에서 돼지 똥, 비둘기 똥, 토끼 똥, 참새 똥 따위 똥이란 똥을 귀한 보물처럼 모조리 걸태질해* 가도 누가 염치 뻔뻔하다고 말할 사람은 없단 말일세. 혼자 이익을 남겨 먹어도 누가 의리를 모른다고 말할 사람이 없고, 많이 긁어모아도 누가 양보성이 없다고 말할 사람이 없네. 화려한 차림새도 하려 하지 않고 풍악을 잡히며 노는 것도 바라지 않지. 돈이 많아지고 지위가 높아지는 일을 누가 원하지 않을까만, 원한다고 해서 얻어질 것이 아니기 때문에 애초부터 부러워하지 않는단 말일세.

엄 행수는 아침에 밥 한 그릇을 먹고 난 다음 기운이 든든해졌다가 해가 저녁때가 되고서야 또다시 한 그릇을 먹네. 누가 고기를 좀 먹으라고 권하면, 고기반찬이나 나물 반찬이나 목구멍 아래로 내려가서 배부르기는 마찬가지인데 입맛에 당기는 것을 찾아 먹어서는 무얼 하느냐고 하네. 또 의복을 차려입으라고 권하면, 넓은 소매를 휘두르기에 익숙지도 못하거니와 새 옷을 입고서는 짐을 지고 다닐 수 없다고 대답하네. 해가 바뀌어 설이 되면 이른 아침에 처음으로 갓 쓰고 웃옷 입고 띠 띠고 신도 새로 신고 동리 이웃 간을 두루 돌아다니며 새해 인사를 하지. 그리고 돌아와서는 헌 옷을 도로 꺼내 입고 발채를 지고 마을 안으로 들어서거든. 엄 행수와 같은 분은 더러운 막일로 높은 덕을 가리고서 세상을 크게 숨어 사는 분이 아닌가?

이로 본다면 깨끗한 가운데도 깨끗지 못한 것이 있고 더러운 가운데도 더럽지 않은 것이 있단 말일세. 내가 먹고 입는 데서 견디기 어려운 처지에 다다르면 항상 나만도 못한 처지의 사람을 생각하게 되는데, 엄 행수에 이르러는 견디기 어려운 처지란 것이 없네. 진심으로 애초부터 도적질할 마음이 없기로 말하면 엄 행수 같은 분이 없다고 생각하네. 아마 엄 행수를 보기에 부끄럽지 않을 사람이 거의 드물 것일세. 그렇기 때문에 나는 엄 행수를 선생으로 모시려고 하고 있단 말일세. 어떻게 감히 벗으로 사귀겠다고 할 것인가. 그렇기 때문에 나는 엄 행수를 감히 이름으로 부르지 못하고 예덕* 선생이라고 일컫는 것일세."

*걸태질하다: 염치나 체면을 차리지 않고 재물 따위를 마구 긁어모으다.
*예덕(穢德): 더러운 것으로 덕을 쌓음.

(나) [앞부분 줄거리] 방삼복은 미군들이 말이 통하지 않아 답답해하는 모습을 보고 무릎을 친다. 마음씨 좋아 보이는 미군 장교(S 소위)에게 접근하여 통역을 해 준다. 그 일을 계기로 방삼복은 S 소위의 통역이 되어 권세를 누리고, 사람들로부터 뇌물을 받으며 호사스러운 삶을 살게 된 것이다.

백 주사의 아들 백선봉은, 순사 임명장을 받아 쥐면서부터 시작하여 8·15 그 전날까지 칠 년 동안, 세 곳 주재소와 두 곳 경찰서를 전근하여 다니면서, 이백 석 추수의 토지와, 만 원짜리 저금통장과, 만 원어치가 넘는 옷이며 비단과, 역시 만 원어치가 넘는 여편네의 패물을 장만하였다. 일변 고을에서는 백 주사가 자식이 그런 짓을 해서 산 토지를 가지고 동네 사람한테 거만히 굴고, 작인들한테 팔 할 가까운 도지*를 받고, 고리대금을 하고 하였대서 백 주사의 집을 습격하였다. 집과 세간 죄다 부수고, 백선봉이 보낸 통제 배급 물자 숱한 것 죄다 빼앗기고, 가족들은 죽을 매를 맞고, 백선봉은 처가로, 백 주사는 서울로 각기 피신하여 목숨만 우선 보전하였다.

백 주사는 비싼 여관 밥을 사 먹으면서, 울적히 거리를 오락가락, 어떻게 하면 이 분풀이를 할까, 어떻게 하면 빼앗긴 돈과 물건을 도로 다 찾을까 하고 궁리를 하던 것이나, 아무런 묘책도 없었다.

종로를 지향 없이 거니는데, 지나가던 자동차가 스르르 멈추면서

"아, 백 주사 아니신가요?" 하고 반기는 것이었다.

자세히 보니, 코 삐뚤이 삼복이가 분명하였다.

"자네가, 저, 저, 방, 방……."

"네, 삼복입니다."

그리고는 내 집으루 갑시다 하고 잡아끄는 대로 끌려온 것이었다.

의표*하며, 집하며, 식모에 침모에 계집 하인까지 부리면서 사는 것이며, 신수가 훤히 트여가지고, 말도 제법 의젓하여진 것 같은 것이며, 진소위 개천에서 용이 났다고 할 것인지. 옛날의 영화가 꿈이 되고, 일조에 몰락하여 가뜩이나 초상집 개처럼 초라한 자기가 또 한 번 어깨가 옴츠러듦을 느끼지 아니치 못하였다. 그런 데다 무엄스럽게 굴어 심히 불쾌하였고, 그래서 엔간히 자리를 털고 일어설 생각이 몇 번이나 나지 아니한 것도 아니었다. 그러나 참았다.

보아하니 큰 세도를 부리는 것이 분명하였다. 잘만 하면 그 힘을 빌려 분풀이와 빼앗긴 재물을 도로 찾을 여망이 있을 듯싶었다. 분풀이를 하고, 더구나 재물을 도로 찾고 하는 것이라면야, 코 삐뚤이 삼복이는 말고, 그보다 더한 놈한테라도 머리 숙이

는 것쯤 상관할 바 아니었다.

"그러니, 미씨다 방……. 어쨌든지 그놈들을 말이네. 그놈들을 한 놈 냉기지 말구섬 죄다 붙잡아다가 말이네. 꿇어앉히구 항복 받구. 그리구 빼앗긴 것 일일이 도루 다 찾구. 집 헐구 세간 쳐부순 것 말끔 다 물리구……. 그렇게만 해 준다면, 내, 내, 재산 절반 노나 주문세, 절반. 응, 미씨다 방."

"염려 마슈." 미스터 방은 선뜻 쾌한 대답이었다.

"머, 지끔 당장이래두, 내 입 한번만 떨어진다 치면, 기관총 들멘 엠피*가 백 명이구 천 명이구 들끓어 내려가서, 들이 쑥밭을 만들어 놉니다, 쑥밭을."

"고마우이!" 백 주사는 복수하여지는 광경을 선히 연상하면서, 미스터 방의 손목을 덥석 잡는다.

*도지(賭地): 남의 논밭을 빌려서 부치고 논밭을 빌린 대가로 해마다 내는 벼.
*의표(儀表): 몸을 가지는 태도. 또는 차린 모습.
*엠피(MP: Military Police): 헌병.

(다) [등장인물]

현철: 국군 장교 상상: 국군 병사
치성: 인민군 군관 택기: 인민군 병사
촌장: 부락의 우두머리

[앞부분 줄거리] 한국 전쟁이 한창일 때, 강원도 함백산의 숨겨진 마을 동막골에 낙오한 인민군, 전쟁에 회의를 느껴 탈영한 국군이 우연히 모여든다. 서로 뜻하지 않게 마주친 국군과 인민군은 부락민을 사이에 두고 대치한다.

치성 입 다물고 손 올리라우!

현철 할 거 남았으면 해 봐라. 발 떼고 싶으면 떼고, 총질하고 싶으면 손가락이라 도 까딱해 봐라. 다 죽자 하고 총질해 대 보면 결국엔 남는 놈 있을 테니까 그놈이 깃발 꽂고 이겼다 치자고.

택기 말뽄새 좋구만, 그 입으로 우리 입 막아 보라우. 수류탄 세 발 앞마당에 떨 어질 테니 그때도 그렇게 설레발을 깔 수 있나 보자우.

현철 어르신, 이 부락은 죄다 빨갱이 신봉자들만 모여 있소? 정신 차리세요.

촌장 글쎄, 난 잘 모르겠구만. 그래, 그런 말 많이 들었지. 난리 통에 죄 없는 사 람들…… 많이 죽었다 하더구만. 찢기고 말려 죽고…… 여기 사람들은 그런 거 잘 몰라. 빨갱이가 뭐고 누가 우리 편인지…… 난리가 났다 해도…… 이 근방에선 포탄 하나 떨어지지 않았지. 밑에서 쌈질하는 거 영문도 모른 채 평안히 지내고 있으니까…… 여기서 편 가르고 적 만들어 죽일 생각은 하지 마시오. 내가 촌장이오. 내 생각이 부락의 생각이오. 이건 손들어 결정할 필 요도 없는 것이지요.

치성 우린 북쪽으로 갈 거외다. 우리가 운이 좋아 살아서 귀대를 하면 어느 격전 지에서 마주칠수도 있갔구만. 그때 쏘라우, 소위 양반.

택기 빨리 쏘아야 될 거야. 아니면 내가 먼저 쏜다.

현철 몇 살이냐? 도대체?

택기 열일곱이다. 왜?

현철 내가 열 살이 많다. 말 좀 가려라.

치성 그럼, 나랑 띠동갑이구만.

현철 …….

상상 어…… 그럼 11년 돼지띠세요? 우리 아부지하고 동갑이네.

치성 자식 일찍 봤구만.

현철 지금 무슨 소리 하는 거야?

치성 서택기! 이 소위 양반한테 형이라 부르라.

택기 네? 아니…….

치성 그렇게 부르라. 그러면…… 이 소위 양반 나한테 큰 형님이라 부를 것 같지 않네?

현철 꿈 깨시지…….

촌장 자…… 자…… 보아하니 다들 내 손아래 같은데…… 그만들 칭얼대고…….

(라) 어느 날 아침 뒤숭숭한 꿈에서 깨어난 그레고르는 자신이 침대에서 흉측한 모습의 한 마리 갑충으로 변한 것을 알아차렸다. 그는 철갑처럼 딱딱한 등을 대고 침대에 누워 있었다. 머리를 약간 들어 보니 아치형의 각질 부분들로 나누어진, 불룩하게 솟은 갈색의 배가 보였다. 금방이라도 주르르 흘러내릴 것 같은 이불은 배의 높은 부위에 가까스로 걸쳐 있었다. 몸뚱이에 비해 애처로울 정도로 가느다란 수많은 다리들은 그의 눈앞에서 어른거리며 하릴없이 버둥거리고 있었다.

그러고 나서 그레고르는 창문 쪽으로 눈길을 돌렸다. 그런데 우중충한 날씨에 그의 기분은 더할 나위 없이 울적해졌다. '잠을 약간 더 자서 이런 말도 안 되는 상황을 죄다 잊어버리는 게 어떨까?'하고 그는 생각했으나 이는 도저히 실행할 수 없는 일이었다. 그는 오른쪽으로 누워 자는 버릇이 있었지만 지금의 상태로는 그런 자세로 누울 수 없었기 때문이다. 몸을 오른쪽으로 돌리려고 아무리 뒤척여 보아도 번번이 흔들거리며 등을 바닥에 대고 누운 자세로 되돌아올 뿐이었다.

아버지가 문을 두드렸다.

"대관절 어떻게 된 거냐?" 낮은 음성으로 아버지가 말했다.

이번에는 가느다란 음성으로 여동생이 애원했다.

"어디 편찮으세요, 오빠?"

[중략 부분 줄거리] 이후 그레고르를 본 가족들은 크게 놀라고, 그레고르는 방에서만 생활한다. 그레고르를 혐오하게 된 아버지는 그에게 사과를 던져 큰 상처를 입힌다. 가족을 부양하던 그레고르가 경제력을 상실하자 가족들은 생계에 어려움을 느낀다. 그래서 가족들은 직업을 구하고 하숙을 하며 살아갈 길을 모색한다. 하숙을 운영하던 중, 하숙인들이 그레고르의 존재를 알게 되고 그들은 화를 내며 나가 버린다.

"우린 이제 저것에서 벗어나야 해요."

여동생은 이제 아버지에게만 말했다. 어머니는 기침을 하느라 아무 소리도 듣지 못했기 때문이다.

"저것 때문에 두 분이 돌아가시고 말 거예요. 그럴 게 뻔해요. 우리 모두가 이처럼 힘들게 일해야 하는 처지에 집에서마저 이처럼 끝없이 괴롭힘을 당한다는 건 도저히 참을 수 없어요. 저도 더는 참을 수 없단 말이에요."

그러고선 어찌나 격렬하게 울음을 터뜨렸는지 여동생의 눈물이 어머니의 얼굴 위로 주르르 흘러내렸다. 그러자 어머니는 기계적으로 손을 움직이며 자신의 얼굴에서 눈물을 닦아 내렸다.

"얘야!" 아버지의 목소리에는 동정심과 눈에 띌 정도로 확연한 이해심이 담겨 있었다.

"그럼 우리 어떡하면 좋겠니?"

"내쫓아야 해요! 그렇게 하는 수밖에 없어요, 아버지. 저것이 오빠라는 생각을 버려야 해요. 우리가 오랫동안 그렇게 생각해 왔다는 게 바로 우리의 진짜 불행이에요. 하지만 저것이 어떻게 오빠일 수 있겠어요? 저것이 오빠라면 진작 제 발로 나갔을 거예요. 그랬다면 우리 곁에 오빠는 없지만 우리는 살아가면서 계속 오빠에 대한 추억을 소중히 간직할 수 있을 텐데요. 그런데 저것은 우리를 쫓아다니며 못살게 굴고 하숙인들을 쫓아내면서, 이 집을 온통 독차지하고 들어앉아 우리를 길거리에 나앉게 하려는 게 분명해요."

[뒷부분 줄거리] 날이 갈수록 상처가 깊어지던 그레고르는 음식을 거부하며 쓸쓸히 죽음을 맞이한다.

(마) 우리는 어떻게 해야 '나'를 알 수 있을까? '나'를 발견하는 것은 나를 중심으로 한 다른 존재와의 관계 속에서 비로소 가능하다. 부버는 자신의 저서 『나와 너』에서 '너' 혹은 '그것'이 없이는 '나'가 있을 수 없다고 하였다. 그는 '나'가 가질 수 있는 기본적인 관계는 '나'와 '너'의 관계와 '나'와 '그것'의 관계, 둘뿐이라고 하였다. 그런데 이 두 관계에서 유의할 것은 '너'와 관계를 맺는 '나'와 '그것'과 관계를 맺는 '나'가 같지 않다는 것이다. 이것은 '나'가 불변하는 실체로서 존재하는 것이 아니라 맺는 관계에 따라 바뀌는 특별한 존재임을 보여 준다.

'그것', 즉 돈, 집, 국가 혹은 그 사람 등 삼인칭으로 표현되는 것들과 관계를 맺는 것은 '나'의 일부일 뿐 전체가 아니다. 예를 들어 내가 물건을 소유했을 때, 나는 단순히 물건의 소유자로서의 나일 뿐 전체로서의 나는 될 수 없다. 내가 지금 가지고 있는 물건을 얼마든지 다른 사람이 소유할 수 있다는 점에서 이 관계는 유일하지 않으며 유한하다. 이는 다른 사람들과 표면적인 관계를 맺었을 때에도 마찬가지이다. 내가 하나의 기능인으로 다른 사람과 어떤 일을 처리한다면, 그때의 나는 얼마든지 다른 사람과 대체될 수 있다. 그리고 상대방 역시 나에게 하나의 '너'가 될 수 없고, 오히려 하나의 '그것'으로 전락하는 것이다.

그러나 '너'와의 관계에 있는 '나'는 전혀 다른 모습으로 등장한다. 그때의 '나'는 인격 전체이며, 다른 무엇과도 대체될 수 없는 유일한 존재이다. 물론 '나'와 관계를 맺는 '너'도 그 인격 전체로 '나'의 앞에 서게 되는 것이다. '나'와 '그것'의 관계는 주체와 객체의 관계이자 차등의 관계이지만, '나'와 '너'의 관계는 주체와 주체의 동격 관계이며, 두 유일무이한 존재들의 대등 관계이다. 그때의 '나'를 진정한 '나'라고 할 수 있는 것이다.

예를 들어 회사에 직원 A가 있다고 하자. A는 회사 동료들과 함께 업무를 진행하고 있다. 이때 조직 안에서 회사 동료들과의 관계는 그 사람이 가지고 있는 직책 또는 기능으로 만나는 것이며, 다른 사람이 그 자리를 대신한다 해도 그 관계는 크게 달라지지 않는다. 따라서 A와 직장 동료의 업무적 관계는 '나'와 '그것'의 관계라 할 수 있다. 그러나 A가 일을 마치고 집에 들어왔을 때, 아이가 "아빠!" 하고 부르며 달려 나오는 것을 상상해 보자. 그때 A와 아이는 단순히 아버지와 자녀라는 기능으로 만나는 것이 아니라 인격 그 전체가 총동원되는 '나'와 '나'의 만남으로 볼 수 있을 것이다.

우리가 진정한 '나'가 될 수 있는 것은 '너'가 될 수 있는 다른 사람이 있기 때문이요, 그 사람과 '나'와 '너'의 관계를 맺기 때문에 가능한 일이다. 다른 사람이 존재하지 않거나, 존재하더라도 '나'에게 어떠한 반응도 보이지 않으면 진정한 관계는 형성될 수 없다. 이제 자신의 주위를 둘러보자. 나는 상대방에게 '너'인가 '그것'인가. 그리고 상대방은 나에게 '너'인가 '그것'인가.

(바) 레비나스는 1906년에 리투아니아의 유대인 사회에서 태어난 프랑스 철학자이다. 레비나스는 타자를 나의 영향권 아래 종속시키기 위하여 전체주의 이념을 강요하는 것을 비판하며 타자에 대한 윤리적 책임을 강조했다. 또한, "자기 입에서 나온 빵, 자기 빵 한 입을 주는 것, 지갑을 여는 것을 넘어서 대문을 여는 것"이라며 '타자 지향성'의 중요성에 대해 언급한 바 있다. 현대 사회에는 다양한 배경을 가진 사회적 소수자들이 존재한다. 하지만 사회적 소수자의 차별 문제는 자유와 평등이라는 권리 문제를 넘어 인간에 대한 이해에 바탕을 둔 인간적 삶에 대한 것이자 바람직한 사회상에 관한 것으로, 평화롭게 공존해야 한다는 당위적 해결책보다는 인간 자체에 대한 근본적인 철학이 필요하다. 레비나스의 타자 지향성은 자기 자신에게 전념하기보다는 다른 사람을 받아들이고 환대하는 것을 의미한다. 이는 자기 자신을 우선적으로 생각하는 인간에서 다른 사람에 대한 책임을 우선적으로 생각하는 인간으로의 변화를 통해 사회적 소수자 차별 문제를 개선할 수 있는 철학적 근거를 제공한다. 타자에 대해 책임지고 타자를 환대하는 윤리적 주체를 끌어내는 레비나스의 타자 지향성은 사회적 소수자들과의 갈등을 해결하고 공존과 소통을 이루어 낼 수 있는 바탕이다.

(사) 해가 저문 어느 날, 오막살이 토굴에 사는 노승 앞에 더벅머리 학생이 하나 찾아왔다. 아버지가 써 준 편지를 꺼내면서 그는 사뭇 불안한 표정이었다. 사연인즉, 이 망나니를 학교에서고 집에서고 더 이상 손댈 수 없으니, 스님이 알아서 사람을 만들어 달라는 것이었다. 편지를 보고 난 노승은 아무런 말도 없이 몸소 후원에 나가 늦

은 저녁을 지어 왔다. 저녁을 먹인 뒤 발을 씻으라고 대야에 가득 더운 물을 떠다 주었다. 이때 더벅머리의 눈에서는 주르륵 눈물이 흘러내렸다. 그는 아까부터 훈계가 있으리라 은근히 기다려지기까지 했지만 스님은 한마디 말도 없이 시중만을 들어 주는 데에 크게 감동한 것이었다. 훈계라면 진저리가 났을 것이다. 그에게는 백천 마디 좋은 말보다는 다사로운 손길이 그리웠던 것이다.

산에서 살아 보면 누구나 다 아는 일이지만, 겨울철이면 나무들이 많이 꺾인다. 모진 비바람에도 끄떡 않던 아름드리나무들이, 꿋꿋하게 고집스럽기만 하던 그 소나무들이 눈이 내려 덮이면 꺾이게 된다. 가지 끝에 사뿐사뿐 내려 쌓이는 그 가볍고 하얀 눈에 꺾이고 마는 것이다. 사밧티의 온 시민들을 공포에 떨게 하던 살인귀 앙굴리말라를 귀의시킨 것은 부처님의 불가사의한 신통력이 아니었다. 위엄도 권위도 아니었다. 그것은 오로지 자비였다. 아무리 흉악무도한 살인귀라 할지라도 차별없는 훈훈한 사랑 앞에서는 돌아오지 않을 수 없었던 것이다. 바닷가의 조약돌을 그토록 둥글고 예쁘게 만든 것은 무쇠로 된 정이 아니라, 부드럽게 쓰다듬는 물결이다.

[문제 1] 제시문 (가), (나), (다), (라)에는 작품 속 인물 A가 인물 B를 일컫는 표현의 변화가 나타난다. 제시문 (가)~(라)에서 인물 A가 인물 B를 바꿔 부르는 '이유'를 찾고, 이렇게 바뀐 표현 속에 담긴 인물 A의 '감정'을 찾아 하나의 완성된 글로 논술하시오. [40점, 550-570자]

[문제 2] 제시문 (라)에 나타난 여동생과 그레고르의 관계를 제시문 (마)의 논지를 토대로 평가하고, 그레고르를 가족의 구성원으로 다시 받아들이기 위해 여동생에게 필요한 자세를 제시문 (바)와 (사)를 각각 고려하여 서술하시오. [40점, 550-570자]

※ 다음 상황에 기초하여 문제에 답하시오.

어느 자동차 보험회사에서는 보험 계약자를 세 그룹으로 분류하고 그룹 이름을 각각 저위험군, 중위험군, 고위험군으로 명명하였다. 이 보험회사는 직전 1년 동안 발생한 계약자의 사고 횟수에 따라 계약자가 속하는 그룹을 해마다 1월 1일에 재분류한다. 다음의 표는 올해 1년 동안 발생한 사고 횟수 X에 따라 각 그룹에 속했던 계약자들이 내년에 어느 그룹에 속하게 될지를 나타낸 것이다. 예를 들어, 올해 저위험군에 속한 계약자의 사고 횟수가 한 번일 때 내년에 중위험군으로 재분류된다.

		사고 횟수 X에 따라 재분류될 내년의 계약자 그룹			
		$X=0$	$X=1$	$X=2$	$X \geq 3$
올해의 계약자 그룹	저위험군	저위험군	중위험군	중위험군	고위험군
	중위험군	저위험군	중위험군	고위험군	고위험군
	고위험군	중위험군	고위험군	고위험군	고위험군

사고 횟수 X는 계약자 그룹에 상관없이 다음과 같은 확률분포를 따른다고 한다

X	0	1	2	3	4 이상	합계
$P(X=x)$	0.1	0.2	0.3	0.2	0.2	1

저위험군, 중위험군, 고위험군 그룹에 속한 계약자에 대한 연 보험료는 각각 40만 원, 50만 원, 60만 원이다.

[문제 3] 올해 계약자 그룹의 재분류 후 저위험군, 중위험군, 고위험군 그룹에 속한 계약자 수가 각각 200명, 300명, 100명이라고 하자. 보험회사가 내년에 계약자들로부터 받을 연 보험료 총액의 기댓값을 구하시오. 단, 보험 계약자의 추가 및 해약은 없다고 가정한다. [20점, 원고지 작성법을 준수할 필요 없음]

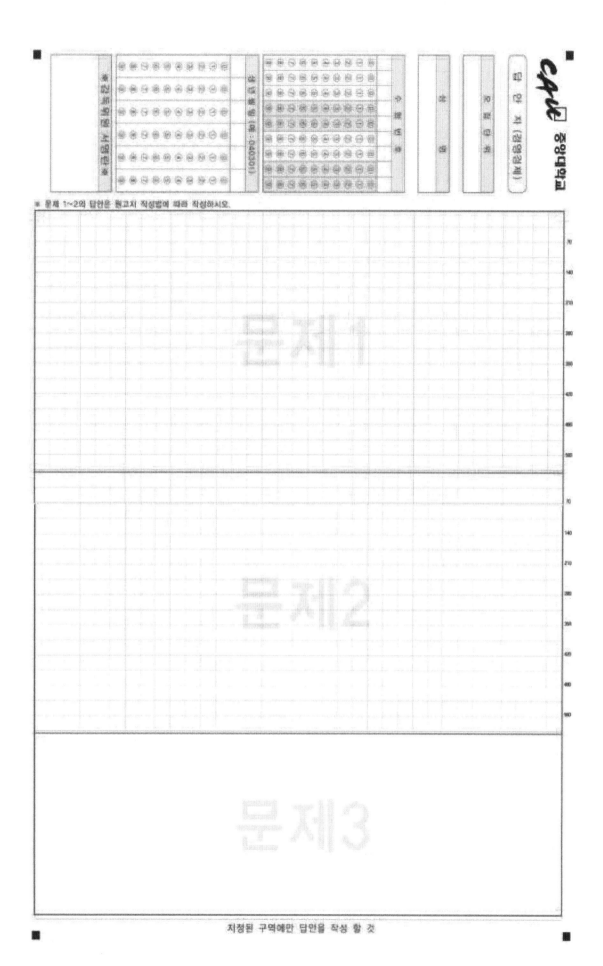

7. 2023학년도 중앙대 모의 논술 [인문사회]

※ 다음을 읽고 물음에 답하시오.

(가) "여보, 서방님, 내 몸 하나 죽는 것은 서럽지 않겠지만 서방님이 이 지경이니 웬일이오?"

"오냐, 춘향아, 서러워 마라. 사람 목숨이 하늘에 달렸는데 설마 네가 죽겠느냐?"

춘향이 서럽고 답답하여 멍하니 앉았다가 저희 모친을 불러 하소연을 한다.

"한양성 서방님을 칠 년 가뭄에 비 기다리듯 기다린들 나와 같이 기다렸으랴. 가련하다. 이내 신세, 하릴없이 되었구나. 어머님, 나 죽은 후에라도 원이나 없게 해 주오."

이번에는 도련님의 손을 쥐고 유언하듯 당부한다.

"서방님 선산발치에 묻어 주고 비문에 새기기를 '수절원사 춘향지묘'라고 여덟 자만 새겨 주오."

춘향은 어두침침한 한밤중에 서방님을 번개같이 얼른 보고는 옥방에 홀로 앉아 신세를 생각하니 탄식과 눈물이 절로 나왔다.

[중간부분의 줄거리] 걸인 행색을 한 이몽룡은 옥에 갇힌 춘향을 만난 다음 날, 암행어사로 출두한다.

"옥에 갇힌 죄인들을 다 올리라!"

호령하니 죄인을 올리거늘 다 각각 죄를 물은 후에 죄 없는 자들을 풀어 줄 때,

"저 계집은 무엇인고?"

"기생 월매의 딸이온데 관가에서 포악을 떤 죄로 옥중에 있사옵니다."

"무슨 죄인고?"

"본관 사또를 모시라고 불렀더니 절개를 지킨다면서 사또 명을 거역하고 사또 앞에서 악을 쓴 춘향이로소이다."

"죽어 마땅할 것이나 기회를 한 번 더 주마. 내 수청도 거역할 테냐?"

춘향이 기가 막혀, "내려오는 사또마다 빠짐없이 명관이로구나! 어사또 들으시오. 층층이 높은 절벽 높은 바위가 바람이 분들 무너지며, 푸른 솔 푸른 대가 눈이 온들 변하리까. 그런 분부 마옵시고 어서 빨리 죽여 주오."

하면서 무슨 생각이 났는지 황급히 이리저리 두리번거리며 향단이를 찾는다.

"향단아, 서방님 혹시 어디 계신가 살펴보아라. 어젯밤 오셨을 때 천만 당부하였는데 어디를 가셨는지, 나 죽는 줄도 모르시는가? 어서 찾아보아라."

어사또 다시 분부하되, "얼굴을 들어 나를 보아라."

하시기에 춘향이 천천히 고개를 들어 대 위를 살펴보니, 거지로 왔던 낭군이 어사또로 뚜렷이 앉아 있었다. 춘향은 웃음 반 울음 반으로,

"얼씨구나 좋을씨고, 어사 낭군 좋을씨고. 남원읍에 가을 들어 낙엽처럼 질 줄 알았더니 객사에 봄이 들어 봄바람에 핀 오얏꽃이 날 살리네. 꿈이냐 생시냐? 꿈이 깰까 염려로다."

한참 이렇게 즐길 적에 뒤늦게 달려온 춘향 모도 어깨춤을 추고, 구경 왔던 남원 고을 백성들도 얼씨구 덩실 춤을 추었다.

(나) 한 달이 지나자 불에 덴 병아리는 엉거주춤 서서 빼딱빼딱 걷기 시작했다. 이때부터 그 불에 덴 병아리 이름이 '빼떼기'가 된 것이다. 빼떼기는 벌거숭이였다. 솜털이 모두 타 버려 알몸뚱이가 되었고 살갗은 푸르뎅뎅한 게 보기 흉했다. 그보다 털이 없으니 빼떼기는 추워서 항시 바들바들 떨었다. 순진이네 어머니는 어느 날, 조그만 헝겊으로 옷을 만들었다. 그렇게 빼떼기는 사람처럼 옷을 입고 조롱박 모이 그릇과 깡통 물그릇을 따로 가지고 순진이네 가족이 되어 버렸다.

빼떼기는 사람으로 치면 늦둥이다. 오래도록 병아리처럼 "삐악삐악." 울었다. 턱주배기 새끼 수탉은 벌써 커다란 장닭이 되었다. 새벽이면 홰를 치며 힘차게 "꼬끼요오!" 울었다.

"엄마, 빼떼기는 왜 아직 큰 소리로 울지 않을까? 이젠 볏이 저만큼 자라고 몸뚱이도 큰데……."

"빼떼기는 그동안 죽을 고비를 넘겼잖니? 그러니까 자라는 것이 아주 늦은 거야."

어머니도 아버지도 순금이도, 모두 빼떼기가 다른 수탉처럼 크게 홰를 치며 울어주기를 기다렸다.

그런데 빼떼기는 덩치가 커지면서 자꾸 사립문 밖으로 나가려 했다. 삐뚤삐뚤, 빼딱빼딱 기어가듯이 나갔다가는 이웃집 수탉에게 쫓겨 죽는 소리를 하면서 들어오곤 했다. 머리 꼭대기에서 피가 조금 나고 등어리의 깃털이 한두 개쯤 빠지기도 했다. 그러나 크게 다치지 않아서 걱정하지는 않았다.

그러던 어느 날, 빼떼기는 건넛집 개한테 물려 한쪽 날개를 크게 다쳐 버렸다. 빼떼기는 다시 소쿠리에 담겨 방 안 윗목 구석에서 퍼드러져 있어야 했다. 하루 동안 아무것도 먹지 않더니 다음 날은 엎드린 채 물도 먹고 모이도 먹었다. 닷새쯤 지나자 빼떼기는 일어나 밖으로 나갔다. 그러나 한쪽 날개가 처진 채 오므라들지 않았다. 결국 빼떼기의 날개는 짝짝이가 되어 버린 것이다.

이제 영원히 빼떼기는 두 날개로 홰를 치며 울 수 없게 되었다.

이런 빼떼기가 겨우 서툴게 씨아*가 돌아가는 가락처럼 운 것은 겨울을 지내고 나서였다. 태어나서 한 돌이 되어서다. 두 날개를 엉거주춤 치켜들고 목을 늘이면서 "꼬르륵." 하면서 울면 순진이네 식구들은 한바탕 웃었다. 빼떼기도 닭이기 때문에 서툴지만 제구실을 하게 된 것은 사람처럼 똑같이 훌륭하다고 칭찬받아야 할 일인 것이다.

*씨아 : 목화의 씨를 빼는 기구.

(다) **[앞부분의 줄거리]** 이 소설의 중심인물은 하나코(본명 장진자)이다. 하나코는 '그'와 그의 동창들을 모임에서 같이 만나기도 하지만, 개인적으로 따로 만나기도 했다. 하나코는 언제나 차별 없이 그들을 대했다. 하나코와 그녀의 여자 친구를 포함한 일곱 명은 함께 사흘간의 연휴 기간 동안 낙동강까지 여행을 하게 되었다.

일곱 시간 이상을 달려온 후라 이야깃거리가 고갈된 그들은 노래를 불렀다. 아니 악을 써댔다. 돌아가면서 돼지 멱따는 소리로. 그리고 이렇게 변질되기 시작하는 분위기 속에 당혹감을 숨기고 앉아, 조용히 술잔을 비우는 하나코와 그녀의 여자 친구에게 그들 모두가 집중적으로 노래를 강요하기 시작했다.

그것은 더 이상 놀이가 아니었다. 하나코가 그런 자리에서 노래라면 질색한다는 정도는 그들 모두가 알고 있었고 실제로 그녀는 노래 같은 것은 빵점이었다. 그것을 알고 있기 때문에 그들은 농담 반, 협박 반 노래를 요구했다. 모두가 입을 모아 하나코의 이름을 외쳐댔다. 그래도 하나코는 웬일인지 일어나지 않았다. 그녀의 얼굴 또한 조금은 변했던 것 같다.

누군가가 벌떡 일어섰다. 부르나 안 부르나 내기하자면서 하나코에게 다가갔다. 동시에 하나코 건너편의 누군가가 그녀를 일으키느라 팔을 위로 잡아당겼고 그녀의 친구는 하나코를 거머쥔 그 손을 떼어놓으려고 엉거주춤 일어섰다. [중략]

얼마 전부터 일으켜 세워진 하나코와 그녀의 친구의 얼굴은 창백했고, 뒤로 올려진 하나코의 머리는 볼품없이 흐트러져 있었다. 누군가가 그녀의 그런 몰골을 손가락으로 가리키면서 웃음을 터뜨렸다. 그것은 순식간에 모두를 감염시켜서 조금씩 퍼지더니 얼마 지나지 않아 전반적인 광란의 웃음이 되었다. 일종의 벌을 받고 있던 하나코와 그녀의 친구에게까지 퍼져, 그녀들 또한 웃음을 참을 수 없을 정도로. 그렇지만 그것은 웃음인지 울음인지 구별이 되지 않을 아주 찡그려진 표정의 웃음이었다.

하나코와 그 친구는 가방을 집어 들었다. 그리고 벗어 놓은 외투를 집어 들었다. 그리고 한밤중의 역겨운 찬바람을 방 안으로 밀어 넣으면서 방문을 열었고, 이미 그 사이 몇 배로 두터워진 어둠 속으로 걸어 나갔다. 누구나가, 그녀들이 인가를 찾을 때까지, 혹은 대로에 나설 때까지는 오래 어둠속을 걸어야 하는 것을 잘 알고 있었다. 하나코는 이렇게 해서 그들의 모임에서 사라졌다.

(라) [앞부분의 줄거리] 원고지를 붙여 만든 양복을 입고 허리에 쇠사슬을 두른 교수가 나와 기계적으로 반복되는 삶을 살아가는 모습을 보여준다.

감독관 원고! 원고!

교수 (일어나며) 네, 곧 됩니다. 또 독촉이군.

감독관 (책상을 가리키며) 원고! 원고!

이윽고 교수는 번역을 시작한다. 감독관이 창문을 닫고 사라진다. 처가 들어온다. 큰 자루를 손에 들고 있다. 막대기에 감긴 철쇄를 줄줄 끌어다 교수 허리에 감아 준다.

처 빨리! 빨리!

교수가 말없이 원고지 한 장 쭉 찢어 처에게 넘겨준다. 처는 빼앗듯이 원고지를 가로채더니 자루 안에 쓸어 넣는다. 그리고

처 삼백 환!

재빨리 다음 페이지의 번역을 끝낸 교수가 다시 한 장을 찢어 처에게 넘긴다. 처는 같은 행동을 반복하며

처 육백 환! (이어) 구백 환!

일하던 교수가 갑자기 붓을 놓고 쓰던 원고지를 보더니 슬그머니 미소를 짓는다.

처 왜 그러세요?

교수 참 신기한 일이야.

처 삼천 환을 겨우 넘었을 뿐인데 무엇이 신기해요.

교수 이 원고지 말이오. 다 이백 자 칸이 있는데 이 종이만은 백구십 자 칸밖에 안 들었어. 열 자 모자라. 어째서 그럴까? 원고지가 한결 크고 시원해 보이는군. 마음이 탁 트이는 것 같다. 이상한데, 이상해.

교수 전면에 또 하나의 스포트라이트가 투사되며 천사가 가벼운 발레를 추면서 들어온다. 교수는 천사를 물끄러미 바라본다.

교수 (한참 있다) 오라, 생각이 나는 것 같아. 그래 바로 그거.

천사 나를 완전히 잊은 줄 알았어요.

교수 (일어서며) 분명 그래. 아직 잊지를 않았어. 나의 희망, 나의 정열의 옛 모습이야.

천사 쥐꼬리만 한 기억력이 아직 남아 있군요.

교수 언제 어떻게 돼서 당신과 헤어졌는지 모르겠습니다. 나에게도 불타는 듯한 정열이 있었어요. 그래요. 생각이 납니다. 밤을 새워 가며 아름다움을 노래하고, 진리를 위해 온 생애를 바치겠노라고 떠들던 때……. 아, 꿈같은 시절이었습니다. 당신은 왜 나를 버렸어요?

천사 당신이 나를 떠났지요. 당신을 돕고 싶습니다. 그러나 이미 늦었어요. 나한테 되돌아오기는 너무 늦었어요.

교수 내 꿈을 도로 찾아 주십시오. 생각할 힘을 주시오. 요즈음은 통 사고를 할 수가 없습니다.

천사 사고할 필요가 없어요. 이미 사고가 난 걸요.

교수 이 함정에서 뛰어나가고 싶습니다. (천사가 서서히 사라진다.) 가지 마시오! 내 희망, 내 정열은 어떻게 되는 거요. 꿈을 주십시오! 내 꿈! 내 꿈!

(마) 만일 진기하고 괴이하고 대단하고 어마어마한 것을 볼 요량이면 코끼리 우리를 구경하면 될 것이다. 지금 열하(熱河) 행궁(行宮) 서쪽에서 코끼리 두 마리를 보니, 온몸을 꿈틀거리며 가는 것이 마치 비바람이 지나가는 듯 실로 굉장하였다. 사람들은 "뿔이 있는 것에게는 윗니를 주지 않는다."라고 말한다. 이는 마치 사물을 만들면서 빠뜨린 게 있는 듯 여기는 것이니, 잘못된 생각이다.

감히 묻는다. "하늘이 무엇 때문에 이빨을 주었을까?"

사람들은 이렇게 대답하리라. "씹게 하려는 것이다."

다시 이렇게 물어보자. "사물을 씹도록 한 것은 무엇 때문인가?"

그러면 사람들은 이렇게 대답하리라. "그게 바로 '이치'입니다. 새나 짐승들은 손이 없으므로 반드시 부리나 주둥이를 구부려 땅에 대고 먹을 것을 구하지요. 그러므로 학과 같이 다리가 긴 새는 목을 길게 만들 수밖에 없는 것이지요. 그래도 혹 땅에 닿지 않을까 염려하여 부리를 길게 만들었습니다. 만일 닭의 다리를 학의 다리처럼 길게 만들었다면 뜨락에서 굶어 죽었을 겁니다."

나는 크게 웃으면서 다시 말하리라. "그대들이 말하는 '이치'란 것은 소, 말, 닭, 개에게나 해당할 뿐이다. 하늘이 이빨을 내린 것이 반드시 구부려서 사물을 씹도록 한 것이라 해 보자. 그러면 지금 저 코끼리에게는 쓸데없는 어금니를 심어 주어 땅으로 고개를 숙이면 어금니가 먼저 닿는다. 이런 모습은 오히려 씹는 것에 방해가 되는 게 아닌가?"

어떤 사람은 이렇게 말할 것이다. "그것은 코가 있기 때문이다."

그러면 나는 이렇게 말하리라. "긴 어금니를 주고서 코를 핑계로 댈 양이면, 차라리 어금니를 없애고 코를 짧게 하는 게 낫지 않은가?"

그러면 더 이상 우기지 못하고 슬며시 굴복하고 만다.

우리가 배운 것으로는 생각이 소, 말, 닭, 개에게 미칠 뿐, 용, 봉, 거북, 기린 같은 짐승에게까지는 미치지 못한다. 코끼리가 범을 만나면 코로 때려 죽이니 그 코야말로 천하무적이다. 그러나 쥐를 만나면 코를 둘 데가 없어서 하늘을 우러러 멍하니 서 있을 뿐이다. 그렇다고 쥐가 범보다 무서운 존재라 말한다면 조금 전에 말한바 이치가 아니다.

(바) [앞부분의 줄거리] 평범한 대학생이던 명준은 월북한 아버지 때문에 치안 당국에 끌려가 고초를 겪은 뒤 풀려난다. 남한 사회에 환멸을 느낀 명준은 애인인 윤애를 남긴 채 월북하지만, 개인의 개성과 자유를 허용하지 않는 획일적인 북한 사회의 현실에 실망한다. 명준은 북에서 만난 은혜와의 사랑을 통해 삶의 돌파구를 찾으려 하지만 이마저도 좌절된다. 인민군 장교로 전쟁에 참여하게 된 명준은 간호 장교가 되어 참전한 은혜를 다시 만나게 된다. 그러나 은혜는 명준의 아이를 가진 채 죽고, 명준은 포로가 되어 포로 송환을 위한 심사를 받는다.

방 안 생김새는, 통로보다 조금 높게 설득자들이 앉아 있고, 포로는 왼편에서 들어와서 바른편으로 빠지게 돼 있다. 네 사람의 공산군 장교와, 국민복을 입은 중공 대표가 한 사람, 합쳐서 다섯 명. 그들 앞에 가서, 걸음을 멈춘다. 앞에 앉은 장교가, 부드럽게 웃으면서 말한다.

"동무는 어느 쪽으로 가겠소?"

"중립국."

"동무, 중립국도, 마찬가지 자본주의 나라요. 굶주림과 범죄가 우글대는 낯선 곳에 가서 어쩌자는 거요?"

"중립국."

설득하던 장교는, 증오에 찬 눈초리로 명준을 노려보면서, 내뱉었다. "좋아."

[중략]

"자넨 어디 출신인가?"

"……."

"음, 서울이군."

설득자는, 앞에 놓인 서류를 뒤적이면서,

"중립국이라지만 막연한 얘기요. 제 나라보다 나은 데가 어디 있겠어요. 외국에 가 본 사람들이 한결같이 하는 얘기지만, 밖에 나가 봐야 조국이 소중하다는 걸 안다구

하잖아요? 당신이 지금 가슴에 품은 울분은 나도 압니다. 대한민국이 과도기적인 여러 가지 모순을 가지고 있는 걸 누가 부인합니까? 그러나 대한민국엔 자유가 있습니다. 인간은 무엇보다도 자유가 소중한 것입니다."

"중립국."

"허허허, 강요하는 것이 아닙니다. 다만 내 나라 내 민족의 한 사람이, 타향 만 리 이국땅에 가겠다고 나서니, 동족으로서 어찌 한마디 참고되는 이야길 안 할 수 있겠습니까? 우리는 이곳에 남한 2천만 동포의 부탁을 받고 온 것입니다. 한 사람이라도 더 건져서, 조국의 품으로 데려오라는⋯⋯."

명준은 고개를 쳐들고, 반듯하게 된 천막 천장을 올려다본다. 한층 가락을 낮춘 목소리로 혼잣말 외듯 나직이 말할 것이다. "중립국." [중략]

고기 썩는 냄새가 역한 배 안에서 물결에 흔들리다가 깜빡 잠든 사이에, 유토피아의 꿈을 꾸고 있는 그 자신이 있다. 조선인 꼴호즈* 숙소의 창에서 불타는 저녁놀의 힘을 부러운 듯이 바라보고 있는 그도 있다. 구겨진 바바리코트 속에 시래기처럼 바랜 심장을 안고 은혜가 기다리는 하숙으로 돌아가고 있는 9월의 어느 저녁이 있다. 그의 삶의 터는 부채꼴, 넓은 데서 점점 안으로 오므라들고 있었다. 삶의 광장은 좁아지다 못해 끝내 그의 두 발바닥이 차지하는 넓이가 되고 말았다. 자 이제는? 모르는 나라, 아무도 자기를 알 리 없는 먼 나라로 가서, 전혀 새사람이 되기 위해 이 배를 탔다.

*꼴호즈 : 콜호스. 소련의 집단 농장.

(사) 지금도 고향, 하면 탱자의 시큼한 맛, 탱자처럼 노랗게 된 손바닥, 오래 남아 있던 탱자 냄새같은 것이 먼저 떠오른다. 그리고 뾰족한 탱자 가시에 침을 발라 손바닥에도 붙이고 코에도 붙이고 놀던 생각이 난다. 그래서 탱자 가시에 찔리곤 하는 것이 예사였는데, 한번은 가시 박힌 자리가 성이 나 손이 퉁퉁 부었던 적이 있다. 벌겋게 부어오른 상처를 보면서 나는 생각했다. 왜 탱자나무에는 가시가 있는 것일까. 그 가시들에는 아마 독이 들어 있을 거라고 혼자 멋대로 단정해 버리기도 했다.

얼마 후에 아버지는 내게 가르쳐 주셨다. 가시에 독이 있는 것은 아니고, 그저 아름다운 꽃과 열매를 지키기 위해 그런 나무들에는 가시가 있는 거라고. 다른 나무들은 가시 대신 냄새가 지독한 것도 있고, 나뭇잎이 아주 써서 먹을 수 없거나 열매에 독성이 있는 것도 있고, 모습이 아주 흉하게 생긴 것도 있고⋯⋯ 이렇게 살아 있는 생명에게는 자기를 지킬 수 있는 힘이 하나씩 주어져 있다고.

그러던 어느 날 탱자 꽃잎을 보다가 스스로의 가시에 찔린 흔적을 발견하게 되었다. 바람에 흔들리다가 제 가시에 쓸렸으리라. 스스로를 지키기 위해 주어진 가시가 때로는 스스로를 찌르기도 한다는 사실에 나는 알 수 없는 슬픔을 느꼈다. 그걸 어렴풋하게 느낄 무렵, 소읍에서의 내 유년은 끝나 가고 있었다. [중략]

생활의 짐은 한번도 더 가벼워진 적이 없으며, 그러는 동안 내 속에는 날카로운 가시들이 자라나기 시작했다. 가시는 꽃과 나무에게만 있는 것이 아니었다. 세상에, 또는 스스로에게 수없이 찔리면서 사람은 누구나 제 속에 자라나는 가시를 발견하게 된다. 한번 심어지고 나면 쉽게 뽑아낼 수 없는 탱자나무 같은 것이 마음에 자리 잡고 있다는 것을, 뽑아내려고 몸부림칠수록 가시는 더 아프게 자신을 찔러 댄다는 것을 알게 되었다. 그 후로 내내 크고 작은 가시들이 나를 키웠다.

 내게 열매와 꽃과 가시를 처음으로 가르쳐 준 나무. 내가 살아가면서 잃어버려야 할 것과 지켜가야 할 것을 동시에 보여 준 나무. 그러면서 나와 함께 좁은 나이테를 늘려 가고 있을 탱자나무. 눈앞에 그 짙푸른 탱자나무를 떠올리고 있으면 부어오른 마음도 조금은 가라앉게 되는 것이다.

(아) 역사상 특이한 현상들이 많지만 '마녀사냥'만큼 이해하기 힘든 현상도 드물 것이다. 어느 한 순간에 마녀, 마녀 집회 같은 개념이 만들어진 것은 아니고 오랜 기간을 두고 차츰 정형화되어 갔으며, 그리고 실제 마녀가 존재할 리는 없으므로 권력 당국(정부와 종교)이 가공의 개념을 만들어서 어이없는 희생을 강요한 것으로 요약된다.

 무엇보다 중요한 문제는 마녀사냥이 언제 일어났는가 하는 점이다. 흔히 마녀사냥을 중세적 현상이라고 생각하기 쉬우나 사실은 근대 초의 현상이다. 마녀사냥이 가장 극성을 부렸던 시점은 1590년대이며, 그 후 1630년대와 1660년대에 다시 정점에 올랐다. 다시 말해, 근대 유럽에서 계몽의 시대, 이성의 시대에 일어난 일이다. 그렇다면 누가 희생되었는가? 희생자들은 대개 여성, 빈민, 노인으로, 악마의 유혹에 쉽게 빠지게 된다고 여긴 부류들이었다.

 지금까지 말한 점들을 염두에 두고 마녀사냥에 대한 역사적인 평가를 시도해 보자. 근대로 들어오면서 일반 민중들은 정치적으로, 종교적으로 큰 에너지를 띠게 된다. 다스리는 자 입장에서는 이들을 그 상태 그대로 방치해서는 안 되고 질서 체계 안으로 끌어들여야 할 것이다. 질서를 부과한다는 것은 곧, 그것을 거부하는 자들을 억압한다는 것을 뜻한다. 근대의 권력 당국, 곧 국가와 종교는 그들의 권위에서 벗어나려는 자들을 제거하고 모든 국민들의 복종을 확립하려고 하였다. 국가는 종교로부터 이념을 빌리고 종교는 국가로부터 힘을 얻는다. 한 국가 안에 있는 모든 사람은 사고마저도 함께해야 한다. 모두 같은 종교를 믿어야 하며, 종교의 신임을 받은 국왕을 잘 따라야 한다. 근대 국가는 '균질한 영혼'들이 국가 기구에 복종하도록 만들어야 했고, 이것이 마녀사냥이 결과적으로 행한 역할이라 할 수 있다.

(자) 다윈이 주목한 지점은 생물체에 일어나는 '변이의 다양성'이었다. 유성 생식을 하는 생물체는 암수 유전자를 섞어야만 후손을 낳을 수 있는 특성상 조금씩 다른 자손을 낳는다. 이 자손은 각자 환경에 기대어 살아가기 시작하는데, 그 가운데서 주변 환경에 조금 더 잘 적응한 개체는 살아남아 자신의 유전자를 후손에게 물려줄 가능성이 커진다. 초기에는 이 변이로 인한 차이가 거의 눈에 띄지도 않지만, 오랜 세월 동안 변이가 쌓이게 되면 어느 순간 눈에 띄는 차이가 나타나게 되고, 이것이 그 생물종의 특징으로 자리를 잡게 된다.

 다윈은 이러한 변이가 쌓여 점차 환경에 더 잘 적응된 방식으로 변화한다고 생각했다. 하지만 '더 잘 적응한 방식'이 오로지 '한 가지 방식'뿐이라고 말한 적은 없다. 오히려 자연 선택의 다양성에 대해 더 많은 주의를 기울였다. 좀 더 구체적으로 말하자면, 다윈은 "변화는 생명체가 환경에 더욱 잘 적응하기 위해서, 번식 행위를 통해 우연히 이루어진다. 그 과정에 어떤 외부의 힘이 개입하여 작용하지 않으며, 모든 생명체는 우열이 없다."라고 썼다. 이 글 어디에서도 약한 것이 강한 것보다 열등하며, 강자가 약자를 짓밟아도 좋다는 뜻은 담겨 있지 않다. 다윈은 다양한 생물 종을 관찰한 뒤, 생물체를 있게 한 원동력은 환경에 적응하며 얻게 된 '다양성'이라는 결론을 내렸다.

[문제 1] 제시문 (가), (나), (다), (라)에서 중심인물이 웃게 된 직접적인 '계기'와 그 웃음에 담긴 중심인물의 '감정'을 각각 찾아 하나의 완성된 글로 논술하시오. [40점, 550-570자]

[문제 2] 제시문 (마)의 논지를 토대로 제시문 (바)에 나타난 남북한 '설득자'의 중립국에 대한 인식을 비판하고, 제시문 (바)의 '명준'이 '새사람'이 되기 위해 생각해 봐야 할 점을 제시문 (라)와 (사)를 각각 고려하여 서술하시오. [40점, 550-570자]

[문제 3] 제시문 (아)에서 '마녀사냥'이 근대 초기에 등장한 이유를 찾아 서술하고, '마녀사냥'의 방식과 그 결과를 제시문 (자)의 논지를 활용하여 비판하시오. [20점, 330-350자]

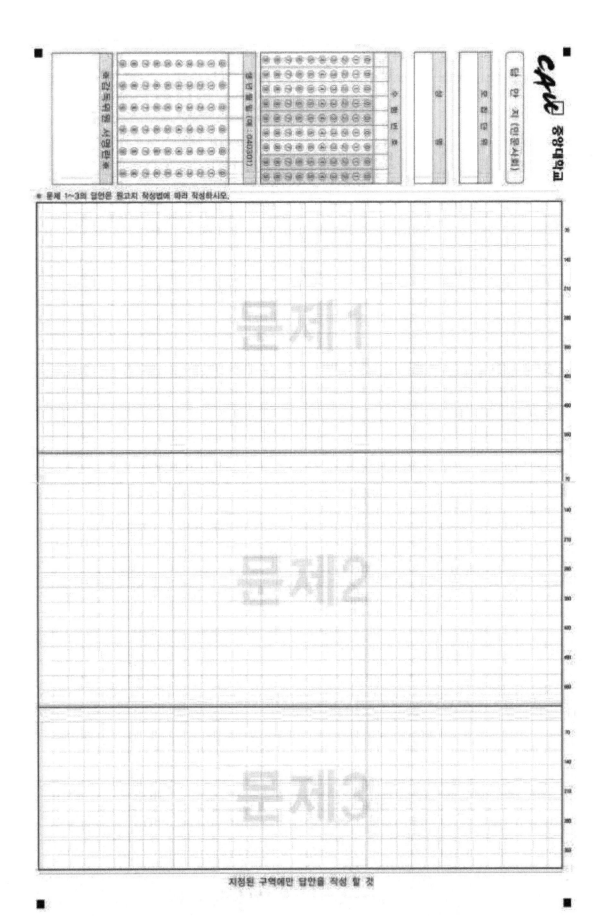

8. 2023학년도 중앙대 모의 논술 [경영경제]

※ 다음을 읽고 물음에 답하시오.

(가) "여보, 서방님, 내 몸 하나 죽는 것은 서럽지 않겠지만 서방님이 이 지경이니 웬일이오?"

"오냐, 춘향아, 서러워 마라. 사람 목숨이 하늘에 달렸는데 설마 네가 죽겠느냐?"

춘향이 서럽고 답답하여 멍하니 앉았다가 저희 모친을 불러 하소연을 한다.

"한양성 서방님을 칠 년 가뭄에 비 기다리듯 기다린들 나와 같이 기다렸으랴. 가련하다. 이내 신세, 하릴없이 되었구나. 어머님, 나 죽은 후에라도 원이나 없게 해 주오."

이번에는 도련님의 손을 쥐고 유언하듯 당부한다.

"서방님 선산발치에 묻어 주고 비문에 새기기를 '수절원사 춘향지묘'라고 여덟 자만 새겨 주오."

춘향은 어두침침한 한밤중에 서방님을 번개같이 얼른 보고는 옥방에 홀로 앉아 신세를 생각하니 탄식과 눈물이 절로 나왔다.

[중간부분의 줄거리] 걸인 행색을 한 이몽룡은 옥에 갇힌 춘향을 만난 다음 날, 암행어사로 출두한다.

"옥에 갇힌 죄인들을 다 올리라!"

호령하니 죄인을 올리거늘 다 각각 죄를 물은 후에 죄 없는 자들을 풀어 줄 때,

"저 계집은 무엇인고?"

"기생 월매의 딸이온데 관가에서 포악을 떤 죄로 옥중에 있사옵니다."

"무슨 죄인고?"

"본관 사또를 모시라고 불렀더니 절개를 지킨다면서 사또 명을 거역하고 사또 앞에서 악을 쓴 춘향이로소이다."

"죽어 마땅할 것이나 기회를 한 번 더 주마. 내 수청도 거역할 테냐?"

춘향이 기가 막혀, "내려오는 사또마다 빠짐없이 명관이로구나! 어사또 들으시오. 층층이 높은 절벽 높은 바위가 바람이 분들 무너지며, 푸른 솔 푸른 대가 눈이 온들 변하리까. 그런 분부 마옵시고 어서 빨리 죽여 주오."

하면서 무슨 생각이 났는지 황급히 이리저리 두리번거리며 향단이를 찾는다.

"향단아, 서방님 혹시 어디 계신가 살펴보아라. 어젯밤 오셨을 때 천만 당부하였는데 어디를 가셨는지, 나 죽는 줄도 모르시는가? 어서 찾아보아라."

어사또 다시 분부하되, "얼굴을 들어 나를 보아라."

하시기에 춘향이 천천히 고개를 들어 대 위를 살펴보니, 거지로 왔던 낭군이 어사또로 뚜렷이 앉아 있었다. 춘향은 웃음 반 울음 반으로,

"얼씨구나 좋을씨고, 어사 낭군 좋을씨고. 남원읍에 가을 들어 낙엽처럼 질 줄 알았더니 객사에 봄이 들어 봄바람에 핀 오얏꽃이 날 살리네. 꿈이냐 생시냐? 꿈이 깰까 염려로다."

한참 이렇게 즐길 적에 뒤늦게 달려온 춘향 모도 어깨춤을 추고, 구경 왔던 남원 고

을 백성들도 얼씨구 덩실 춤을 추었다.

(나) 한 달이 지나자 불에 덴 병아리는 엉거주춤 서서 빼딱빼딱 걷기 시작했다. 이때부터 그 불에 덴 병아리 이름이 '빼떼기'가 된 것이다. 빼떼기는 벌거숭이였다. 솜털이 모두 타 버려 알몸뚱이가 되었고 살갗은 푸르뎅뎅한 게 보기 흉했다. 그보다 털이 없으니 빼떼기는 추워서 항시 바들바들 떨었다. 순진이네 어머니는 어느 날, 조그만 헝겊으로 옷을 만들었다. 그렇게 빼떼기는 사람처럼 옷을 입고 조롱박 모이 그릇과 깡통 물그릇을 따로 가지고 순진이네 가족이 되어 버렸다.

빼떼기는 사람으로 치면 늦둥이다. 오래도록 병아리처럼 "삐악삐악." 울었다. 턱주배기 새끼 수탉은 벌써 커다란 장닭이 되었다. 새벽이면 홰를 치며 힘차게 "꼬끼요오!" 울었다.

"엄마, 빼떼기는 왜 아직 큰 소리로 울지 않을까? 이젠 볏이 저만큼 자라고 몸뚱이도 큰데……."

"빼떼기는 그동안 죽을 고비를 넘겼잖니? 그러니까 자라는 것이 아주 늦은 거야."
어머니도 아버지도 순금이도, 모두 빼떼기가 다른 수탉처럼 크게 홰를 치며 울어주기를 기다렸다.

그런데 빼떼기는 덩치가 커지면서 자꾸 사립문 밖으로 나가려 했다. 삐뚤삐뚤, 빼딱빼딱 기어가듯이 나갔다가는 이웃집 수탉에게 쫓겨 죽는 소리를 하면서 들어오곤 했다. 머리 꼭대기에서 피가 조금 나고 등어리의 깃털이 한두 개쯤 빠지기도 했다. 그러나 크게 다치지 않아서 걱정하지는 않았다.

그러던 어느 날, 빼떼기는 건넛집 개한테 물려 한쪽 날개를 크게 다쳐 버렸다. 빼떼기는 다시 소쿠리에 담겨 방 안 윗목 구석에서 퍼드러져 있어야 했다. 하루 동안 아무것도 먹지 않더니 다음 날은 엎드린 채 물도 먹고 모이도 먹었다. 닷새쯤 지나자 빼떼기는 일어나 밖으로 나갔다. 그러나 한쪽 날개가 처진 채 오므라들지 않았다. 결국 빼떼기의 날개는 짝짝이가 되어 버린 것이다.

이제 영원히 빼떼기는 두 날개로 홰를 치며 울 수 없게 되었다.

이런 빼떼기가 겨우 서툴게 씨아*가 돌아가는 가락처럼 운 것은 겨울을 지내고 나서였다. 태어나서 한 돌이 되어서다. 두 날개를 엉거주춤 치켜들고 목을 늘이면서 "꼬르륵." 하면서 울면 순진이네 식구들은 한바탕 웃었다. 빼떼기도 닭이기 때문에 서툴지만 제구실을 하게 된 것은 사람처럼 똑같이 훌륭하다고 칭찬받아야 할 일인 것이다.

*씨아 : 목화의 씨를 빼는 기구.

(다) **[앞부분의 줄거리]** 이 소설의 중심인물은 하나코(본명 장진자)이다. 하나코는 '그'와 그의 동창들을 모임에서 같이 만나기도 하지만, 개인적으로 따로 만나기도 했다. 하나코는 언제나 차별 없이 그들을 대했다. 하나코와 그녀의 여자 친구를 포함한 일곱 명은 함께 사흘간의 연휴 기간 동안 낙동강까지 여행을 하게 되었다.

일곱 시간 이상을 달려온 후라 이야깃거리가 고갈된 그들은 노래를 불렀다. 아니 악을 써댔다. 돌아가면서 돼지 멱따는 소리로. 그리고 이렇게 변질되기 시작하는 분위기 속에 당혹감을 숨기고 앉아, 조용히 술잔을 비우는 하나코와 그녀의 여자 친구에게 그들 모두가 집중적으로 노래를 강요하기 시작했다.

 그것은 더 이상 놀이가 아니었다. 하나코가 그런 자리에서 노래라면 질색한다는 정도는 그들 모두가 알고 있었고 실제로 그녀는 노래 같은 것은 빵점이었다. 그것을 알고 있기 때문에 그들은 농담 반, 협박 반 노래를 요구했다. 모두가 입을 모아 하나코의 이름을 외쳐댔다. 그래도 하나코는 웬일인지 일어나지 않았다. 그녀의 얼굴 또한 조금은 변했던 것 같다.

 누군가가 벌떡 일어섰다. 부르나 안 부르나 내기하자면서 하나코에게 다가갔다. 동시에 하나코 건너편의 누군가가 그녀를 일으키느라 팔을 위로 잡아당겼고 그녀의 친구는 하나코를 거머쥔 그 손을 떼어놓으려고 엉거주춤 일어섰다. [중략]

 얼마 전부터 일으켜 세워진 하나코와 그녀의 친구의 얼굴은 창백했고, 뒤로 올려진 하나코의 머리는 볼품없이 흐트러져 있었다. 누군가가 그녀의 그런 몰골을 손가락으로 가리키면서 웃음을 터뜨렸다. 그것은 순식간에 모두를 감염시켜서 조금씩 퍼지더니 얼마 지나지 않아 전반적인 광란의 웃음이 되었다. 일종의 벌을 받고 있던 하나코와 그녀의 친구에게까지 퍼져, 그녀들 또한 웃음을 참을 수 없을 정도로. 그렇지만 그것은 웃음인지 울음인지 구별이 되지 않을 아주 찡그려진 표정의 웃음이었다.

 하나코와 그 친구는 가방을 집어 들었다. 그리고 벗어 놓은 외투를 집어 들었다. 그리고 한밤중의 역겨운 찬바람을 방 안으로 밀어 넣으면서 방문을 열었고, 이미 그 사이 몇 배로 두터워진 어둠 속으로 걸어 나갔다. 누구나가, 그녀들이 인가를 찾을 때까지, 혹은 대로에 나설 때까지는 오래 어둠속을 걸어야 하는 것을 잘 알고 있었다. 하나코는 이렇게 해서 그들의 모임에서 사라졌다.

(라) [앞부분의 줄거리] 원고지를 붙여 만든 양복을 입고 허리에 쇠사슬을 두른 교수가 나와 기계적으로 반복되는 삶을 살아가는 모습을 보여준다.

　　감독관 원고! 원고!

　　교수 (일어나며) 네, 곧 됩니다. 또 독촉이군.

　　감독관 (책상을 가리키며) 원고! 원고!

이윽고 교수는 번역을 시작한다. 감독관이 창문을 닫고 사라진다. 처가 들어온다. 큰 자루를 손에 들고 있다. 막대기에 감긴 철쇄를 줄줄 끌어다 교수 허리에 감아 준다.

　　처 빨리! 빨리!

교수가 말없이 원고지 한 장 쭉 찢어 처에게 넘겨준다. 처는 빼앗듯이 원고지를 가로채더니 자루 안에 쓸어 넣는다. 그리고

　　처 삼백 환!

재빨리 다음 페이지의 번역을 끝낸 교수가 다시 한 장을 찢어 처에게 넘긴다. 처는 같은 행동을 반복하며

　　처 육백 환! (이어) 구백 환!

일하던 교수가 갑자기 붓을 놓고 쓰던 원고지를 보더니 슬그머니 미소를 짓는다.

처 왜 그러세요?

교수 참 신기한 일이야.

처 삼천 환을 겨우 넘었을 뿐인데 무엇이 신기해요.

교수 이 원고지 말이오. 다 이백 자 칸이 있는데 이 종이만은 백구십 자 칸밖에 안 들었어. 열 자 모자라. 어째서 그럴까? 원고지가 한결 크고 시원해 보이는 군. 마음이 탁 트이는 것 같다. 이상한데, 이상해.

교수 전면에 또 하나의 스포트라이트가 투사되며 천사가 가벼운 발레를 추면서 들어온다. 교수는 천사를 물끄러미 바라본다.

교수 (한참 있다) 오라, 생각이 나는 것 같아. 그래 바로 그거.

천사 나를 완전히 잊은 줄 알았어요.

교수 (일어서며) 분명 그래. 아직 잊지를 않았어. 나의 희망, 나의 정열의 옛 모습이 야.

천사 쥐꼬리만 한 기억력이 아직 남아 있군요.

교수 언제 어떻게 돼서 당신과 헤어졌는지 모르겠습니다. 나에게도 불타는 듯한 정열이 있었어요. 그래요. 생각이 납니다. 밤을 새워 가며 아름다움을 노래하고, 진리를 위해 온 생애를 바치겠노라고 떠들던 때……. 아, 꿈같은 시절이었습니다. 당신은 왜 나를 버렸어요?

천사 당신이 나를 떠났지요. 당신을 돕고 싶습니다. 그러나 이미 늦었어요. 나한테 되돌아오기는 너무 늦었어요.

교수 내 꿈을 도로 찾아 주십시오. 생각할 힘을 주시오. 요즈음은 통 사고를 할 수가 없습니다.

천사 사고할 필요가 없어요. 이미 사고가 난 걸요.

교수 이 함정에서 뛰어나가고 싶습니다. (천사가 서서히 사라진다.) 가지 마시오! 내 희망, 내 정열은 어떻게 되는 거요. 꿈을 주십시오! 내 꿈! 내 꿈!

(마) 만일 진기하고 괴이하고 대단하고 어마어마한 것을 볼 요량이면 코끼리 우리를 구경하면 될 것이다. 지금 열하(熱河) 행궁(行宮) 서쪽에서 코끼리 두 마리를 보니, 온몸을 꿈틀거리며 가는 것이 마치 비바람이 지나가는 듯 실로 굉장하였다. 사람들은 "뿔이 있는 것에게는 윗니를 주지 않는다."라고 말한다. 이는 마치 사물을 만들면서 빠뜨린 게 있는 듯 여기는 것이니, 잘못된 생각이다.

감히 묻는다. "하늘이 무엇 때문에 이빨을 주었을까?"

사람들은 이렇게 대답하리라. "씹게 하려는 것이다."

다시 이렇게 물어보자. "사물을 씹도록 한 것은 무엇 때문인가?"

그러면 사람들은 이렇게 대답하리라. "그게 바로 '이치'입니다. 새나 짐승들은 손이 없으므로 반드시 부리나 주둥이를 구부려 땅에 대고 먹을 것을 구하지요. 그러므로 학과 같이 다리가 긴 새는 목을 길게 만들 수밖에 없는 것이지요. 그래도 혹 땅에 닿지 않을까 염려하여 부리를 길게 만들었습니다. 만일 닭의 다리를 학의 다리처럼 길게 만들었다면 뜨락에서 굶어 죽었을 겁니다."

나는 크게 웃으면서 다시 말하리라. "그대들이 말하는 '이치'란 것은 소, 말, 닭, 개에게나 해당할 뿐이다. 하늘이 이빨을 내린 것이 반드시 구부려서 사물을 씹도록 한 것이라 해 보자. 그러면 지금 저 코끼리에게는 쓸데없는 어금니를 심어 주어 땅으로 고개를 숙이면 어금니가 먼저 닿는다. 이런 모습은 오히려 씹는 것에 방해가 되는 게 아닌가?"

어떤 사람은 이렇게 말할 것이다. "그것은 코가 있기 때문이다."

그러면 나는 이렇게 말하리라. "긴 어금니를 주고서 코를 핑계로 댈 양이면, 차라리 어금니를 없애고 코를 짧게 하는 게 낫지 않은가?"

그러면 더 이상 우기지 못하고 슬며시 굴복하고 만다.

우리가 배운 것으로는 생각이 소, 말, 닭, 개에게 미칠 뿐, 용, 봉, 거북, 기린 같은 짐승에게까지는 미치지 못한다. 코끼리가 범을 만나면 코로 때려 죽이니 그 코야말로 천하무적이다. 그러나 쥐를 만나면 코를 둘 데가 없어서 하늘을 우러러 멍하니 서 있을 뿐이다. 그렇다고 쥐가 범보다 무서운 존재라 말한다면 조금 전에 말한바 이치가 아니다.

(바) **[앞부분의 줄거리]** 평범한 대학생이던 명준은 월북한 아버지 때문에 치안 당국에 끌려가 고초를 겪은 뒤 풀려난다. 남한 사회에 환멸을 느낀 명준은 애인인 윤애를 남긴 채 월북하지만, 개인의 개성과 자유를 허용하지 않는 획일적인 북한 사회의 현실에 실망한다. 명준은 북에서 만난 은혜와의 사랑을 통해 삶의 돌파구를 찾으려 하지만 이마저도 좌절된다. 인민군 장교로 전쟁에 참여하게 된 명준은 간호 장교가 되어 참전한 은혜를 다시 만나게 된다. 그러나 은혜는 명준의 아이를 가진 채 죽고, 명준은 포로가 되어 포로 송환을 위한 심사를 받는다.

방 안 생김새는, 통로보다 조금 높게 설득자들이 앉아 있고, 포로는 왼편에서 들어와서 바른편으로 빠지게 돼 있다. 네 사람의 공산군 장교와, 국민복을 입은 중공 대표가 한 사람, 합쳐서 다섯 명. 그들 앞에 가서, 걸음을 멈춘다. 앞에 앉은 장교가, 부드럽게 웃으면서 말한다.

"동무는 어느 쪽으로 가겠소?"

"중립국."

"동무, 중립국도, 마찬가지 자본주의 나라요. 굶주림과 범죄가 우글대는 낯선 곳에 가서 어쩌자는 거요?"

"중립국."

설득하던 장교는, 증오에 찬 눈초리로 명준을 노려보면서, 내뱉었다. "좋아."

[중략]

"자넨 어디 출신인가?"

"⋯⋯."

"음, 서울이군."

설득자는, 앞에 놓인 서류를 뒤적이면서,

"중립국이라지만 막연한 얘기요. 제 나라보다 나은 데가 어디 있겠어요. 외국에 가본 사람들이 한결같이 하는 얘기지만, 밖에 나가 봐야 조국이 소중하다는 걸 안다구 하잖아요? 당신이 지금 가슴에 품은 울분은 나도 압니다. 대한민국이 과도기적인 여러 가지 모순을 가지고 있는 걸 누가 부인합니까? 그러나 대한민국엔 자유가 있습니다. 인간은 무엇보다도 자유가 소중한 것입니다."

"중립국."

"허허허, 강요하는 것이 아닙니다. 다만 내 나라 내 민족의 한 사람이, 타향 만 리 이국땅에 가겠다고 나서니, 동족으로서 어찌 한마디 참고되는 이야길 안 할 수 있겠습니까? 우리는 이곳에 남한 2천만 동포의 부탁을 받고 온 것입니다. 한 사람이라도 더 건져서, 조국의 품으로 데려오라는……."

명준은 고개를 쳐들고, 반듯하게 된 천막 천장을 올려다본다. 한층 가락을 낮춘 목소리로 혼잣말 외듯 나직이 말할 것이다. "중립국." [중략]

고기 썩는 냄새가 역한 배 안에서 물결에 흔들리다가 깜빡 잠든 사이에, 유토피아의 꿈을 꾸고 있는 그 자신이 있다. 조선인 꼴호즈* 숙소의 창에서 불타는 저녁놀의 힘을 부러운 듯이 바라보고 있는 그도 있다. 구겨진 바바리코트 속에 시래기처럼 바랜 심장을 안고 은혜가 기다리는 하숙으로 돌아가고 있는 9월의 어느 저녁이 있다. 그의 삶의 터는 부채꼴, 넓은 데서 점점 안으로 오므라들고 있었다. 삶의 광장은 좁아지다 못해 끝내 그의 두 발바닥이 차지하는 넓이가 되고 말았다. 자 이제는? 모르는 나라, 아무도 자기를 알 리 없는 먼 나라로 가서, 전혀 새사람이 되기 위해 이 배를 탔다.

*꼴호즈 : 콜호스. 소련의 집단 농장.

(사) 지금도 고향, 하면 탱자의 시큼한 맛, 탱자처럼 노랗게 된 손바닥, 오래 남아 있던 탱자 냄새같은 것이 먼저 떠오른다. 그리고 뾰족한 탱자 가시에 침을 발라 손바닥에도 붙이고 코에도 붙이고 놀던 생각이 난다. 그래서 탱자 가시에 찔리곤 하는 것이 예사였는데, 한번은 가시 박힌 자리가 성이 나 손이 퉁퉁 부었던 적이 있다. 벌겋게 부어오른 상처를 보면서 나는 생각했다. 왜 탱자나무에는 가시가 있는 것일까. 그 가시들에는 아마 독이 들어 있을 거라고 혼자 멋대로 단정해 버리기도 했다.

얼마 후에 아버지는 내게 가르쳐 주셨다. 가시에 독이 있는 것은 아니고, 그저 아름다운 꽃과 열매를 지키기 위해 그런 나무들에는 가시가 있는 거라고. 다른 나무들은 가시 대신 냄새가 지독한 것도 있고, 나뭇잎이 아주 써서 먹을 수 없거나 열매에 독성이 있는 것도 있고, 모습이 아주 흉하게 생긴 것도 있고…… 이렇게 살아 있는 생명에게는 자기를 지킬 수 있는 힘이 하나씩 주어져 있다고.

그러던 어느 날 탱자 꽃잎을 보다가 스스로의 가시에 찔린 흔적을 발견하게 되었다. 바람에 흔들리다가 제 가시에 쓸렸으리라. 스스로를 지키기 위해 주어진 가시가 때로는 스스로를 찌르기도 한다는 사실에 나는 알 수 없는 슬픔을 느꼈다. 그걸 어렴풋하게 느낄 무렵, 소읍에서의 내 유년은 끝나 가고 있었다. [중략]

생활의 짐은 한번도 더 가벼워진 적이 없으며, 그러는 동안 내 속에는 날카로운 가시들이 자라나기 시작했다. 가시는 꽃과 나무에게만 있는 것이 아니었다. 세상에, 또는 스스로에게 수없이 찔리면서 사람은 누구나 제 속에 자라나는 가시를 발견하게 된다. 한번 심어지고 나면 쉽게 뽑아낼 수 없는 탱자나무 같은 것이 마음에 자리 잡고 있다는 것을, 뽑아내려고 몸부림칠수록 가시는 더 아프게 자신을 찔러 댄다는 것을 알게 되었다. 그 후로 내내 크고 작은 가시들이 나를 키웠다.

내게 열매와 꽃과 가시를 처음으로 가르쳐 준 나무. 내가 살아가면서 잃어버려야 할 것과 지켜가야 할 것을 동시에 보여 준 나무. 그러면서 나와 함께 좁은 나이테를 늘려 가고 있을 탱자나무. 눈앞에 그 짙푸른 탱자나무를 떠올리고 있으면 부어오른 마음도 조금은 가라앉게 되는 것이다.

[문제 1] 제시문 (가), (나), (다), (라)에서 중심인물이 웃게 된 직접적인 '계기'와 그 웃음에 담긴 중심인물의 '감정'을 각각 찾아 하나의 완성된 글로 논술하시오. [40점, 550-570자]

[문제 2] 제시문 (마)의 논지를 토대로 제시문 (바)에 나타난 남북한 '설득자'의 중립국에 대한 인식을 비판하고, 제시문 (바)의 '명준'이 '새사람'이 되기 위해 생각해 봐야 할 점을 제시문 (라)와 (사)를 각각 고려하여 서술하시오. [40점, 550-570자]

※ 다음 상황에 기초하여 문제에 답하시오.

한 단체에서 웃음과 행복에 대한 강연을 한 후, 참가자에게 다음과 같은 게임을 실시하여 상금을 지급하고자 한다. 게임의 규칙은 다음과 같다.
• 1부터 4까지의 자연수가 각각 하나씩 적힌 4개의 공이 들어있는 주머니가 있고, 한 번 시행에서 한 개의 공을 꺼낸다. 시행은 두 번까지 할 수 있다.
• 첫 번째 시행에서 선택된 공에 적힌 수를 a라 하면, a^2만 원의 상금이 적립된다. 꺼낸 공을 주머니에 다시 넣고, 꺼낸 공과 같은 숫자가 적힌 새로운 공 하나를 주머니에 추가로 넣어준다.
• 두 번째 시행 여부는 참가자가 선택한다. 두 번째 시행을 하지 않는 경우 게임은 종료되며, 첫번째 시행에서 적립된 상금만 지급된다.
• 두 번째 시행을 하는 경우, 두 번째 시행에서 선택된 공에 적힌 수를 b라 하자. 이때, $b \leq a$인 경우에는 b^2만 원의 상금이 추가로 적립되어, 첫 번째 시행에서 적립된 상금과 함께 최종 지급된다. 하지만, $b > a$인 경우에는 상금이 추가로 적립되지 않으며, 첫 번째 시행에서 적립된 상금도 지급되지 않는다.

[문제 3] 위 게임에서 첫 번째 시행만 하는 경우의 상금의 기댓값과 두 번째 시행까지 하는 경우의 상금의 기댓값을 각각 계산하시오. [20점, 원고지 작성법을 준수할 필요 없음]

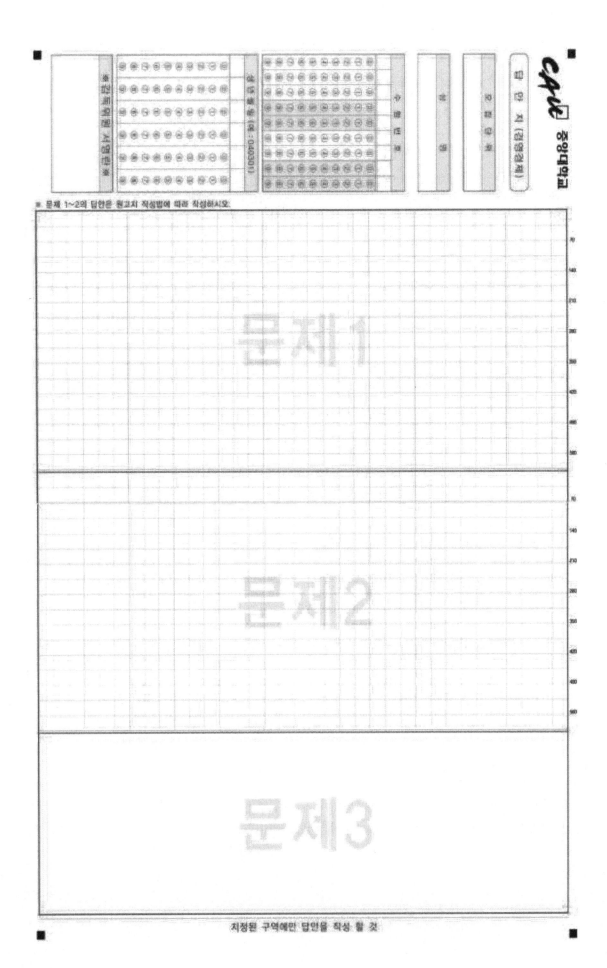

9. 2022학년도 중앙대 수시 논술 [인문사회 I]

※ 다음을 읽고 물음에 답하시오.

(가) 나는 긴 여름날에 할 일이 없으면 번번이 가서 물고기들이 입을 뻐끔거리며 떼 지어 노는 것을 구경하곤 하였다. 하루는 이웃 사람이 대나무 하나를 잘라 낚싯대를 만들고 바늘을 두드려 낚싯바늘을 만들어서 나에게 주고 물결 사이에 낚싯줄을 드리우게 하였다. 나는 오랫동안 서울에 살아서 낚싯바늘의 길이와 너비와 굽은 정도가 어떠해야 하는지를 알지 못하였으므로 그저 이웃 사람이 준 것을 좋게 여겨서 하루 종일 낚싯대를 드리웠으나 한 마리의 물고기도 잡지 못하였다. 다음 날 한 손님이 와서 낚싯바늘을 보고 말하기를 "고기를 잡지 못하는 것이 당연하다. 낚싯바늘 끝이 너무 굽어 안으로 향하였으니, 물고기가 바늘을 삼키기 쉬우나 뱉기도 어렵지 않다. 반드시 끝을 조금 펴서 밖으로 향하게 해야 한다." 하므로, 내가 그 손님으로 하여금 낚싯바늘을 두드려 밖으로 향하게 한 다음 또 하루 종일 낚싯대를 드리웠으나 한 마리의 물고기도 잡지 못하였다.

다음 날 또 두 손님이 왔으므로 내가 낚싯바늘을 보여 주고 또 그동안의 사연을 말하니, 한 손님이 말하기를 "물고기가 조금 잡히는 것이 당연하다. 낚싯바늘을 눌러서 굽힐 적에는 반드시 굽힌 곡선의 끝을 짧게 하여 겨우 싸라기 하나를 끼울 만해야 하는데, 이것은 굽힌 곡선의 끝부분이 너무 길어서 물고기가 삼키려 해도 삼킬 수가 없어서 틀림없이 장차 내뱉게 생겼다." 하므로, 나는 그 손님으로 하여금 낚싯바늘을 두드려서 뾰족한 부분을 짧게 한 다음 낚싯대를 한동안 드리웠다.

손님이 말하기를 "법(法)은 여기서 다하였지만 묘리(妙理)는 아직 다하지 못하였다." 하고는 내 낚싯대를 가져다가 스스로 드리우니, 낚싯줄도 나의 낚싯줄이요 낚싯바늘도 나의 낚싯바늘이요 먹이도 나의 먹이요 앉은 곳도 내가 앉은 자리였으며, 바뀐 것이라고는 단지 낚싯대를 잡은 손일 뿐인데도 낚싯대를 드리우자마자 물고기가 마침내 낚싯바늘을 머금고 올라와서 머리를 나란히 하고 앞을 다투어 올라왔다.

내가 말하기를 "묘리가 이 정도에 이른단 말인가. 이를 또 나에게 가르쳐 줄 수 있겠는가?" 하였더니, 손님이 다음과 같이 말하였다. "가르쳐 줄 수 있는 것은 법이니, 묘리를 어찌 말로 가르쳐 줄 수 있겠는가. 만일 가르쳐 줄 수 있다면 또 이른바 묘리가 아니다. 기어이 말하라고 한다면 한 가지 할 말이 있으니, 그대가 나의 법을 지켜 아침에도 낚싯대를 드리우고 저녁에도 낚싯대를 드리워서 온 정신을 쏟고 마음을 다하여 날짜가 쌓이고 달수가 오래되어 익히고 익혀 이루어지면 손이 우선 그 알맞음을 가늠하고 마음이 우선 앎을 터득할 것이다. 내 그대에게 말해 줄 수 있는 것은 이것뿐이다." 나는 이에 낚싯대를 던지고 감탄하기를 "손님의 말씀이 참으로 훌륭하다. 이 도를 미루어 나간다면 어찌 다만 낚시질에 쓸 뿐이겠는가. 옛사람이 말하기를 '작은 것으로 큰 것을 비유할 수 있다.' 하였으니, 어찌 이와 같은 종류가 아니겠는가." 하였다. 손님이 이미 떠난 뒤에 그 말을 기록하여 스스로 살피는 바이다.

(나) [앞부분의 줄거리] 간호조무사로 일하는 '나'는 도시에서 온 남자와 친해지며 사랑을 꿈꾸지만, 남자는 같은 병원에서 일하는 여자와 사귀는 낌새를 보인다.

그는 집에 있었다. 나는 내가 가지고 간 것들을 남자에게 내밀었다.

"무공해 채소예요."

"무공해고 뭐고 이제 그만 가져오세요."

"나는 당신에게 이 채소들을 갖다 주기 위해 지난봄 내내 마당을 일구어 텃밭으로 만들었어요. 텃밭을 일구는 동안 손에서 피가 나기도 했죠."

남자가 조소했다. 그 조소가 순간적으로 내게 용기를 주었다.

"내가 당신에게 줄 수 있는 건 무공해 채소뿐이었어요. 나를 가지고 장난치지 마세요."

심장은 격렬하게 떨려왔지만 나는 최대한 천천히 그리고 또박또박 말했다.

"야, 내가 아무리 이런 집에서 이렇게 산다고 네 눈에 내가 거지로 보이냐? 이거 필요 없으니 가져가. 에잇, 재수 없어."

나는 남자가 내던진 비닐봉지에서 쏟아져 나온 나의 고추와 상추와 치커리와 가지를 수습했다. 손이 심하게 떨리고 심장은 그보다 더 떨렸다. 눈물은 나오지 않았다. 후드득 비가 쏟아지기 시작했다. 내가 비에 젖어 걸을 때, 뒤에서 누군가도 비에 젖어 걸어오고 있었다. 칠흑 같은 밤이다. 남자다. 대화를 나누는 걸로 봐서 두 사람이다. 정미소 안으로 몸을 숨긴 뒤에야 나는 채소 봉지를 놓친 것을 알았다. 남자들이 정미소 앞에서 딱 멈추었다.

"잠깐만, 이게 뭘까?"

두 남자가 정미소 처마 밑에서 뭔가를 펼치고 있었다. 나는 어둠 속에 몸을 바짝 숨기고 숨을 죽였다.

"이건 고추야, 싸부딘. 상추도 있어. 월급날, 소주 마시고 삼겹살을 상추에 싸 먹어."

생각만 해도 즐거운가. 깐쭈가 노래를 부르기 시작했다.

사랑했나 봐 잊을 수 없나 봐 자꾸 생각나 견딜 수가 없어 후회하나 봐 널 기다리나 봐……

나는 어둠 속에 몸을 숨긴 채로 그러나 나도 모르게 입을 달싹여 남자들이 부르는 노래를 따라 불렀다.

바보인가 봐 한마디 못 하는 잘 지내냐는 그 쉬운 인사도 행복한가 봐 여전한 미소는 자꾸만 날 작아지게 만들어……

남자들이 노래를 뚝 멈추었다. 나도 입을 다물었다. 빗소리는 점점 더 거세졌다.

"싸부딘, 난 한국에서 슬플 때 노래했어. 한국 발라드야. 사장이 막 욕해. 나 여기, 심장 막 뛰어. 손가락 막 떨려. 눈물 막 흘러. 그럼 노래했어. 사랑 못 했어. 억울했어. 그러면 또 노래했어. 그러면 잠이 왔어. 그러면 꿈속에서 달을 봤어. 크고 아름다운 네팔 달이야."

깐쭈가 다시 노래한다. 나는 어둠 속에 몸을 숨긴 채 또다시 따라 했다.

"싸부딘, 여기 상추도 있고 고추도 있어. 집에 고추장 있어. 소주는 사야 해. 삼겹살은 없어. 삼겹살도 사야 해. 우리 소주 마시자."

두 사람이 빗속으로, 어둠 속으로 사라졌다. 명랑하게 사라졌다. 싸부딘과 깐쭈가 사라진 길 너머로 내가 지나온 길이 보였다. 겨우 가라앉았던 심장이 다시 격렬하게 요동쳐 오기 시작했다. 나는 정미소를 나섰다. 나는 빗속에서 악을 썼다. 눈에서는 눈물이 쏟아졌다. 그러나 나는 노래 불렀다. 저기, 네팔의 설산에 떠오른 달이 보인다. 나는 달을 향해 나아갔다. 비를 맞으며 천천히, 뚜벅뚜벅, 명랑하게.

(다) "오늘 끝나기는 어렵겠죠?"

아내는 내일까지 일이 계속된다는 게 벌써부터 지겨운 듯했다.

"그럴 거야."

"왔다 갔다 하지만 말고 가서 지켜보세요. 일꾼들이란 원래 주인이 안 보면 대충대충 덮어 버리는 못된 구석이 있다구요."

옆에서 보고 있자니 임 씨는 도무지 시간 가는 줄을 모르는 사람 같았다. 다시 방수액을 부어 완벽을 기하고 이음새 부분은 손가락으로 몇 번씩 문대어 보고 나서야 임 씨는 허리를 일으켰다.

"예상외로 옥상 일이 힘든가 보죠? 저 사람도 이제 세상에 공돈은 없다는 사실을 깨달았을 거예요."

아내는 기다리는 동안 술상을 보아 놓고 있었다. 손발을 씻고 계단에 나가 옷의 먼지를 털고 들어온 임 씨는 여덟 시가 넘어선 시간을 보고 오히려 그들 부부에게 미안해하였다.

"시간이 벌써 이리 되었남요? 우리 사모님 오늘 너무 늦게까지 이거 고생이 많으십니다요. 사장님이야 더 말할 것도 없구, 참 죄송하게 되었습니다."

"돈 드려야지요. 그런데……."

그때 임 씨가 먼저 손을 휘휘 내젓고 나섰다.

"사모님, 내 뽑아 드린 견적서 좀 줘 보세요. 돈이 좀 틀려질 겁니다."

아내가 손에 쥐고 있던 견적서를 내밀었다. 인쇄된 정식 견적 용지가 아닌, 분홍 밑그림이 아른아른 내비치는 유치한 편지지를 사용한 그것을 임 씨가 한참씩이나 들여다보았다. 그와 그의 아내는 임 씨의 입에서 나올 말에 주목하여 잠깐 긴장하였다.

"술을 마셨더니 눈으로는 계산이 잘 안 되네요."

임 씨는 분홍 편지지 위에 엎드려 아라비아 숫자를 더하고 빼고, 또는 줄을 긋고 하였다. 그는 빈 술병을 흔들어 겨우 반 잔을 채우고는 서둘러 잔을 비웠다.

"됐습니다, 사장님. 이게 말입니다. 처음엔 파이프가 어디서 새는지 모르니 전체를 뜯을 작정으로 견적을 뽑았지요. 아까도 말씀드렸지만 일이 썩 간단하게 되었다 이 말씀입니다. 그래서 노임에서 사만 원이 빠지고 시멘트도 이게 다 안 들었고, 모래도 그렇고, 에, 쓰레기 치울 용달차도 빠지게 되죠. 방수액도 타일도 반도 못 썼으니 여기서도 요게 빠지고 또……."

임 씨가 볼펜심으로 쿡쿡 찔러 가며 조목조목 남는 것들을 설명해 갔지만 그의 귀에는 제대로 들리지 않았다. 뭔가 단단히 잘못되었다는 기분, 이게 아닌데, 하는 느낌이 어깨의 뻐근함과 함께 그를 짓누르고 있을 뿐이었다.

"그렇게 해서 모두 칠만 원이면 되겠습니다요."

선언하듯 임 씨가 분홍 편지지를 아내에게 내밀었다. 놀란 것은 그보다 아내 쪽이 더 심했다. 그녀는 분명 칠만 원이란 소리가 믿기지 않는 모양이었다.

"칠만 원요? 그럼 옥상은……."

"옥상에 들어간 재료비도 여기에 다 들어 있습니다. 그거야 뭐 몇 푼 되나요."

"그럼 우리가 너무 미안해서……."

아내가 이번에는 호소하는 눈빛으로 그를 쳐다보았다. 할 수 없이 그가 끼어들었다.

"계산을 다시 해 봐요. 처음에는 십팔만 원이라고 했지 않소?"

"이거 돈을 더 내시겠다 이 말씀입니까? 에이, 사장님도. 제가 어디 공일 해 줬나요. 조목조목 다 계산에 넣었습니다요. 옥상 일한 품값은 지가 써비스로다가……."

"써비스?"

그는 아연해서 임 씨의 말을 되받았다. 그는 일 층 현관까지 내려가 임 씨를 배웅하기로 했다. 시원한 밤공기가 현관 앞을 나서는 두 사람을 감쌌고 그는 무슨 말로 이 사내를 배웅할 것인가를 궁리해 보았다. 수고했다는 말도, 고맙다는 말도 이 사내의 그 '써비스'에 대면 너무 초라하지 않을까.

(라) [등장인물] 양회기(35세): XX 종합 병원 폐 외과 과장 / 김인옥(30세): 담배 공장 포장공 / 최상현(39세): 인옥의 남편 / 정금숙(28세): 간호사

인옥: 선생님…….

회기: 나는 환자의 생명을 구해 줌으로써 기쁘게 해 주겠다거나 사회를 위해서 선심을 쓰겠다는 생각은 없소. 나도 이 병원에서 월급을 받고 일하는 고용인이니까, 댁과 마찬가지로…….

인옥: (다시 애원하며) 그러니 수술을 해 주시면 되잖아요?

회기: 원래 나는 자신 없는 일엔 손을 안 대는 성질이오.

인옥: 환자가 죽어 가도 말씀이에요?

회기: 그렇다고 내가 죽일 수는 없소. 나는 나를 위해서 사는 거지, 그 누구를 위해서 사는 사람은 아니니까.

인옥: (원망스럽게 쳐다보며) 선생님은 냉정하시군요…… 기계처럼…….

회기: (창밖으로 시선을 돌리며) 직업이란 사람을 기계로 만들게 마련이죠. 댁의 손처럼…….

인옥: 그렇다고 마음까지 기계가 될 수는 없잖아요? 어두운 공장에서 담배 개비를 스무 개씩 집어 넣는 것은 내 손이지만, 제 마음은 언제나 어린것들을 생각하고 나를 생각했어요…….

[중략 부분의 줄거리] 얼마 후 인옥의 남편인 상현이 회기를 찾아온다. 그는 회기가 인옥의 수술을 거절했다는 말에 안심하면서, 돈이 너무 많이 든다며 아내의 폐 수술을 해 주지 말 것을 거듭 당부한다.

회기: (추궁하듯) 부인을 미워하시오?

상현: (마음에서 끓어오르는 증오심을 억제하며) 미워한들 무슨 소용이 있겠습니까? 나와 어린것들이 벌써 오래전부터 그 덕으로 살아왔는데…….

회기: 그러나 선생께서 수술을 반대하는 이유를 나는 이해할 수 없는데요…….

상현: 수술을 해서 몸이 회복된다면 내 아내는 더 불행해질 거예요! 그리고 나도…….

회기: 아니, 불행해지다니……. 건강해야 더 벌어서 아이들도 편하게…….

상현: 흥! 내 처가 가족을 위해서 수술을 원하는 줄 아십니까?

회기: 그렇지만 어찌 되었든 부인 때문에 온 식구가 살아가고 있는 게 아니오?

상현: (혼잣소리로) 그럴 바엔 차라리 죽는 게 낫지!

회기: 누가 말이오? (미심쩍게) 내가 알기엔 부인께서는 가족을 위해서 수술을 받아야겠다고 한사코 고집하는 것을…….

상현: 아닙니다. 그건…….

회기: (조용하나 위엄 있게) 그렇지만, 내버려 두면 부인께서 어떻게 된다는 건 아시고 계시죠?

상현: (냉혹하게) 별수 없죠! 죽고 사는 건 인력으로 막을 수 없으니까.

회기: (뭉클 불쾌감이 솟으며) 아니, 그럼 부인이 죽어도 괜찮단 말이오?

상현: 어차피 죽을 목숨이라면…… 그대로 두는 게죠. 그 돈이 있으면 나와 어린것들이 살아날 수 있으니까요!

회기: (노골적으로 분노를 터뜨리며) 그건 너무 심하지 않소?

상현: (반항적으로) 심한 건 내 아내죠. 그 병이 어떤 병이라고 수술을 합니까? 그것도 공으로 한다면 또 모르지만, 돈 쓰고 저 죽고 하면, 남은 우리들은 어떻게 살아가라고.

회기: (외치며) 그건 살인이나 다름없소…….

상현: 뭐라구요?

회기: (강하게) 아내가 죽어 가도 내버려 두는 법이 어디 있단 말이오?

상현: 참견 마세요! 내 처를 내가 죽이건 살리건 무슨 걱정이오! 나 살고 남도 있지! 아무튼 실례했습니다! (문을 탁 닫고 나가 버린다.)

(회기는 감전된 사람처럼 멍하니 서 있고 금숙은 회기를 주시하고만 있다.)

회기: 정 간호사!

금숙: 예?

회기: 아까 그 환자의 주소 알지!

금숙: 예, 접수부를 보면…….

회기: 좋아! 그럼 속달 우편으로 보내요.

금숙: 예? (가까이 온다.)

회기: 수술을 받고 싶으면 편지 받는 즉시 찾아오라고!

금숙: (놀란 표정으로) 아니, 그렇지만…….

회기: 자신은 있어! 그 대신 수혈용 혈액을 충분히 준비할 것을 잊지 마! 알겠어?

금숙: (빙그레 웃으며) 선생님, 웬일이세요?

회기: 응? 이번 환자는 꼭 살려 보고 싶은 의욕이 생기는군!

(마) 칸트의 도덕 법칙을 표현하는 첫 번째 정언 명령은 "네 의지의 준칙*이 언제나 동시에 보편적 입법의 원리가 될 수 있도록 행위하라."라는 것이다. 칸트는 한 사람이 선택한 준칙을 다른 사람들이 보편적으로 받아들일 수 있을 때, 이 준칙이 도덕 법칙이 될 수 있다고 하였다. 그리고 이에 따른 행위를 도덕적이라고 보았다. 만약 자신이 선택한 행위의 준칙이 보편적 법칙이 될 수 없다면, 도덕 법칙의 명령이 될 수 없다. 첫 번째 정언 명령은 또 다른 정언 명령으로 이어진다. 그것은 바로 보편성의 원리에 전제된 인간 존중의 정신을 표현한 정언 명령이다. 칸트에 따르면, 이성적 존재로서의 인간은 모든 가치의 근거가 되며 목적 그 자체로서 존재한다. 그런데 한 개인이 이처럼 자신을 절대적 가치를 지닌 존재로 대우한다면, 보편성의 원리에 따라 다른 모든 이성적 존재의 가치 또한 존중해야 한다. 이로부터 칸트는 "너 자신과 다른 모든 사람의 인격을 결코 단순히 수단으로 대하지 말고, 언제나 동시에 목적으로 대하도록 행위하라."라는 정언 명령을 제시한다. 이는 인간의 존엄성과 인격의 존중을 담고 있는 말이다. 인격은 수단적 가치를 지닌 사물과 달리 절대적 가치를 지닌다는 것이다.

*준칙: 자기 자신의 행위 지침으로서 스스로에게 설정하는 규칙을 가리킨다.

(바) 시(詩) 한 편에 삼만 원이면
　　너무 박하다 싶다가도
　　쌀이 두 말인데 생각하면
　　금방 마음이 따뜻한 밥이 되네

　　시집 한 권에 삼천 원이면
　　든 공에 비해 헐하다 싶다가도
　　국밥이 한 그릇인데
　　내 시집이 국밥 한 그릇만큼
　　사람들 가슴을 따뜻하게 덥혀 줄 수 있을까
　　생각하면 아직 멀기만 하네

　　시집이 한 권 팔리면
　　내게 삼백 원이 돌아온다
　　박리다 싶다가도

굵은 소금이 한 됫박인데 생각하면
푸른 바다처럼 상할 마음 하나 없네

(사) 인간의 활동은 노동, 작업, 행위로 구분할 수 있다. 첫째, 노동은 먹고 사는 문제를 해결하기 위한 활동이고, 둘째, 작업은 인공 세계를 건설하여 인간의 세계를 구축하는 활동이다. 마지막으로 행위는 자신이 가진 본연의 능력과 개성을 공동체 속에서 충분히 발휘하는 활동이다. 노동은 직(職)에 해당하고 행위가 바로 업(業)이다. 생계 유지를 위해 하는 활동은 동물도 하는 걱정이므로 인간은 인간으로서 자신의 개성과 능력을 발현하는 일을 함으로써 인간다운 삶의 가치를 실현한다.

(아) 에피쿠로스학파는 쾌락을 좋아하고 고통을 싫어하는 인간의 자연스러운 본성에 근거하여 윤리 사상을 전개하였다. 에피쿠로스에 따르면, 쾌락이야말로 우리가 진정으로 바라고 원하는 것이자 가장 좋은 것, 즉 최고선이다. 그러므로 이러한 쾌락을 누리는 삶이 곧 행복한 삶이다.

 에피쿠로스에 따르면, 진정한 쾌락을 추구하기 위해서는 이성과 이성의 덕인 지혜가 필요하다. 이성이나 지혜가 비록 그 자체로 쾌락은 아니지만, 진정한 쾌락에 이르는 데 필요한 수단이기 때문이다. 그래서 그는 마음의 불안에서 벗어나고, 육체의 고통을 없애는 데 지혜가 필요하다고 주장하였다. 지혜를 통해 마음에 불안이 없고 육체에 고통이 없는 상태에 도달하는 것이 에피쿠로스학파가 지향한 쾌락주의의 이상이었다. 그들은 이러한 평정심의 상태를 아타락시아(ataraxia)라고 불렀다.

 또한 에피쿠로스는 이성을 통해 고통과 쾌락의 원인을 분석하고, 건전한 추론으로써 쾌락을 분별해 낼 수 있다고 보았다. 그리고 이러한 이성의 지혜를 지닌 사람은 절제, 정의, 우정 등의 덕을 쌓는 삶을 통해 쾌락의 상태에 이를 수 있다고 주장하였다. 에피쿠로스에 따르면, 우리는 사회의 부정의, 인간관계에서의 불화 등으로 말미암아 사회적 삶에서도 고통을 받을 수 있다. 따라서 그는 번잡한 세속의 삶을 떠나 작은 공동체에서 살아갈 것을 강조하였다. 그 속에서 친구와 우정을 나누고 지적으로 교류하면서 정의롭게 살아갈 때 행복에 이를 수 있다고 보았다.

(자) 쾌락 기계(pleasure machine) 속에서 살아갈 가능성을 생각해 보라. 우리는 순수하고 지속적인 쾌락을 발견하기 위한 목적으로 사람들이 그 속으로 들어가게 되는 복잡한 기계 하나를 발명했다. 이 기계에는 사람의 대뇌 피질 영역과 뇌의 다른 부분에 전류를 보내는 전극이 부착되어 있는데, 그것이 매우 강력한 쾌감을 만들어 낸다. 사람들이 그 기계 속으로 들어갈 때, 그들은 이러한 환상적인 느낌을 경험한다. 당신은 그런 기계 속으로 들어가겠는가?

(차) 쾌락은 망해 가는 연속이다. 하나가 생기면 강렬한 자기 느낌이 만족을 선언한다. 그것이 사라지게 되면 더 이상은 만족을 느끼지 못한다. 또 다른 쾌락이 겹쳐 올

지라도 우리에게 만족을 주지는 못한다. 우리는 쾌락이 머무는 동안에는 여전히 쾌락을 갈망하기 때문에 만족을 못하고, 사라지고 나면 아무것도 남는 것이 없다. 행복의 성취라는 관점에서 보자면, 우리는 원점으로 되돌아와 있는 것이다. 이것은 누구에게나 공통된 경험이다.

[문제 1] 제시문 (가)~(라)에서는 생각이 전환되는 다양한 모습이 나타난다. 제시문 (가), (나), (다), (라)에서 주인공의 생각이 전환되는 '계기'와 이를 통해 주인공이 '깨달은 것'을 각각 찾아 하나의 완성된 글로 논술하시오. [40점, 550-570자]

[문제 2] 제시문 (라)의 '인옥과 회기의 대화'에서 나타난 환자를 대하는 회기의 태도를 제시문 (마)를 근거로 평가하고, 회기가 의사로서 보람을 느끼기 위해 갖춰야 할 태도를 제시문 (바)와 (사)를 통합적으로 고려하여 서술하시오. [40점, 550-570자]

[문제 3] 제시문 (아)와 (자)에서 '쾌락을 추구하는 방식'의 차이점을 찾아 서술하고, 제시문 (아)와 (차)에서 '쾌락과 행복의 관계'가 어떻게 다른지 찾아 서술하시오. [20점, 400-420자]

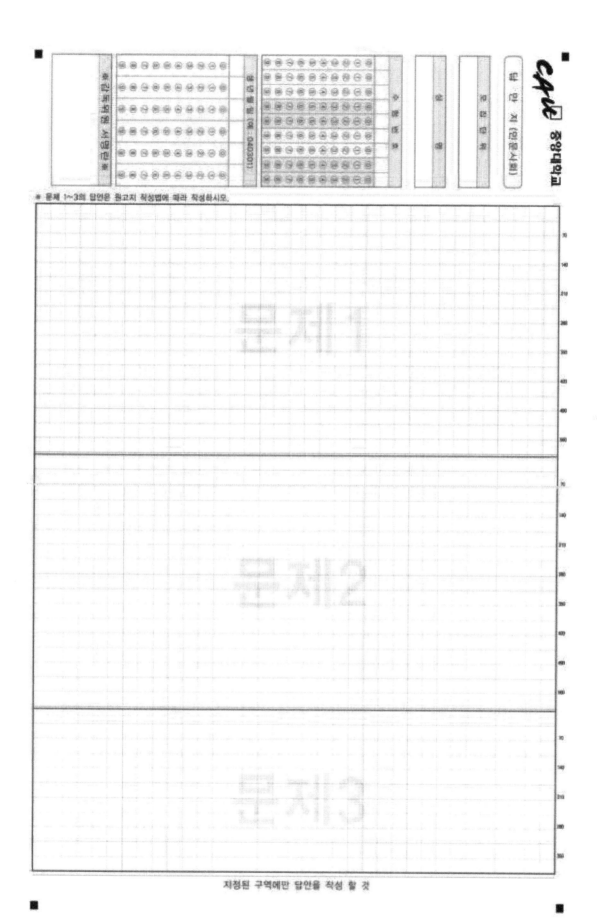

10. 2022학년도 중앙대 수시 논술 [인문사회 II]

※ 다음을 읽고 물음에 답하시오.

(가) [앞부분의 줄거리] 6.25 전쟁 당시 일곱 살이었던 수지는 가족들과 함께 피란길에 오른다. 수지는 여동생(오목)에게 항상 양보해야 하는 것이 싫어서, 오목이가 갖고 싶어 하던 은표주박을 손에 쥐여주고 고의로 오목이의 손을 놓는다. 전쟁이 끝나고 친동생을 버렸다는 죄책감에 괴로워하던 수지는 어느 고아원에 오목이가 있음을 알고 가끔 찾아간다. 하지만 지난날의 잘못이 들통날 것을 염려하여 진실을 털어놓지 않는다. 오목이와 다시 만난 수지는 죄책감을 느껴 오목이에게 사실을 고백하려 하지만 끝내 하지 못한다. 수지는 죄책감을 씻는다는 생각으로 오목이의 남편이 중동 건설 현장에서 일할 수 있도록 도와주지만, 남편이 중동으로 떠나는 날 오목이는 결핵이 심해져 쓰러지고 만다.

병원에선 오목이의 임종이 임박해 가족을 찾고 있었다. 주사로 임종을 잠시 유예하고 있는 상태라고는 믿어지지 않을 만큼 오목이의 의식은 또렷했고 표정은 해맑았다.

"언니, 어디 갔었어? 못 보고 죽을까 봐 얼마나 조바심했는 줄 알아. 죽기 전에 꼭 하고 싶은 말이 있었거든. 내가 언니를 얼마나 싫어했는지 언니는 아마 모르고 있었을 거야. 고아원에서 처음 언니를 만났을 때부터 난 언니가 싫었어. 왜 그렇게 미웠는지, 아마 질투였나 봐. 언니 제발 용서해줘. 일생에 누굴 그렇게 미워해 보긴 언니가 처음이자 마지막이었어."

"난 미움받아 싸단다. 난 널 용서해 줄 자격도 없어. 아아, 내 죄를 네가 안다면 ...."

"근데 언니, 내 미움은 참 이상해. 내가 남을 내 마음처럼 믿고 의지하기도 언니가 처음이었으니. 언니를 다시 만나기 전에 난 이미 죽었어야 했어. 언니도 알다시피 우린 두 내외가 다 고아 아뉴? 다 망가진 몸을 정신력 하나로 살아 있다는 게 얼마나 고달픈 일인지 언니는 아마 모를 거야. 그때 언니를 다시 만난 거야. 언니를 만나고부터는 정신력으로 살아 있는 그 지겹고 고된 일로부터 놓여날 때가 됐다 싶은 생각이 왜 그렇게 분명히 떠올랐을까. 아무튼 자기가 죽은 후 자기 어린 자식들을 마음 놓고 맡길 수 있다고 생각할 만큼 누구를 믿는다는 건 동기간*에도 여간 우애 있는 동기간 아니면 있을 수 없는 일인데 난 하필 죽도록 미워하고 있다고 생각한 언니에게 그런 걸 느낀 거야. 언니에 대한 내 믿음과 사랑과 감사의 표시로 언니에게 이걸 주고 싶었어. 이건 내 전 재산이자 내 모든 거야. 내가 죽는 날까지 알기를 그렇게 원했지만 결국 못 알아내고 만 나의 정체까지도 아마 이 속에 포함되었을 거야. 내가 고아가 되기 전부터 내가 지녀 온 유일한 물건이거든. 난 이걸로 내 정체를 어떻게든 건져 올려 보려고 무진 애썼지만 허사였어. 아아, 내 아이들......."

오목이가 천 근의 무게처럼 힘겹게 건네준 건 은표주박이었다. 은행알만 하고 청홍의 칠보 무늬가 아직도 영롱한 은노리개였다. 수지는 벼락을 맞은 것처럼 공구해서* 풀썩 바닥에 무릎을 꺾고 그것을 받았다. 어쩌면 수지가 지금 꺾은 것은 무릎이 아니라 이기로만 일관해 온 그녀의 삶의 축이었다. 마침내 그것을 꺾으니 한없이 겸허하고 편안해지면서 걷잡을 수 없이 슬픔이 밀려왔다.

"오목아, 아니 수인아, 넌 오목이가 아니라 수인이야. 내 동생 수인이야. 내가 버린 수인이야. 내가 너를 몇 번이나 버린 줄 아니......?" 이렇게 목멘 소리로 시작해서 길고 긴 참회를 끝냈을 때 수인이는 이미 죽어 있었다. 그러나 수지는 용서받은 것을 믿었다. 수인의 죽은 얼굴엔 남을 용서한 자만의 무한한 평화가 깃들어 있었으므로.

*동기간(同氣間): 형제자매 사이.
*공구(恐懼)하다: 몹시 두렵다.

(나) 지난봄, 우리는 영우를 잃었다. 영우는 후진하는 어린이집 차에 치여 그 자리서 숨졌다. 오십이 개월. 봄이랄까 여름이란 걸, 가을 또는 겨울이란 걸 다섯 번도 채 보지 못하고였다. 화장터에서 영우를 보내며 아내는 "잘 가."라 않고 "잘 자."라 했다. 다시 만날 수 있는 양, 손으로 사진을 매만지며 그랬다. 어린이집 원장은 영업 배상 책임 보험에 가입돼 있었다. 가해 차량 역시 자동차 종합 보험에 들어 우리는 보험 회사를 통해 민사상 손해 배상을 받았다. 많다거나 적다거나 하는 세상의 잣대나 단위로 잴 수 없는 대가가 지급됐고, 어린이집에서는 그걸로 일이 마무리됐다 여기는 듯했다. 그 뒤 시간이 어떻게 흘렀는지 모르겠다.

어린이집에서 보낸 소포가 현관 앞에 도착했을 때 아내와 나는 불길하고 신기한 물건 대하듯 상자를 살폈다. 대체 이게 무슨 뜻인가 감이 오지 않아서였다. 소포 겉면엔 '장수 식품'이라는 상호와 더불어 '국산 복분자 원액 백 퍼센트'라는 문구가 박혀 있었다. 상자 위 유리 테이프를 뜯어내자 안에서 작은 카드가 나왔다. 카드 안에는 '보내 주신 성원에 감사드립니다. 풍성한 한가위 맞으세요. 해님 어린이집'이라는 관습적인 문구가 적혀 있었다. 추석이라고 아이들이 조물조물 만든 송편을 예쁘게 포장해 들려 보낸 적은 있어도 이런 경우는 처음이었다. 우리는 직감적으로 그게 우리 집에 잘못 배달됐다는 걸 알았다. 영우 일로 나빠진 평판을 그런 식으로나마 바꾸려 한 모양이었다. 아내는 이 사람들 어쩌면 이렇게 무감할 수 있느냐며 화를 냈다. 게다가 여기가 어디라고. 알고 보냈으면 나쁘고, 모르고 부쳤으면 더 나쁜 거라고 흥분했다. 나는 소포를 돌려보낼 때까지 복분자 원액을 눈에 띄지 않는 곳에 치워 둬야겠다고 생각했다. 그게 두 달 전 일이었다. (중략)

입주 전, 아내는 제일 먼저 그 벽부터 손봤다. 동네 인테리어 가게에 들러, 부엌과 거실 벽은 모두 흰색으로 하되 개수대와 마주한 면은 올리브색 종이를 발라 달라 주문했다. 흰색 공간에서 올리브색 벽면은 단연 '포인트'가 됐다. 아내는 그 벽 아래에 사 인용 식탁을 놨다. 영우는 거기서 젓가락질을 배우고, 음식을 흘리고, 떼쓰고, 의자 아래로 기어들어 가고, 울고, 종알종알 분홍 혀를 놀려 어여쁜 헛소리를 했다. 그러니까 거기 사 인용 식탁에서. 식탁과 맞붙은 산뜻한 올리브색 벽지 아래서. 집 앞 어린이집에서 보내온 복분자액은 바로 거기 튄 거였다.

[중략 부분의 줄거리] 도배지를 사서 직접 도배를 하다가 아내는 영우의 보상금으로 아파트 대출금을 갚자고 말한다. 그런 아내의 모습을 보며 '나'는 아내가 막 일어나기로 한 것이라고 생각한다.

이제 세 번째 벽지만 바르면 다 끝날 터였다. 바쁘게 걸레질하던 아내가 갑자기 꼼짝하지 않았다.

"여기…… 영우가 뭐 써 놨어……."

"…… 뭐라고?"

"영우가 자기 이름…… 써 놨어." 아내가 떨리는 손으로 벽 아래를 가리켰다.

"근데 다…… 못 썼어……." 아내의 어깨가 희미하게 떨렸다.

"아직 성하고……." 아내의 몸이 희미하게 떨렸다.

"이응하고……."

아내는 연주를 끝낸 뒤 수천 명의 기립 박수를 받은 피아니스트처럼 울었다. 사람들이 던진 꽃에 싸인 채. 꽃에 파묻힌 채. 처마 밑에서 비를 피하는 사람처럼 내가 붙들고 선 벽지 아래서 흐느꼈다.

(다) 그런 중에도 반백 년 교사 생활에 잊지 못할 일이 하나 있다. 혼분식 운동이 한창이던 때였다. 학교에서 점심으로 먹을 도시락을 흰쌀밥으로 싸 오지 못하게 했고 음식점에서도 흰쌀밥을 파는 것이 금지됐다. 점심시간마다 담임 교사가 교실로 가서 아이들의 도시락을 일일이 검사했다. 나는 검사 결과 기준에 미달된 아이들의 손바닥을 회초리로 따끔하게 세 대씩 때렸다. 손바닥을 맞은 아이들은 다시는 쌀밥을 싸 오지 않았다. 나는 남들에게 지고는 못 사는 성격이라 어떤 분야에서도 내가 담임하는 반이 가장 높은 성적을 기록하기를 바랐고 그건 혼분식 운동에서도 마찬가지였다.

그런데 반 아이들의 삼분의 일가량이 아예 도시락을 싸 오지 못한다는 게 문제였다. 보릿고개 때가 되면 집에서 먹을 양식이 떨어져 버리는 이른바 절량농가(絶糧農家)의 자식들이었다. 도시락을 혼분식 운동의 취지에 맞춰 제대로 싸 오지 않은 아이들은 전과 같이 손바닥 세 대, 도시락을 싸오지 않은 아이들은 손등을 세 대씩 때렸다. 회초리가 아닌 몽둥이로. 그러던 어느 날 어떤 아이가 구운 옥수수를 도시락이라며 가져왔다. 학교에서 제일 멀리 떨어진 동네인 산촌 개운리에 사는 김만수였다. 수건도 아닌 책보 속에 책과 공책, 몽당연필과 함께 구운 옥수수를 그냥 넣어 왔다.

그건 지난가을에 수확해 처마 밑에 매달아 뒀던 씨옥수수였다. 내가 아무리 농사에 무지해도 농부는 종자가 든 자루를 끌어안고 굶어 죽을지언정 먹지 않는다는 것 정도는 알고 있었다. 그것을 훔쳐 간 사람이 자식이라 해도 때려죽이려 들 것이다. 내가 우리 반의 혼분식 운동 참여율이 백 퍼센트라고 보고한 그 날, 미국에서 수입한 옥수숫가루로 만든 빵을 학교에서 배급하게 되었다고 교장이 자랑스럽게 발표했다. 일주일쯤 뒤에 미국에서 왔다는 신품종 옥수수 종자를 학생들에게 다섯 알씩 나누어 주라고 했다. 달나라로 유인 우주선을 보낼 수 있는 미국의 첨단 과학 기술로 새로 개량한 옥수수 품종이었다. 심기만 하면 단시간에 엄청난 양의 옥수수가 달리고 알도 우리 토종 옥수수의 두 배는 되게 굵을 것이라 했다. (중략)

그런데 그날 저녁 만수가 어둑할 무렵 집으로 찾아왔다. 저녁상을 잠시 물려 놓고 밖으로 나오자 만수는 내게 짚으로 싼 뭔가를 두 손으로 쳐들어 공손히 내밀었다.

"그게 뭐냐?"

"달걀입니다."

"달걀을 왜?"

"집에서 키우는 닭들이 낳았습니다. 그걸 모아서 이렇게 가져왔습니다. 할아버지가 선생님한테 갖다 드리라고 하셔서요."

"달걀은 사 먹으면 된다. 너희 집에서 먹을 것도 없을 텐데, 이걸 왜 여기까지 가져온 거냐."

"할아버지가 사람이 은혜를 알아야 한다고 선생님께 갖다 드리라고 하셨습니다."

"됐다, 너나 먹어라. 구워 먹든 삶아 먹든."

내가 달걀 꾸러미를 도로 내밀자 만수는 손을 감추며 잽싸게 두어 걸음 뒤로 물러났다.

"닭을 드리고 싶지만 암탉은 알을 낳아야 해서요, 선생님. 장닭이 없으면 병아리를 못 깝니다. 아침에 일어날 시간도 모르고요. 그래서 달걀만 가지고 왔습니다. 그거 도로 가지고 갔다가 아버지한테 걸리면 저는 맞아 죽습니다."

내가 어이가 없어 머뭇거리고 있는데 만수가 고개를 꾸벅하고는 말했다.

"맞아 죽지 않게 해 주셔서 고맙습니다, 선생님."

만수는 곧 어둠 속으로 사라져 갔다. 나는 짚신보다 약간 더 길쭉한 달걀 꾸러미를 들고 한동안 어둠을 향해 서 있었다. 고향의 학부형으로부터 생전 처음 받아 보는 진심 어린 촌지였다. 들고 있는 손을 한없이 부끄럽게 하는.

(라) 역사 안에서는 주름이 반듯한 제복을 차려입은 역장이 로디지아*발 기차를 맞을 채비를 차리고 있었고, 역사 밖에서는 먼지를 뒤집어쓰고 앉아 있던 원주민 상인들이 물건 팔 준비를 하느라 한바탕 소란이 일었다. 망연히 놀란 표정을 하고 있는 사자 목각상이 한 원주민의 자루 밖으로 얼굴을 쑥 내밀었다. 역장의 아이들은 맨발로 이곳저곳을 뛰어다녔다. 너저분한 지붕을 머리에 얹은한 토담집에서 뛰쳐나온 닭들과 앙상한 뼈만 남은 개들이 선로를 따라 늘어선 흑인 원주민 아이들의 뒤를 바싹 쫓고 있었다. (중략)

사자상을 두고 흥정을 하던 백인 여자는 그 조각품을 물리면서 말했다. 원주민 상인이 그 물건을 다시 들어 보이며 살 것을 권유했지만, 그녀의 결심은 굳은 듯했다.

"삼 실링 육 펜스요?" 옆에 있던 백인 남편이 과장된 표정으로 크게 되물었다.

"예, 나리."

남편은 못 믿겠다는 표정이었다

"다음에 사요." 여자가 채근했다.

"당신이 그렇게 갖고 싶어 하던 거잖아." 남편은 의아하다는 듯 말했다.

"아니에요. 다음에 살래요." (중략)

기차가 마침내 움직이기 시작했다. 흡사 날아오는 공을 잡듯 사람들의 손이 바빠졌다. 남편은 황급히 주머니를 뒤져 일 실링 육 펜스를 꺼내 던졌다. 따라오던 늙은 원주민 상인이 숨을 헐떡거리며 마른 발가락으로 모랫바닥을 세차게 차 내면서 사자상을 던져 주었다.

남편이 숨을 몰아쉬며 객실로 돌아왔다. 그는 의기양양해 있었다.

"자, 이걸 보시라. 일 실링 육 펜스에 샀어."

"뭐라구요?" 그녀가 어이가 없는 듯 말했다.

"장난삼아 마지막으로 값을 흥정했지. 그랬더니 기차가 막 떠나려고 할 때 그 노인이 기차를 따라오며 일 실링 육 펜스에 가져가라고 하더군." 그가 만면에 희색을 띠며 말했다.

"자, 이거 당신 선물이야."

여자는 조각상을 받아들었다. 떡 벌어진 입, 뾰족한 이빨, 검은 혀 그리고 섬세한 갈기! 생각대로 일이 잘되어 가지 않을 때 아이들이 짓는 표정처럼 여자는 얼굴을 찡그리고 있었다. 눈썹은 위로 치켜 올라가 있었고 입 가장자리는 신경질적으로 기울어져 있었다.

"당신, 어떻게 그럴 수가 있죠?" 여자의 얼굴에 분노의 빛이 역력했다.

"뭐가. 도대체 왜 그래?" 당황한 남편이 물었다.

"이걸 그렇게 사고 싶었으면……." 흥분한 여자의 목소리가 날카롭게 갈라졌다.

"왜 처음부터 사지 않고 그렇게 뜸을 들였죠? 왜 기차가 떠날 때까지 기다렸다 샀냔 말이에요. 그것도 일 실링 육 펜스에 말이죠."

"이거 당신이 갖고 싶어 했던 것 아니야? 무척 맘에 들어 했잖아."

"물론이에요. 그렇지만 이건 아주 훌륭한 조각품이라구요." 여자는 마치 조각품을 보호하려는 것처럼 맹렬하게 말했다. 남편은 망연자실 여자를 바라보고 서 있을 뿐이었다. 여자는 모퉁이에 앉아 두 손으로 얼굴을 감싸 쥔 채 창밖을 무표정하게 응시했다. 나뭇조각과 다리의 근육과 채찍 같은 꼬리를 사는 데 일 실링 육 펜스라! 그렇게 늠름하게 벌려져 있는 입과 파도처럼 말려 있는 검은 혀에 그토록 정교한 목의 갈기까지 얻는 데 일 실링 육 펜스라! 분노로 인한 열기가 여자의 다리를 타고 목까지 올라와 귀에 모래를 쓸어 내는 소리를 쏟아부었다. 피로와 무기력함과 불현듯 찾아든 공허감이 여자의 사지로 퍼져 나갔다. 여자의 육신에서 소중한 그 무언가가 빠져나가는 듯했다.

*로디지아: 과거 영국의 식민지였던 '짐바브웨'의 옛 이름. 소수의 유럽계 백인들이 국민 다수의 흑인 원주민을 배제하며 정치 권력을 쥐었던 국가.

(마) 가난하다고 해서 외로움을 모르겠는가
　　　너와 헤어져 돌아오는
　　　눈 쌓인 골목길에 새파랗게 달빛이 쏟아지는데.
　　　가난하다고 해서 두려움이 없겠는가
　　　두 점을 치는 소리
　　　방범대원의 호각 소리 메밀묵 사려 소리에
　　　눈을 뜨면 멀리 육중한 기계 굴러가는 소리.
　　　가난하다고 해서 그리움을 버렸겠는가

어머님 보고 싶소 수없이 뇌어 보지만
집 뒤 감나무에 까치밥으로 하나 남았을
새빨간 감 바람 소리도 그려 보지만. 가난하다고 해서 사랑을 모르겠는가
내 볼에 와 닿던 네 입술의 뜨거움
사랑한다고 사랑한다고 속삭이던 네 숨결
돌아서는 내 등 뒤에 터지던 네 울음.
가난하다고 해서 왜 모르겠는가
가난하기 때문에 이것들을
이 모든 것들을 버려야 한다는 것을.

(바) 아프리카에서는 농업이 경제 활동에서 매우 중요한 역할을 한다. 기호 작물의 주요 소비국은 소득 수준이 높은 유럽 및 북부 아메리카의 선진국이다. 선진국의 다국적 기업들은 계약 재배나 직접 경영을 통해 기호 작물을 싼 값에 산 뒤 값비싼 제품으로 가공하여 판매하고 많은 이윤을 남긴다. 반면 현지의 농민이나 노동자가 받는 몫은 매우 적고, 이들 정부도 밀, 옥수수 등을 대규모로 재배하는 선진국에서 식량 작물을 수입해야 하는 불공정한 무역 구조에 얽매여 있다.

 하지만 우리가 가진 구매력을 현명하게 사용한다면 조금이라도 더 나은 세상을 만드는 데 도움이 될 수 있다. 우리가 노동 착취를 통해 만들어진 값싼 옷을 사는 것은 노동자들의 착취에 찬성표를 던지는 것이다. 아무리 소량이라도 커피, 차, 빵과 채소 등을 구매하는 행위는 의사 표시 행위가 될 수 있다. 유기농 생산물을 선택하는 일은 환경적인 지속 가능성에 대해 지지를 보내는 것이다. 소비를 할 때 윤리적인 쟁점에 대해 생각해 보는 것은 세상에 미치는 이러한 영향을 고려한다는 것을 뜻한다. 우리는 소비자로서 의견을 표명할 힘을 가지고 있다.

(사) 이번 학기 영문학 개론 시간에는 학생들에게 윌리엄 포크너의 「에밀리에게 장미를」이라는 작품을 읽혔다. 남부 귀족 가문의 마지막 혈통인 에밀리 그리어슨은 빠르게 변하는 현대의 도시 속에서 완전히 고립된 삶을 산다. 그러다가 북부에서 온 십장* 호머 배론이라는 남자와 사랑에 빠지고, 떠나려는 그를 붙잡기 위해 그에게 극약을 먹인다는, 아주 기괴한 이야기이다.

 작품 분석을 하면서 에밀리의 성격을 이야기하라고 하면 학생들은 보통, "그 여자는 제정신이 아니에요. 정상적인 사람이라면 그런 행동을 할 수 없지요."라고 한다. 그렇게 말하면 토론이고 분석이고 아무것도 할 수가 없다. 어떤 작품에서 작중 인물이 그저 '남'이고, 그의 행위는 괴팍스러운 성향을 가진 '남'의 일이라고 단정해 버리면, '나'와 '남' 사이에 공존하는 인간의 보편적 성향을 공부하는 문학은 애당초 의미를 잃는다.

 그럴 때 '역할 바꾸기'를 통해 스스로 에밀리가 되어 보라고 하면, 학생들의 관점은 달라진다. "에밀리도 가문의 전통을 지키는 귀족이기 이전에, 사랑하고 싶고 사랑받

고 싶은 하나의 인간이지요."라든가 "에밀리의 고립된 삶은 지독한 자기와의 투쟁이었고, 그래서 포크너가 장미를 바치는 거지요."라는 등 에밀리의 입장을 변호하면서 꽤 그럴듯하게 비평적 접근을 한다.

*십장(什長): 일꾼들을 감독·지시하는 우두머리.

(아) 우리는 문화의 획일화를 경계하고 문화 다양성을 증진하기 위해 노력해야 한다. 이를 위해서는 문화를 단순히 소비 상품으로 대하지 않고, 자기 지역의 고유한 문화가 지닌 특성을 인정하고 보존하려는 태도가 필요하다. 2001년 유네스코가 채택한 문화 다양성 선언은 문화의 고유성과 다양성을 보존하기 위한 국제적 노력의 사례로 볼 수 있다. 아울러 세계 시민으로서의 바람직한 자세를 가져야 한다. 우리 각자가 지구 공동체의 구성원이라는 의식을 갖지 않으면 세계화 시대에 나타나는 전 지구적 차원의 문제를 해결하기 어렵다. 따라서 우리는 자신이 속한 국가나 지역의 문제뿐만 아니라 지구촌 전체의 문제를 해결하기 위해 보편 윤리의 관점을 지닐 필요가 있다.

(자) 최근 들어 한류가 중국과 동남아시아는 물론 유럽과 남미에 이르기까지 전 세계로 뻗어 가고
있다. 초기 한류에 대한 반응들은 대부분 한국이란 나라에 대하여 좋은 이미지를 인식시켜 주며 한국을 널리 알림으로써 글로벌 시대에 긍정적인 영향을 미친다는 수준에만 머물렀다. 하지만 점점 한류가 심화되고 다양한 분야로 발전하면서 우리나라가 미국의 문화에 많은 영향을 받은 것과 같이 다른 나라의 문화가 한류에 종속됨으로써 또 다른 문화 제국주의로 이어지는 것이 아닌가 하는 의견이 제기되기도 한다. 오늘날 우리는 정보 통신 기술이 고도로 발달한 사회에서 다양한 문화를 접할 수 있는 만큼, 예전과 같은 수준의 문화 제국주의는 등장하기 어렵다는 의견도 있다. 정보 사회의 도래로 자유로운 커뮤니케이션을 통해 소수의 의견도 충분히 이해하고 소통할 수 있는 계기가 마련되고 있기 때문이다. 그러나 오히려 글로벌 사회를 핑계로 문화 제국주의를 합리화하는 분위기가 조성될 가능성도 있다.
 문화 차이를 우열 관계로 인식하는 태도는 서로 다른 사회 간의 갈등을 유발할 수 있기 때문에 바람직하지 않다. 이러한 문제를 방지하기 위해 필요한 태도가 문화 상대주의이다. 문화 상대주의는 다른 사회의 문화를 그 사회의 입장에서 이해하려는 태도이다. 이러한 태도는 문화 간에 우열이 존재하지 않으며, 모든 문화는 해당 사회의 맥락에서 고유한 의미가 있다는 생각을 전제로 한다. 따라서 문화 상대주의는 특정 문화가 갖는 의미를 이해할 때 해당 사회의 고유한 역사적 배경, 자연환경과 인문 환경 등을 먼저 살펴보아야 한다는 점을 강조한다. 독일의 정치학자 밀러는 문명의 공존이 가능하다는 주장을 하였다. 그는 인간이 갖는 보편적인 이해 능력에 대한 신뢰를 바탕으로 서로 다른 문명권들이 개방과 교류를 활성화하고, 대화를 통해 상호 이해를 증진하면 평화로운 세계를 건설할 수 있다고 주장하였다.

(차) 세계화로 국가 간 장벽이 낮아지면서 세계 각지의 소비자들은 상품 선택의 폭이 넓어졌고, 개인은 국가 권력의 통제에서 멀어져 '세계 시민'으로서의 지위를 누리게 되었다. 선진국에서 노동력이 풍부한 개발 도상국에 자본을 투자하고 기술을 제공하면서 개발 도상국이 경제적 발전을 이루기도 하였다. 또한 여러 지역의 문화가 공유되어 다양한 문화를 즐길 수 있게 되었다.

  한편, 세계화는 자본력, 기술력, 정보력 등을 갖춘 선진국이나 소수 기업에게 유리하여 국가 간, 개인 간 빈부 격차가 더욱 확대된다는 비판을 받고 있다. 이에 따라 세계화 추세에 저항하는 움직임이 나타나기도 하였다. 또한 소수의 특정 문화가 광범위한 지배력을 행사하면서 국지적 문화들이 밀려나거나 소멸되어 문화적 다양성을 축소시키기도 한다.

[문제 1] 제시문 (가)~(라)에서는 '선물'을 주고받는 다양한 상황이 나타난다. 제시문 (가), (나), (다), (라)에서 등장인물이 선물을 주는 '이유'와 선물을 받은 이후부터 상대방이 겪는 감정의 '변화'를 각각 찾아 하나의 완성된 글로 논술하시오. [40점, 550-570자]

[문제 2] 제시문 (마)와 (바)를 통합적으로 고려하여 제시문 (라)의 '부인'이 '남편'을 비판할 수 있는 근거를 추론하고, 아프리카 원주민에 대한 당시 백인들의 왜곡된 가치관을 극복하기 위해 필요한 자세를 제시문 (사)와 (아)를 토대로 서술하시오. [40점, 550-570자]

[문제 3] 제시문 (자)에 언급된 '문화 제국주의'와 '문화 상대주의'의 차이를 설명하고, '문화 제국주의와 세계화의 연관성' 및 '문화 상대주의와 세계화의 연관성'을 제시문 (차)를 토대로 서술하시오. [20점, 400-420자]

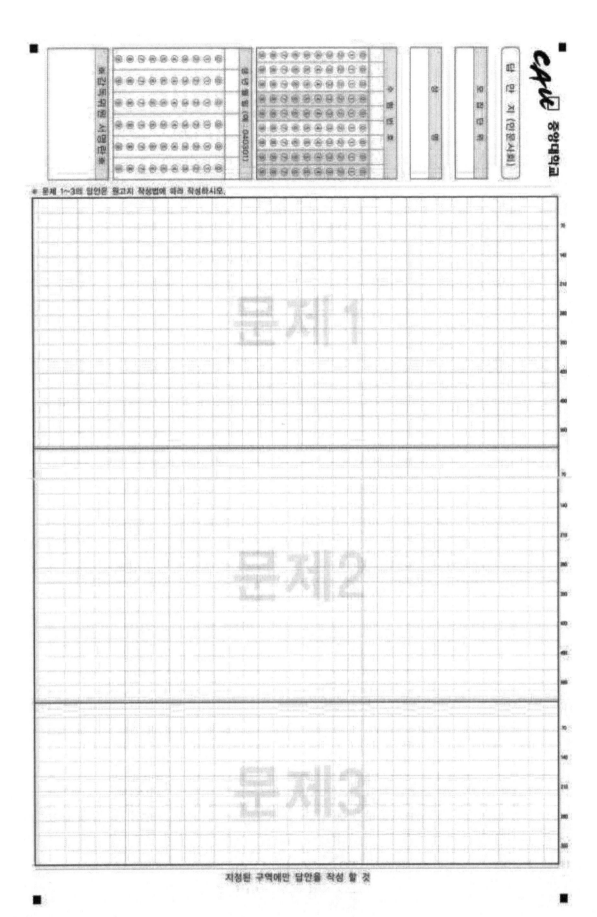

11. 2022학년도 중앙대 수시 논술 [경영경제 I]

※ 다음을 읽고 물음에 답하시오.

(가) 옛 속담에 "구슬이 서 말이라도 꿰어야 보배"라고 했다. 보배로운 구슬이 아무리 많아도 꿰지 않으면 흩어져 없어지고 만다. 오늘 이 책을 읽고 내일 저 책을 읽더라도, 저마다 따로 놀아 하나의 체계로 꿰지 않으면 책에서 얻은 지식은 금세 사라져 버린다. 오늘 읽은 책이 내일 읽는 책과 연쇄 반응을 일으켜 생각하는 힘을 키우려면, 갈래를 나누고 체계를 세워 지식의 저장고에 차곡차곡 채워 두지 않으면 안 된다. 아무렇게나 닥치는 대로 읽기만 해서는 도무지 독서의 보람을 얻을 수가 없다. 이런 마구잡이 독서는 읽지 않은 것보다야 낫겠지만, 그저 읽은 책의 목록만 추가하는 의미 없는 독서에 머물고 만다.

갈래와 체계를 세우는 일을 다산은 색깔별로 구슬 꿰는 일에 견주었다. 먼저 자신이 관심을 갖고 있는 몇 개 분야를 정한다. 그리고 나서 그 분야에서 정평 있고 내 수준에 알맞은 책을 몇 권 골라 단계에 따라 읽어 나간다. 어떤 책을 읽다가 그 책과 관련하여 다시 다른 책을 읽고, 그 책에서 소개한 또 다른 책을 읽는 방식이 구슬꿰기 독서 방법이다. 다음은 정약용이 아들 정학유에게 부친 편지의 한 대목이다.

"내가 최근 몇 년 이래 독서에 관해 자못 깨달은 점이 있다. 한갓 읽기만 해서는 비록 날마다 백 번 천 번을 읽는다 해도 읽지 않은 것과 마찬가지다. 무릇 독서란 매번 한 글자를 읽을 때마다 뜻이 분명치 않은 부분이 있으면 널리 살펴보고 자세히 궁구하여* 그 근원 되는 뿌리를 얻어야 한다. 그래야만 차례대로 글을 이룰 수 있다. 날마다 이렇게 한다면 한 종류의 책을 읽더라도 곁으로 백 종류의 책을 아울러 살피게 될 뿐 아니라 그 책의 내용도 환하게 꿰뚫을 수 있게 될 터이니, 이 점을 알아 두지 않으면 안 된다."

이러한 독서 방법은 책을 읽다가 어느 하나가 걸리면, 그냥 넘어가지 않고 계속 관련 자료를 찾아 나가는 것이다. 이것이 정약용이 말하는 깊이 있게 의미를 파악하며 읽는 꼬리 물기 독서 방법론이다. 요즘 인터넷에서 링크를 통해 계속 의미를 파고들어 가는 것과 같은 이치다.

그저 읽기만 하는 것은 결코 능사가 아니다. 독서는 넓어지면서 동시에 깊어져야 한다. 덮어놓고 읽는 대신 계통을 세워 관심의 영역을 심화하고 확산시키는 것이 중요하다. 또한 누적되어 차곡차곡 쌓여야 한다. 어느 한 주제를 따라서 감자 넝쿨 캐듯 한 책을 통해 또 다른 책을 소개받고, 이 책을 읽다가 저 책에 흥미가 생기는 구슬꿰기로 소통의 통로를 만들어야 한다. 그러다 보면 차츰 전에는 가늠조차 할 수 없던 내용이 친숙해지고, 무슨 말인지 몰라 덮어야 했던 부분에 관해 좋고 나쁨을 평가하는 단계로 자연스럽게 이어질 수 있다. 독서가 여기에 이르면 이른바 전문가 반열에 이르게 된 것이다.

*궁구하여: 속속들이 파고들어 깊이 연구하여.

(나) 인간의 뇌는 그 무게가 평균 1,300~1,500그램으로 몸무게의 약 2.5퍼센트밖에

되지 않는다. 한 개의 신경 세포는 수천, 수만 개의 신경 세포와 정보를 주고받고 있다. 이러한 정보 교신을 담당하고 있는 주역이 바로 화학 물질인 신경 전달 물질이다. 이 신경 전달 물질의 발견은 20세기의 가장 획기적인 발견 중 하나다. 20세기 초까지만 하더라도 신경 세포와 신경 세포 사이에는 세포질*이 서로 전깃줄처럼 이어져 정보가 전달되는 것으로 생각하였다. 그러나 현미경으로 자세히 관찰한 결과, 신경 세포 사이에는 항상 일정한 틈이 존재한다는 사실이 밝혀졌다. 이에 따라 틈을 뛰어넘어 정보가 전달되기 위해서는 어떤 매개 물질의 존재가 필요하다는 추론이 자연스럽게 나오게 되었고, 이는 사실로 증명되었다.

신경 전달 물질은 보통 때는 신경 섬유 말단부의 조그마한 주머니인 소포체에 저장되어 있다. 신경 정보가 전기적 신호로 신경 섬유막을 통해 말단부로 전파되어 오면, 이 주머니가 신경 세포막과 결합한 후 터져서 신경 전달 물질이 연접*(시냅스) 틈으로 방출된다. 방출된 신경 전달 물질은 2만분의 1밀리미터 정도의 짧은 간격을 흘러서 다음 신경 세포막에 다다른다. 세포막에 있는 특수한 구조와 결합함으로써 정보가 전달되는 것이다. 이 특수한 구조는 정보를 받아들이는 물질이라는 의미에서 '수용체'라고 한다.

비유하자면 신경 전달 물질은 일종의 열쇠이며 이를 받아들이는 수용체는 열쇠 구멍에 해당한다. 신경 전달 물질이라고 하는 열쇠가 수용체라고 하는 열쇠 구멍에 맞게 결합함으로써 다음 신경 세포막에 있는 대문이 열려 정보가 전달될 수 있는 것이다. 각각의 신경 전달 물질들은 각자 특유의 수용체 분자하고만 결합하여 특정 정보를 전달한다. 정리하자면 신경 정보를 가지고 있는 신경 전달 물질이라고 하는 화학 분자와 그 정보를 받아들이는 수용체라고 하는 특수 단백질 분자의 상호 결합으로 고도의 정신 기능에서부터 행동·감정에 이르기까지 모든 것이 결정되는 것이다.

또한 재미있는 점은 방출되는 신경 전달 물질의 양이 어떤 이유로 줄어들면 수용체의 수는 증가하고, 반대로 방출되는 신경 전달 물질의 양이 너무 많아지면 수용체의 수는 줄어든다는 것이다. 그래서 우리 뇌는 기능이 일정하게 유지되는 항상성*을 지니게 된다. 이러한 항상성이 깨지면 여러 가지 신경 정신 질환이 발생한다.

*세포질: 세포에서 핵을 제외한 세포막 안의 부분. 생명 현상이 발현되는 살아 있는 부분임.
*연접: 신경 세포의 신경 돌기 말단이 다른 신경 세포와 접합하는 부위.
*항상성: 생체가 여러 가지 환경 변화에 대응하여 생명 현상이 제대로 일어날 수 있도록 일정한 상태를 유지하는 성질. 또는 그런 현상.

(다) "자, 자, 쉬운 노래니까 딱 한 번만 맞춰 보고 자습하자."

음악 선생이 피아노 반주를 시작한 후, 우리는 엇박자 D의 진면목을 처음 알게 됐다. 그는 놀라울 정도의 박치이자 음치였다. 음악이 시작되고, 아이들은 모두 열심히 노래를 불렀다. 그러나 시간이 지나면서 아이들의 표정이 일그러지기 시작했다. 노래와 목소리 사이에서 뭔가 불길한 기운이 꿈틀거리고 있었다. 그 불길한 기운은 순식간에 아이들의 목소리를 집어삼켰다. 다섯 소절쯤 지나자 노래는 엉망진창이 되었다. "야, 아무리 편안한 맛에 들어왔다지만 그래도 명색이 합창단인데 노래를 이렇게 못할 수가 있냐?"

음악 선생은 반주를 멈추고 화를 냈다. 처음부터 다시 불러 보았지만 불길한 기운은 사라지지 않았다. 세 번째에야 선생님은 그 불길한 기운을 감지했다.

"잠깐, 이 목소리 누구야? 계속 불러 봐."

모두들 긴장했다.

"단장, 이거 네 목소리 아냐? 모두 멈추고 단장 혼자 불러 봐."

엇박자 D의 노래는 들어 줄 만했다. 부드러운 느낌도 잘 살아 있었고, 박자도 이상하지 않았다. 음악 선생은 고개를 갸웃거렸다. 뭔가 이상하긴 한데 어느 부분이 어느 정도로 이상한지, 고치려면 어떻게 해야 하는 것인지, 답을 말해 줄 수가 없었던 것이다.

다시 합창을 시도해 봤지만 결과는 마찬가지였다. 엇박자 D의 목소리만 들리면 아이들은 갈피를 잡지 못했고, 음은 뒤죽박죽이 됐으며 박자는 제멋대로 변했다. 그의 목소리는 전파력이 강한 바이러스였다. 음악 선생은 엇박자 D에게 자진 사퇴를 권했지만 그는 받아들이지 않았다. 축제 때 합창단에서 노래를 부를 것이라는 광고를 여러 곳에 해 두었다는 것이 이유였다. "좋아, 대신 넌 절대 소리 내지 마. 그냥 입만 벙긋벙긋하는 거야. 알았지?"

[중략 부분의 줄거리] 합창단 축제 공연은 엇박자 D가 노래를 부른 탓에 엉망이 되고 만다. 음악 선생님은 그 자리에서 합창을 멈추게 하고 그에게 망신을 주었다. 그로부터 20년 후, '나'는 공연기획자가 되었고, 엇박자 D는 무성 영화 전문가가 되었다. '나'와 엇박자 D는 함께 '더블더빙과 무성 영화의 만남'이라는 주제의 공연을 준비하게 된다. 엇박자 D의 부탁으로 '나'는 고등학교 시절 합창단을 함께했던 몇몇 친구들을 공연에 초청한다.

공연이 끝났지만 관객들은 돌아갈 생각을 하지 않았다. 모두 앙코르를 외치고 있었다. 물론 앙코르 곡을 준비해 두었다. 더블더빙이 다시 나타났고, 모든 조명이 꺼졌다. 관객들의 소리도 어둠 속으로 가라앉았다. 여러 가지 소리들이 하나의 기다랗고 평평한 일직선으로 변했다. 어디선가 음악 소리가 들렸다. 음악 소리는 너무 작아서 거의 들리지 않았다. 시나리오대로라면 그들의 최고 히트곡을 연주할 차례였다. 뭔가 잘못된 게 틀림없었다.

"음향, 뭐가 잘못된 거야? 음향 점검해 봐."

무선 헤드셋으로 엇박자 D의 목소리가 들렸다.

"아니야, 잘못된 건 없어. 너 몰래 만들어 둔 시나리오야. 20년 전 친구들에게 바치는 선물이야."

아주 작게 들리던 음악 소리가 조금씩 커졌다. 스피커에서 흘러나온 음악은 관객들 사이로 서서히 스며들었다. 누군가의 노래였다. 아무런 반주도 없이 누군가 노래를 부르고 있었다. 어디선가 들어 본 노래였다. 그제야 노래의 제목이 생각났다. 「오늘 나는 고백을 하고」라는 노래였다. 20년 전 축제 때 우리가 함께 불렀던 바로 그 노래였다. 노래를 부르는 사람이 누군지는 알 수 없었다. 나나 친구들의 목소리는 아니었다. 엇박자 D의 목소리도 아니었다. 한 사람의 목소리가 두 사람의 목소리로 바뀌었다. 두 사람의 목소리가 세 사람의 목소리로 바뀌었고, 네 사람, 다섯 사람의 목소리로 바뀌었다. 합창을 하고 있었다. 하지만 합창이라고 하기에는 서로의 음이 맞질 않았다. 박자도 일치하지 않았다.

"22명의 음치들이 부르는 20년 전 바로 그 노래야. 내가 제일 좋아하는 음치들의 목소리로만 믹싱한 거니까 즐겁게 감상해 줘."

무선 헤드셋에서 다시 엇박자 D의 목소리가 들렸다. 조명은 하나도 켜지질 않았다. 완전한 어둠 속에서 노래가 흘러나오고 있었다. 어둠 속이어서 그런 것일까. 노래는 아름다웠다. 서로의 음이 달랐지만 잘못 부르고 있다는 느낌은 들지 않았다. 마치 화음 같았다. 아무도 웃지 않았다. 몇몇 관객은 후렴을 따라 부르기까지 했다. 몇 몇은 휘파람을 불었고, 누군가는 브라보를 외쳤다.

음치들의 노래 2절이 시작되자 더블더빙은 다시 연주를 멈췄다. 악기를 연주하면 그들의 노랫소리가 이상하게 들릴 것이 분명했다. 22명의 노래가 절묘하게 어우러지는 이유는, 아마도 엇박자 D의 리믹스 덕분일 것이다. 22명의 노랫소리를 절묘하게 배치했다. 목소리가 겹치지만 절대 서로의 소리를 해치지 않았다. 노래를 망치지 않았다.

(라) '마을'은 '여러 집이 이웃하여 살아가는 동네', 곧 공동체의 촌락을 뜻한다. 과거의 살림집은 마당과 텃밭까지 포함하는 공간이었기에 생활의 영역은 마을까지 확장되었다. 이러한 구조는 농경 생활에 필수적인 이웃 간의 정보, 노동력, 생산품의 교환을 쉽게 해 주었다.

마을은 두 가지 속성을 내포하고 있다. 우선 지역 사회를 기반으로 사람들 사이의 관계가 형성되어 있어야 하고, 물리적으로는 개인의 공간과 공공의 공간 사이에 중간적 성격의 공간이 있어야 한다. 이러한 공간을 '사이 공간'이라 하는데, 이는 통행을 목적으로 하는 공간이라기보다 주민들 사이에 사적 관계를 형성하는 공동의 영역이라 할 수 있다. 이 두 가지가 오랫동안 지속될 때 한 장소에 오래 머물러 사는 '정주성'이 형성된다.

개인의 주거 공간을 한정하는 담과 담 사이에는 길과 공터가 있었다. 전통 주거지의 길은 큰길에서 안길이 뻗어 나가고 또 그 길에서 샛길이 뻗어 나가는 식이었다. 사람들은 길이 곧게 뻗은 것을 흉하게 여겼는데, 특히 집으로 들어오는 길은 곧바로 보이지 않도록 구부러진 형태로 되어 있어야 길하다*고 여겼다. 또한 집이 큰길 옆에 있는 것 역시 꺼린 탓에 전통 마을의 집은 실핏줄처럼 얽힌 불규칙한 길을 따라 자연스럽게 자리하였다. 이런 까닭에 근대 이전의 전통 마을에는 항상 구부러지거나 꺾인 불규칙한 형태의 골목길이 존재했다. 개인의 집과 집 사이의 거리도 가까워서 이웃과 친밀한 사회적 관계를 형성할 수 있었다.

방에서 나오면 마당이 있고, 대문을 열면 골목길을 만나며, 길을 돌고 돌다 보면 그 동네의 중심부로 나갈 수 있었기 때문에 마을 안을 이동하다 보면 여러 경로를 자연스럽게 거칠 수밖에 없었다. 굳이 의도하지 않더라도 사람들의 만남과 모임이 곳곳에서 발생하였고, 그들 사이에는 요즘 흔히 말하는 '커뮤니티'가 형성되었다. 집의 형태는 따로따로였지만 집 안팎을 살펴보면 모여 살 수 있는 구조였다.

*길하다: 운이 좋거나 일이 상서롭다.

(마) 서로 목적은 다르지만, 많은 사람이 누리 소통망(SNS)에 무언가를 적고 있다. 많은 사람이 이렇게 많은 글을 그곳에 방출한다는 것은 그 활동에서 어떤 가치가 창출되고 있을 가능성이 높다는 의미이기도 하다. 정서적 교류로 얻는 심리적 안정감이나 기쁨 외에, 누리 소통망은 사람들에게 어떤 가치를 주고 있는 것일까? 경제학적 차원에서 접근한다면, 누리 소통망은 이용자들에게 어떤 경제적 보상을 주고 있는 것일까?

누리 소통망을 이용하면서 얻을 수 있는 이득에 좀 더 집중하여 생각해 본다면, 사회 과학 분야에서 가장 주목하고 있는 것은 '사회 자본'이라는 개념일 것이다. 사회 자본이란 사람들 사이에 협력을 가능하게 하는 공유된 제도, 규범, 관계망, 신뢰 등과 같은 무형의 자본을 뜻한다. 이러한 사회 자본의 핵심 가운데 하나가 '사회적 신뢰'이다. 똑같은 물적·인적 자원을 갖췄다 하더라도 사회 안에 신뢰가 부족하면 치러야 할 부가 비용이 높아진다. 사회 자본이 줄어든 사회는 많은 문제가 생길 수밖에 없는 반면, 사람들의 사회적 참여가 늘어 사회 자본이 살아나게 된 사회는 공동체가 살아나고 공공의 선이 실현될 수 있다고 한다. 사회적 신뢰가 높은 사회에서 경제 발전이 더 용이할 뿐 아니라, 개인적 차원에서도 사회 자본이 긍정적 영향, 즉 경제적 이득을 준다는 사실이 많은 연구에서 검증된 것이다. 그래서 사회 자본 연구자들은 누리 소통망 활동에도 관심을 두게 되었다. 과연 누리 소통망 활동은 사회 자본을 늘리는 데 도움이 될까? 만약 도움을 준다면 개인적 차원에서 더 도움이 될까, 사회적 차원에서 더 도움이 될까? 연구자들의 관심은 이런 방향으로 전개되었다.

이와 관련해 재미있는 결과를 보여 주는 연구가 있다. 누리 소통망 이용이 기존에 알고 지내는 집단의 내부 결속을 강화하는 측면은 크지만, 새로운 집단과의 연계는 늘리지 못한다는 점이다. 이보다 더 충격적인 사실은 누리 소통망 이용이 집단 외부인에 대한 신뢰는 더 떨어뜨린다는 것이다. 즉, 이미 소속된 집단에 대해서는 더 끈끈한 유대감이 생기지만, 내가 속하지 않은 집단의 외부인을 불신하는 마음은 더 강해진다는 말이다.

연구팀은 누리 소통망의 이용이 외부인과의 접촉면을 더 늘렸지만, 누리 소통망에서 나타나는 사람들의 태도가 현실보다 더 공격적이어서 외부인에 대한 신뢰가 더 떨어지게 된 것으로 분석한다. 누리 소통망을 이용하면서 자신과 다르게 생각하는 사람들이 예상보다 더 많다는 사실을 깨닫고, 서로 물고 뜯는 논쟁들을 자주 접하며 외부인에 대한 신뢰도는 더 하락했다는 이야기다.

사회 자본의 이런 상충적인 특성은 이미 많이 논의된 내용이기도 하다. 집단 내부의 결속을 강화하는 것은 거꾸로 집단 외부인에 대한 불신을 더 키우는 측면이 잠재되어 있기 때문이다. '나'와 타자의 차이가 더 도드라지고, 내가 소속된 집단 외에는 믿을 수 없는 그런 사회가 과연 궁극적으로 우리가 원하는 사회인가에 대한 철학적 문제가 제기되기 시작한 것이다. 결국 누리 소통망을 이용하면서 기존에 알고 지내는 사람들과는 유대감이 강화되지만, 사회 전체적인 통합력이나 신뢰는 떨어질 수 있다는 이야기다.

(바) 『잡아함경』에는 다음과 같은 가르침이 담겨 있다.

"이것이 있기 때문에 저것이 있고, 이것이 생기기 때문에 저것이 생긴다. 이것이 없기 때문에 저것이 없고, 이것이 사라지기 때문에 저것이 사라진다. 비유하면 세 개의 갈대가 아무것도 없는 땅 위에 서려고 할 때 서로 의지해야 설 수 있는 것과 같다. 만일 그 가운데 한 개를 제거해 버리면 두 개의 갈대는 서지 못하고, 그 가운데 두 개의 갈대를 제거해 버리면 나머지 한 개도 역시 서지 못한다. 세 개의 갈대는 서로 의지해야 설 수 있는 것이다."

이처럼 세상 모든 것은 상호 의존적인 관계로 이루어져 있다. 예를 들어, 지게는 홀로 설 수 없고, 반드시 작대기에 의지해야 한다. 또 누구든 혼자 부를 쌓거나 권력과 명예를 얻을 수 없으며, 반드시 다른 존재에 의지해야 가능하다. 따뜻함은 차가움이 있어야 존재할 수 있고, 작은 것이 없으면 큰 것도 없다. 기쁨과 즐거움도 슬픔과 괴로움에 의지한다.

(사) 이스탄불에는 유럽 중심의 역사에서 완벽하게 소외된 수많은 사화*들이 있습니다. 1453년 메메트 2세가 콘스탄티노플을 함락시킬 당시의 이야기들도 그중 하나입니다. 그중에서도 가장 충격적인 것은 이슬람에 대한 새로운 발견입니다. 1935년, 그때까지 이슬람 사원으로 사용되던 소피아 성당을 박물관으로 개조하면서 드러난 사실입니다. 벽면의 칠을 벗겨 내자 그 속에서 모자이크와 프레스코화로 된 예수상과 가브리엘 천사 등 수많은 성화들이 조금도 손상되지 않은 채 고스란히 나타났습니다. 500년 동안 잠자던 비잔틴의 찬란한 문명이 되살아난 것입니다.

벽면에 칠이 되어 있었다는 사실조차 모르고 있던 많은 사람들에게는 경악을 금치 못하게 한 일대 사건입니다. 비잔틴 문명의 찬란함이 경탄의 대상이 되었음은 물론이지만, 그보다는 비잔틴 문명에 대한 오스만 튀르크의 관대함이 더욱 놀라웠던 것입니다.

메메트 2세는 콘스탄티노플을 함락하고 난 다음 바로 이 소피아 성당으로 말을 몰아 성당 파괴를 금지했습니다. 다 같은 하나님을 섬기는 성소를 파괴하지 말라는 엄명을 내린 다음, 이제부터는 이곳이 사원이 아니라 모스크*라고 선언하고 일체의 약탈을 엄금했습니다. 이슬람의 이러한 전통이야말로 오늘날의 이스탄불을 공존과 대화의 도시로 남겨 놓았습니다. 소피아 성당도 이슬람 사원인 블루 모스크와 마주 보고 서 있습니다.

*사화(史話): 역사에 관한 이야기.
*모스크: 이슬람교에서 예배하는 건물을 이르는 말.

[문제 1] 제시문 (가)~(라)에서는 다양한 것들이 서로 연결되는 모습이 나타난다. 제시문 (가), (나), (다), (라)에서 연결이 되는 '방식'과 그 '결과'를 각각 찾아 하나의 완성된 글로 논술하시오. [40점, 550-570자]

[문제 2] 제시문 (마)의 논지를 근거로 제시문 (라)에 언급된 '마을 공동체'에서 일어날 수 있는 문제점을 서술하고, 제시문 (마)에 설명된 '사회적 신뢰'를 높이기 위해 필요한 조건을 제시문 (바)와 (사)를 통합적으로 활용하여 서술하시오. [40점, 550-570자]

※ 다음 상황에 기초하여 문제에 답하시오.

주머니에서 공을 꺼내서 말을 옮기는 게임을 고려하자.
· 주머니에는 숫자 1이 적혀 있는 공 1개, 숫자 2가 적혀 있는 공 2개, 숫자 6이 적혀 있는 공 1개가 들어 있다.
· 아래 그림과 같이 반지름이 1인 원의 둘레를 12등분하는 12개의 점으로 구성된 게임판이 있다. 게임의 첫 출발점은 A이다.

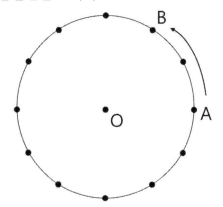

· 게임의 규칙은 다음과 같다.
  1. 주머니에서 임의로 하나의 공을 뽑은 후 공에 적혀 있는 숫자만큼 시계 반대 방향으로 말을 옮긴다. 예를 들어, 2가 적혀 있는 공을 뽑으면 말을 점 A에서 점 B로 옮긴다. (단, 한 번 뽑은 공은 주머니에 다시 넣지 않는다.)
  2. 이때 얻을 수 있는 점수는 출발점, 도착점 그리고 원의 중심 O를 연결하여 만들어지는 삼각형의 넓이와 같다. (단, 세 점이 한 직선상에 있는 경우에 얻을 수 있는 점수는 원의 넓이와 같다.)
· 참가자는 위의 시행을 연속하여 2회 진행한다. 두 번째 시행은 첫 번째 시행 후 주머니에 남아있는 공을 사용하며, 두 번째 시행의 출발점은 첫 번째 시행의 도착점이다.
· 게임의 최종 점수는 각 시행에서 얻은 점수의 합이다.

[문제 3] 한 참가자가 이 게임에 참여하여 얻을 수 있는 최종 점수의 기댓값을 구하시오. [20점, 원고지 작성법을 준수할 필요 없음]

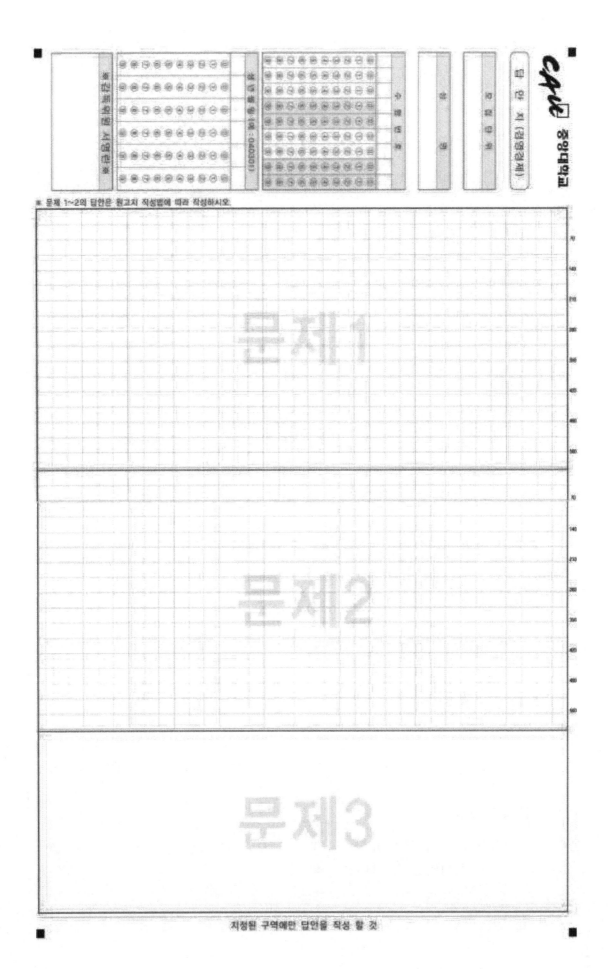

12. 2022학년도 중앙대 수시 논술 [경영경제 II]

※ 다음을 읽고 물음에 답하시오.

(가) **[앞부분의 줄거리]** 6.25 전쟁 당시 일곱 살이었던 수지는 가족들과 함께 피란길에 오른다. 수지는 여동생(오목)에게 항상 양보해야 하는 것이 싫어서, 오목이가 갖고 싶어 하던 은표주박을 손에 쥐여주고 고의로 오목이의 손을 놓는다. 전쟁이 끝나고 친동생을 버렸다는 죄책감에 괴로워하던 수지는 어느 고아원에 오목이가 있음을 알고 가끔 찾아간다. 하지만 지난날의 잘못이 들통날 것을 염려하여 진실을 털어놓지 않는다. 오목이와 다시 만난 수지는 죄책감을 느껴 오목이에게 사실을 고백하려 하지만 끝내 하지 못한다. 수지는 죄책감을 씻는다는 생각으로 오목이의 남편이 중동 건설 현장에서 일할 수 있도록 도와주지만, 남편이 중동으로 떠나는 날 오목이는 결핵이 심해져 쓰러지고 만다.

병원에선 오목이의 임종이 임박해 가족을 찾고 있었다. 주사로 임종을 잠시 유예하고 있는 상태라고는 믿어지지 않을 만큼 오목이의 의식은 또렷했고 표정은 해맑았다.

"언니, 어디 갔었어? 못 보고 죽을까 봐 얼마나 조바심했는 줄 알아. 죽기 전에 꼭 하고 싶은 말이 있었거든. 내가 언니를 얼마나 싫어했는지 언니는 아마 모르고 있었을 거야. 고아원에서 처음 언니를 만났을 때부터 난 언니가 싫었어. 왜 그렇게 미웠는지, 아마 질투였나 봐. 언니 제발 용서해줘. 일생에 누굴 그렇게 미워해 보긴 언니가 처음이자 마지막이었어."

"난 미움받아 싸단다. 난 널 용서해 줄 자격도 없어. 아아, 내 죄를 네가 안다면 ……."

"근데 언니, 내 미움은 참 이상해. 내가 남을 내 마음처럼 믿고 의지하기도 언니가 처음이었으니. 언니를 다시 만나기 전에 난 이미 죽었어야 했어. 언니도 알다시피 우린 두 내외가 다 고아 아뉴? 다 망가진 몸을 정신력 하나로 살아 있다는 게 얼마나 고달픈 일인지 언니는 아마 모를 거야. 그때 언니를 다시 만난 거야. 언니를 만나고부터는 정신력으로 살아 있는 그 지겹고 고된 일로부터 놓여날 때가 됐다 싶은 생각이 왜 그렇게 분명히 떠올랐을까. 아무튼 자기가 죽은 후 자기 어린 자식들을 마음 놓고 맡길 수 있다고 생각할 만큼 누구를 믿는다는 건 동기간*에도 여간 우애 있는 동기간 아니면 있을 수 없는 일인데 난 하필 죽도록 미워하고 있다고 생각한 언니에게 그런 걸 느낀 거야. 언니에 대한 내 믿음과 사랑과 감사의 표시로 언니에게 이걸 주고 싶었어. 이건 내 전 재산이자 내 모든 거야. 내가 죽는 날까지 알기를 그렇게 원했지만 결국 못 알아내고 만 나의 정체까지도 아마이 속에 포함되었을 거야. 내가 고아가 되기 전부터 내가 지녀 온 유일한 물건이거든. 난 이걸로 내 정체를 어떻게든 건져 올려 보려고 무진 애썼지만 허사였어. 아아, 내 아이들……."

오목이가 천 근의 무게처럼 힘겹게 건네준 건 은표주박이었다. 은행알만 하고 청홍의 칠보 무늬가 아직도 영롱한 은노리개였다. 수지는 벼락을 맞은 것처럼 공구해서* 풀썩 바닥에 무릎을 꺾고 그것을 받았다. 어쩌면 수지가 지금 꺾은 것은 무릎이 아니라 이기로만 일관해 온 그녀의 삶의 축이었다. 마침내 그것을 꺾으니 한없이 겸허하고 편안해지면서 걷잡을 수 없이 슬픔이 밀려왔다.

"오목아, 아니 수인아, 넌 오목이가 아니라 수인이야. 내 동생 수인이야. 내가 버린 수인이야. 내가 너를 몇 번이나 버린 줄 아니……?" 이렇게 목멘 소리로 시작해서 길고 긴 참회를 끝냈을 때 수인이는 이미 죽어 있었다. 그러나 수지는 용서받은 것을 믿었다. 수인의 죽은 얼굴엔 남을 용서한 자만의 무한한 평화가 깃들어 있었으므로.

*동기간(同氣間): 형제자매 사이.
*공구(恐懼)하다: 몹시 두렵다.

(나) 지난봄, 우리는 영우를 잃었다. 영우는 후진하는 어린이집 차에 치여 그 자리서 숨졌다. 오십이 개월. 봄이랄까 여름이란 걸, 가을 또는 겨울이란 걸 다섯 번도 채 보지 못하고였다. 화장터에서 영우를 보내며 아내는 "잘 가."라 않고 "잘 자."라 했다. 다시 만날 수 있는 양, 손으로 사진을 매만지며 그랬다. 어린이집 원장은 영업 배상 책임 보험에 가입돼 있었다. 가해 차량 역시 자동차 종합 보험에 들어 우리는 보험 회사를 통해 민사상 손해 배상을 받았다. 많다거나 적다거나 하는 세상의 잣대나 단위로 잴 수 없는 대가가 지급됐고, 어린이집에서는 그걸로 일이 마무리됐다 여기는 듯했다. 그 뒤 시간이 어떻게 흘렀는지 모르겠다.

어린이집에서 보낸 소포가 현관 앞에 도착했을 때 아내와 나는 불길하고 신기한 물건 대하듯 상자를 살폈다. 대체 이게 무슨 뜻인가 감이 오지 않아서였다. 소포 겉면엔 '장수 식품'이라는 상호와 더불어 '국산 복분자 원액 백 퍼센트'라는 문구가 박혀 있었다. 상자 위 유리 테이프를 뜯어내자 안에서 작은 카드가 나왔다. 카드 안에는 '보내 주신 성원에 감사드립니다. 풍성한 한가위 맞으세요. 해님 어린이집'이라는 관습적인 문구가 적혀 있었다. 추석이라고 아이들이 조물조물 만든 송편을 예쁘게 포장해 들려 보낸 적은 있어도 이런 경우는 처음이었다. 우리는 직감적으로 그게 우리 집에 잘못 배달됐다는 걸 알았다. 영우 일로 나빠진 평판을 그런 식으로나마 바꾸려 한 모양이었다. 아내는 이 사람들 어쩌면 이렇게 무감할 수 있느냐며 화를 냈다. 게다가 여기가 어디라고. 알고 보냈으면 나쁘고, 모르고 부쳤으면 더 나쁜 거라고 흥분했다. 나는 소포를 돌려보낼 때까지 복분자 원액을 눈에 띄지 않는 곳에 치워 둬야겠다고 생각했다. 그게 두 달 전 일이었다. (중략)

입주 전, 아내는 제일 먼저 그 벽부터 손봤다. 동네 인테리어 가게에 들러, 부엌과 거실 벽은 모두 흰색으로 하되 개수대와 마주한 면은 올리브색 종이를 발라 달라 주문했다. 흰색 공간에서 올리브색 벽면은 단연 '포인트'가 됐다. 아내는 그 벽 아래에 사 인용 식탁을 놨다. 영우는 거기서 젓가락질을 배우고, 음식을 흘리고, 떼쓰고, 의자 아래로 기어들어 가고, 울고, 종알종알 분홍 혀를 놀려 어여쁜 헛소리를 했다. 그러니까 거기 사 인용 식탁에서. 식탁과 맞붙은 산뜻한 올리브색 벽지 아래서. 집 앞 어린이집에서 보내온 복분자액은 바로 거기 튄 거였다.

[중략 부분의 줄거리] 도배지를 사서 직접 도배를 하다가 아내는 영우의 보상금으로 아파트 대출금을 갚자고 말한다. 그런 아내의 모습을 보며 '나'는 아내가 막 일어나기로 한 것이라고 생각한다.

이제 세 번째 벽지만 바르면 다 끝날 터였다. 바쁘게 걸레질하던 아내가 갑자기 꼼짝하지 않았다.

"여기…… 영우가 뭐 써 놨어……."

"…… 뭐라고?"

"영우가 자기 이름…… 써 놨어." 아내가 떨리는 손으로 벽 아래를 가리켰다.

"근데 다…… 못 썼어……" 아내의 어깨가 희미하게 떨렸다.

"아직 성하고……" 아내의 몸이 희미하게 떨렸다.

"이응하고……"

아내는 연주를 끝낸 뒤 수천 명의 기립 박수를 받은 피아니스트처럼 울었다. 사람들이 던진 꽃에 싸인 채. 꽃에 파묻힌 채. 처마 밑에서 비를 피하는 사람처럼 내가 붙들고 선 벽지 아래서 흐느꼈다.

(다) 그런 중에도 반백 년 교사 생활에 잊지 못할 일이 하나 있다. 혼분식 운동이 한창이던 때였다. 학교에서 점심으로 먹을 도시락을 흰쌀밥으로 싸 오지 못하게 했고 음식점에서도 흰쌀밥을 파는 것이 금지됐다. 점심시간마다 담임 교사가 교실로 가서 아이들의 도시락을 일일이 검사했다. 나는 검사 결과 기준에 미달된 아이들의 손바닥을 회초리로 따끔하게 세 대씩 때렸다. 손바닥을 맞은 아이들은 다시는 쌀밥을 싸 오지 않았다. 나는 남들에게 지고는 못 사는 성격이라 어떤 분야에서도 내가 담임하는 반이 가장 높은 성적을 기록하기를 바랐고 그건 혼분식 운동에서도 마찬가지였다.

그런데 반 아이들의 삼분의 일가량이 아예 도시락을 싸 오지 못한다는 게 문제였다. 보릿고개 때가 되면 집에서 먹을 양식이 떨어져 버리는 이른바 절량농가(絶糧農家)의 자식들이었다. 도시락을 혼분식 운동의 취지에 맞춰 제대로 싸 오지 않은 아이들은 전과 같이 손바닥 세 대, 도시락을 싸오지 않은 아이들은 손등을 세 대씩 때렸다. 회초리가 아닌 몽둥이로. 그러던 어느 날 어떤 아이가 구운 옥수수를 도시락이라며 가져왔다. 학교에서 제일 멀리 떨어진 동네인 산촌 개운리에 사는 김만수였다. 수건도 아닌 책보 속에 책과 공책, 몽당연필과 함께 구운 옥수수를 그냥 넣어 왔다.

그건 지난가을에 수확해 처마 밑에 매달아 뒀던 씨옥수수였다. 내가 아무리 농사에 무지해도 농부는 종자가 든 자루를 끌어안고 굶어 죽을지언정 먹지 않는다는 것 정도는 알고 있었다. 그것을 훔쳐 간 사람이 자식이라 해도 때려죽이려 들 것이다. 내가 우리 반의 혼분식 운동 참여율이 백 퍼센트라고 보고한 그 날, 미국에서 수입한 옥수숫가루로 만든 빵을 학교에서 배급하게 되었다고 교장이 자랑스럽게 발표했다. 일주일쯤 뒤에 미국에서 왔다는 신품종 옥수수 종자를 학생들에게 다섯 알씩 나누어 주라고 했다. 달나라로 유인 우주선을 보낼 수 있는 미국의 첨단 과학 기술로 새로 개량한 옥수수 품종이었다. 심기만 하면 단시간에 엄청난 양의 옥수수가 달리고 알도 우리 토종 옥수수의 두 배는 되게 굵을 것이라 했다. (중략)

그런데 그날 저녁 만수가 어둑할 무렵 집으로 찾아왔다. 저녁상을 잠시 물려 놓고 밖으로 나오자 만수는 내게 짚으로 싼 뭔가를 두 손으로 쳐들어 공손히 내밀었다.

"그게 뭐냐?"

"달걀입니다."

"달걀을 왜?"

"집에서 키우는 닭들이 낳았습니다. 그걸 모아서 이렇게 가져왔습니다. 할아버지가 선생님한테 갖다 드리라고 하셔서요."

"달걀은 사 먹으면 된다. 너희 집에서 먹을 것도 없을 텐데, 이걸 왜 여기까지 가져온 거냐."

"할아버지가 사람이 은혜를 알아야 한다고 선생님께 갖다 드리라고 하셨습니다."

"됐다, 너나 먹어라. 구워 먹든 삶아 먹든."

내가 달걀 꾸러미를 도로 내밀자 만수는 손을 감추며 잽싸게 두어 걸음 뒤로 물러났다.

"닭을 드리고 싶지만 암탉은 알을 낳아야 해서요, 선생님. 장닭이 없으면 병아리를 못 깝니다. 아침에 일어날 시간도 모르고요. 그래서 달걀만 가지고 왔습니다. 그거 도로 가지고 갔다가 아버지한테 걸리면 저는 맞아 죽습니다."

내가 어이가 없어 머뭇거리고 있는데 만수가 고개를 꾸벅하고는 말했다.

"맞아 죽지 않게 해 주셔서 고맙습니다, 선생님."

만수는 곧 어둠 속으로 사라져 갔다. 나는 짚신보다 약간 더 길쭉한 달걀 꾸러미를 들고 한동안 어둠을 향해 서 있었다. 고향의 학부형으로부터 생전 처음 받아 보는 진심 어린 촌지였다. 들고 있는 손을 한없이 부끄럽게 하는.

(라) 역사 안에서는 주름이 반듯한 제복을 차려입은 역장이 로디지아*발 기차를 맞을 채비를 차리고 있었고, 역사 밖에서는 먼지를 뒤집어쓰고 앉아 있던 원주민 상인들이 물건 팔 준비를 하느라 한바탕 소란이 일었다. 망연히 놀란 표정을 하고 있는 사자 목각상이 한 원주민의 자루 밖으로 얼굴을 쑥 내밀었다. 역장의 아이들은 맨발로 이곳저곳을 뛰어다녔다. 너저분한 지붕을 머리에 얹은한 토담집에서 뛰쳐나온 닭들과 앙상한 뼈만 남은 개들이 선로를 따라 늘어선 흑인 원주민 아이들의 뒤를 바싹 쫓고 있었다. (중략)

사자상을 두고 흥정을 하던 백인 여자는 그 조각품을 물리면서 말했다. 원주민 상인이 그 물건을 다시 들어 보이며 살 것을 권유했지만, 그녀의 결심은 굳은 듯했다.

"삼 실링 육 펜스요?" 옆에 있던 백인 남편이 과장된 표정으로 크게 되물었다.

"예, 나리."

남편은 못 믿겠다는 표정이었다

"다음에 사요." 여자가 채근했다.

"당신이 그렇게 갖고 싶어 하던 거잖아." 남편은 의아하다는 듯 말했다.

"아니에요. 다음에 살래요." (중략)

기차가 마침내 움직이기 시작했다. 흡사 날아오는 공을 잡듯 사람들의 손이 바빠졌다. 남편은 황급히 주머니를 뒤져 일 실링 육 펜스를 꺼내 던졌다. 따라오던 늙은 원주민 상인이 숨을 헐떡거리며 마른 발가락으로 모랫바닥을 세차게 차 내면서 사자상을 던져 주었다.

남편이 숨을 몰아쉬며 객실로 돌아왔다. 그는 의기양양해 있었다.

"자, 이걸 보시라. 일 실링 육 펜스에 샀어."

"뭐라구요?" 그녀가 어이가 없는 듯 말했다.

"장난삼아 마지막으로 값을 흥정했지. 그랬더니 기차가 막 떠나려고 할 때 그 노인이 기차를 따라오며 일 실링 육 펜스에 가져가라고 하더군." 그가 만면에 희색을 띠며 말했다.

"자, 이거 당신 선물이야."

여자는 조각상을 받아들었다. 떡 벌어진 입, 뾰족한 이빨, 검은 혀 그리고 섬세한 갈기! 생각대로 일이 잘되어 가지 않을 때 아이들이 짓는 표정처럼 여자는 얼굴을 찡그리고 있었다. 눈썹은 위로 치켜 올라가 있었고 입 가장자리는 신경질적으로 기울어져 있었다.

"당신, 어떻게 그럴 수가 있죠?" 여자의 얼굴에 분노의 빛이 역력했다.

"뭐가. 도대체 왜 그래?" 당황한 남편이 물었다.

"이걸 그렇게 사고 싶었으면……." 흥분한 여자의 목소리가 날카롭게 갈라졌.

"왜 처음부터 사지 않고 그렇게 뜸을 들였죠? 왜 기차가 떠날 때까지 기다렸다 샀냔 말이에요. 그것도 일 실링 육 펜스에 말이죠."

"이거 당신이 갖고 싶어 했던 것 아니야? 무척 맘에 들어 했잖아."

"물론이에요. 그렇지만 이건 아주 훌륭한 조각품이라구요." 여자는 마치 조각품을 보호하려는 것처럼 맹렬하게 말했다. 남편은 망연자실 여자를 바라보고 서 있을 뿐이었다. 여자는 모퉁이에 앉아 두 손으로 얼굴을 감싸 쥔 채 창밖을 무표정하게 응시했다. 나뭇조각과 다리의 근육과 채찍 같은 꼬리를 사는 데 일 실링 육 펜스라! 그렇게 늠름하게 벌려져 있는 입과 파도처럼 말려 있는 검은 혀에 그토록 정교한 목의 갈기까지 얻는 데 일 실링 육 펜스라! 분노로 인한 열기가 여자의 다리를 타고 목까지 올라와 귀에 모래를 쓸어 내는 소리를 쏟아부었다. 피로와 무기력함과 불현듯 찾아든 공허감이 여자의 사지로 퍼져 나갔다. 여자의 육신에서 소중한 그 무언가가 빠져나가는 듯했다.

*로디지아: 과거 영국의 식민지였던 '짐바브웨'의 옛 이름. 소수의 유럽계 백인들이 국민 다수의 흑인 원주민을 배제하며 정치 권력을 쥐었던 국가.

(마) 가난하다고 해서 외로움을 모르겠는가
　　　너와 헤어져 돌아오는
　　　눈 쌓인 골목길에 새파랗게 달빛이 쏟아지는데.
　　　가난하다고 해서 두려움이 없겠는가
　　　두 점을 치는 소리
　　　방범대원의 호각 소리 메밀묵 사려 소리에
　　　눈을 뜨면 멀리 육중한 기계 굴러가는 소리.
　　　가난하다고 해서 그리움을 버렸겠는가
　　　어머님 보고 싶소 수없이 뇌어 보지만

집 뒤 감나무에 까치밥으로 하나 남았을

새빨간 감 바람 소리도 그려 보지만. 가난하다고 해서 사랑을 모르겠는가

내 볼에 와 닿던 네 입술의 뜨거움

사랑한다고 사랑한다고 속삭이던 네 숨결

돌아서는 내 등 뒤에 터지던 네 울음.

가난하다고 해서 왜 모르겠는가

가난하기 때문에 이것들을

이 모든 것들을 버려야 한다는 것을.

(바) 아프리카에서는 농업이 경제 활동에서 매우 중요한 역할을 한다. 기호 작물의 주요 소비국은 소득 수준이 높은 유럽 및 북부 아메리카의 선진국이다. 선진국의 다국적 기업들은 계약 재배나 직접 경영을 통해 기호 작물을 싼 값에 산 뒤 값비싼 제품으로 가공하여 판매하고 많은 이윤을 남긴다. 반면 현지의 농민이나 노동자가 받는 몫은 매우 적고, 이들 정부도 밀, 옥수수 등을 대규모로 재배하는 선진국에서 식량 작물을 수입해야 하는 불공정한 무역 구조에 얽매여 있다.

 하지만 우리가 가진 구매력을 현명하게 사용한다면 조금이라도 더 나은 세상을 만드는 데 도움이 될 수 있다. 우리가 노동 착취를 통해 만들어진 값싼 옷을 사는 것은 노동자들의 착취에 찬성표를 던지는 것이다. 아무리 소량이라도 커피, 차, 빵과 채소 등을 구매하는 행위는 의사 표시 행위가 될 수 있다. 유기농 생산물을 선택하는 일은 환경적인 지속 가능성에 대해 지지를 보내는 것이다. 소비를 할 때 윤리적인 쟁점에 대해 생각해 보는 것은 세상에 미치는 이러한 영향을 고려한다는 것을 뜻한다. 우리는 소비자로서 의견을 표명할 힘을 가지고 있다.

(사) 이번 학기 영문학 개론 시간에는 학생들에게 윌리엄 포크너의 「에밀리에게 장미를」이라는 작품을 읽혔다. 남부 귀족 가문의 마지막 혈통인 에밀리 그리어슨은 빠르게 변하는 현대의 도시 속에서 완전히 고립된 삶을 산다. 그러다가 북부에서 온 십장* 호머 배론이라는 남자와 사랑에 빠지고, 떠나려는 그를 붙잡기 위해 그에게 극약을 먹인다는, 아주 기괴한 이야기이다.

 작품 분석을 하면서 에밀리의 성격을 이야기하라고 하면 학생들은 보통, "그 여자는 제정신이 아니에요. 정상적인 사람이라면 그런 행동을 할 수 없지요."라고 한다. 그렇게 말하면 토론이고 분석이고 아무것도 할 수가 없다. 어떤 작품에서 작중 인물이 그저 '남'이고, 그의 행위는 괴팍스러운 성향을 가진 '남'의 일이라고 단정해 버리면, '나'와 '남' 사이에 공존하는 인간의 보편적 성향을 공부하는 문학은 애당초 의미를 잃는다.

 그럴 때 '역할 바꾸기'를 통해 스스로 에밀리가 되어 보라고 하면, 학생들의 관점은 달라진다. "에밀리도 가문의 전통을 지키는 귀족이기 이전에, 사랑하고 싶고 사랑받고 싶은 하나의 인간이지요."라든가 "에밀리의 고립된 삶은 지독한 자기와의 투쟁이

었고, 그래서 포크너가 장미를 바치는 거지요.”라는 등 에밀리의 입장을 변호하면서 꽤 그럴듯하게 비평적 접근을 한다.

*십장(什長): 일꾼들을 감독·지시하는 우두머리.

(아) 우리는 문화의 획일화를 경계하고 문화 다양성을 증진하기 위해 노력해야 한다. 이를 위해서는 문화를 단순히 소비 상품으로 대하지 않고, 자기 지역의 고유한 문화가 지닌 특성을 인정하고 보존하려는 태도가 필요하다. 2001년 유네스코가 채택한 문화 다양성 선언은 문화의 고유성과 다양성을 보존하기 위한 국제적 노력의 사례로 볼 수 있다. 아울러 세계 시민으로서의 바람직한 자세를 가져야 한다. 우리 각자가 지구 공동체의 구성원이라는 의식을 갖지 않으면 세계화 시대에 나타나는 전 지구적 차원의 문제를 해결하기 어렵다. 따라서 우리는 자신이 속한 국가나 지역의 문제뿐만 아니라 지구촌 전체의 문제를 해결하기 위해 보편 윤리의 관점을 지닐 필요가 있다.

[문제 1] 제시문 (가)~(라)에서는 ‘선물’을 주고받는 다양한 상황이 나타난다. 제시문 (가), (나), (다), (라)에서 등장인물이 선물을 주는 ‘이유’와 선물을 받은 이후부터 상대방이 겪는 감정의 ‘변화’를 각각 찾아 하나의 완성된 글로 논술하시오. [40점, 550-570자]

[문제 2] 제시문 (마)와 (바)를 통합적으로 고려하여 제시문 (라)의 ‘부인’이 ‘남편’을 비판할 수 있는 근거를 추론하고, 아프리카 원주민에 대한 당시 백인들의 왜곡된 가치관을 극복하기 위해 필요한 자세를 제시문 (사)와 (아)를 토대로 서술하시오. [40점, 550-570자]

※ 다음 상황에 기초하여 문제에 답하시오.

아래와 같은 게임을 통해서 선물을 주려고 한다.

• 빨간 공 2개와 파란 공 2개가 들어 있는 하나의 주머니에서 임의로 2개의 공을 동시에 꺼낸다. 이때, 서로 같은 색의 공이 나오면 꺼낸 2개의 공 중에서 1개를 버리고, 나머지 1개는 주머니에 다시 넣는다. 서로 다른 색의 공이 나오면 꺼낸 2개의 공을 모두 주머니에 다시 넣는다.

• 주머니에 남아 있는 공을 가지고 위의 절차를 한 번 더 반복한 후 게임을 종료한다.

• 게임이 종료된 후 주머니에 들어 있는 빨간 공과 파란 공의 개수가 서로 같으면, 주머니에 들어있는 공의 개수만큼 선물을 준다. 빨간 공과 파란 공의 개수가 서로 다르면, 빨간 공과 파란 공의 개수의 차이만큼 선물을 준다.

[문제 3] 한 참가자가 이 게임에 참여하여 받을 수 있는 선물 개수의 기댓값을 구하시오. [20점, 원고지 작성법을 준수할 필요 없음]

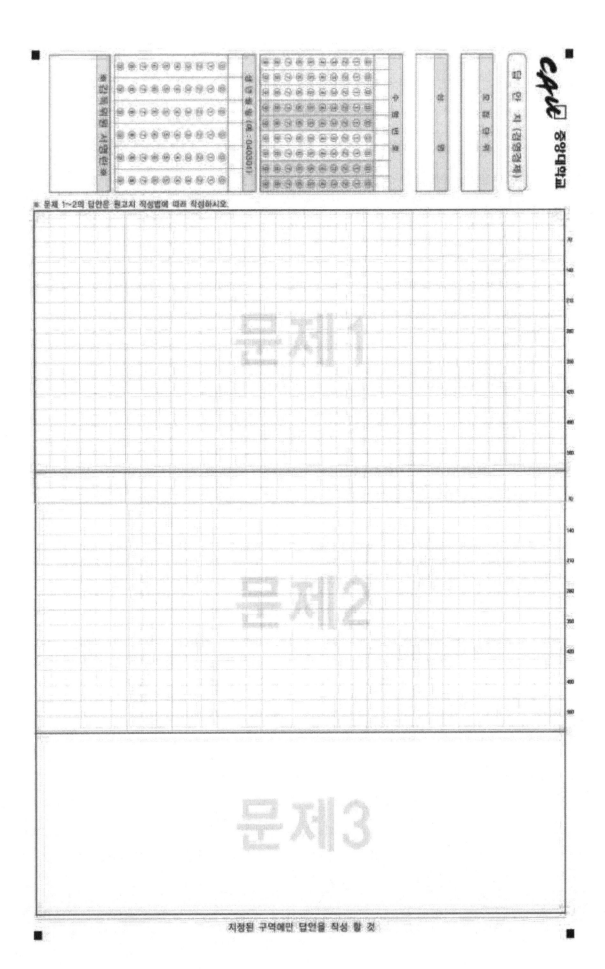

※ 다음을 읽고 물음에 답하시오.

(가) 빚 독촉에 시달리던 남자 김 씨는 한강에서 자살하려다 우연히 살아남아 무인도인 밤섬에서 깨어난다. 밤섬에서 탈출하려던 남자는 버려진 오리배에 보금자리를 만들고 물고기와 새를 잡아먹으며 살아간다. 어느 날 쓰레기 속에서 짜장 라면 양념 가루를 발견한 남자 김 씨는 짜장면이 먹고 싶어져 농사를 짓기 시작한다. 한편 여자 김 씨는 다른 사람과 교류하지 않고 방에만 틀어박혀 지낸다. 그녀의 유일한 취미는 방 안에서 사진 찍기인데, 우연히 밤섬 쪽을 찍다가 남자 김 씨를 발견한다. 오랜 관찰로 남자의 사정을 알게 된 여자 김씨는 남자 김 씨에게 짜장면을 배달시켜 보낸다.

s#83 방(오후)

여자의 망원 렌즈 시점. 짜장면을 들고 배달원 앞까지 걸어오는 남자. 배달원에게 '뭐라 뭐라'하는 남자. 그러고는 돌아서 가 버린다. 황당한 배달원. 어쩔 수 없이 짜장면을 도로 철가방에 담는다. 카메라에서 눈을 떼는 여자.

s#85 현관(오후)

딩동! 딩동! 딩동! 짜증 날 대로 난 배달원. 대답이 없자 현관 앞에 급기야 무작정 짜장면을 내려놓는다.

배달원 아, 몰라, 몰라, 몰라! 직접 전해주든지, 먹든지, 버리든지……

여자 그 남자……. 다른 말 없었어요? 뭐라고 하는 거 같던데……. 그죠? 뭐라고 그랬어요?

배달원 전해 달래요.

여자 (동그랗게 떠지는 두 눈)

배달원 (갑자기 정색하며) 자기한테 짜장면은……. 희망이래요.

s#97 짜장면을 만들다(오후)

오리배 앞. 말린 옥수수의 알을 하나하나 떼어내는 남자. 여자가 보내온 와인병으로 힘차게 옥수수 알을 빻는 남자. 이제는 가루가 된 옥수수에 적당량의 물을 붓는다. 다시 한번 와인병을 가지고 정성을 다해 반죽한다. 반죽한 덩어리는 깡통 뚜껑으로 얇게 잘라 낸다. 모닥불 위에 끓고 있는 물. 잘라 낸 면을 넣고 나뭇가지로 천천히 젓는 남자.

s#98 짜장면 완성(오후)

모래사장. 김이 모락모락 나는 면을 그릇에 담는 남자. 양념 가루를 들어 조심스럽게 찢는다. 툭 툭 툭 양념 가루의 마지막까지 남김없이 털어 낸다. 나무젓가락을 꺼내 쓱 쓱 면과 양념 가루를 비비는 남자. 마침내 어느 정도 비벼진 면을 잠시 바라보는 남자. 남자의 표정은 설명할 수 없는 감격으로 가득하다. 드디어 완성된 남자만의 짜장면을 한 젓가락 들어 입으로 가져간다. 우걱우걱 씹는 남자의 감정이 어느 순간 북받친다. 감정을 누르고 다시 한 젓가락을 입 속에 넣는다. 우걱우걱 씹을수록 점점 더 뜨거워지는 눈시울. 어느새 뚝뚝 떨어지는 굵은 눈물. 남자,

입가가 시커멓게 되도록 짜장면을 욱여넣어 보지만, 북받치는 감정을 참을 길 없다. 애써 웃어 보려 하는데 자꾸만 눈물이 흐른다. 이제껏 흘려 본 적 없는 눈물. 말하자면 그것은 살아 있다는 증거 같은 눈물이다.

s#99 방(오후)
여자는 무언가를 바라보며 나지막이 말한다.
여자 (미소를 지으며) 콩그래출레이션스…….

s#102 오리배 안(오후)
그동안 받은 와인병들이 줄지어 서 있는 오리배 안. 여자의 편지, 'CONGRATULATIONS'를 보고 있는 남자. 바라보는 남자의 평온한 시선. 비록 짧은 단어지만 많은 감정을 읽을 수 있다. 한동안 보던 남자, 무슨 생각에선지 오리배 안 구석, 잡동사니가 쌓여 있는 곳에서 뭔가를 찾는다. 남자가 집어드는 건 다름 아닌 휴대 전화. 목소리를 가다듬어 보는 남자. 폴더를 열고 잠시 후.
남자 헬로?……. 하우 아 유?……. 파인 생큐, 앤 유? 파인 생큐! 음……. 웨얼 아 유 프롬?……. 코리안? 리얼리? 오 마이 갓! 미투! 미투! 아임 코리안! 프롬 도봉구……. 예…… 아…… 앤드, 아…….
할 얘기가 없다. 아니다, 하고 싶은 얘기는 애초 하나뿐이었다.
남자 아이…… 아이…… 홉 투 씨 유……. 후 아 유?

(나) 로사, 피닌 그리고 코르데라 이렇게 셋은 늘 단짝이었다! 소몬테 목장은 구릉 아래로 녹색 들판이 융단처럼 펼쳐진 삼각 지대였다. [중략] 사실 동료들보다 한결 고지식한데다 나이도 한참 위인 코르데라는 상대적으로 문명 세계와의 소통을 일체 마다한 채 멀찍이서 전봇대를 바라보았는데, 실제로 그녀는 몸을 비빌 수조차 없어서 아무짝에도 쓸모없이 죽어 버린 사물을 대하듯 했다. 그녀는 나이 지긋한 암소였다. 풀밭이라면 훤히 꿰고 있는 그녀는 몇 시간이고 자리에 앉아 시간을 활용할 줄 알았다. 풀을 뜯기보다는 명상을 즐겼고, 또 영혼을 살찌우는 사람처럼(짐승에게도 영혼이 있다.) 자기 땅의 고즈넉한 회색빛 하늘 아래서 평화롭게 살아가는 기쁨을 만끽했다.
 그녀는 자기를 사육하는 일을 맡은 어린 목동들의 놀이에 할머니처럼 함께 어울렸다. 그럴 수만 있다면, 코르데라는 로사와 피닌이 목장에서 맡은 임무가 울타리를 벗어나 철길로 뛰어들거나 근처의 경작지로 들어가지 못하게 그녀를 살피는 것이라고 생각하며 미소를 머금었을 것이다. 무엇 하러 울타리를 뛰어 넘겠는가!
 그녀는 이따금씩 풀을 뜯어 먹었는데, 많이 먹지도 않았고 갈수록 양도 줄었다. 하지만 어리석은 호기심 때문에 고개를 들어 한눈을 파는 일은 없었다. 그녀는 주저 없이 가장 좋은 풀을 골라 조심조심 몇 입 뜯어 먹고서 흐뭇하게 엉덩이를 깔고 앉아 살아온 날들을 되새김질하거나 고통 없는 기쁨을 만끽했다. [중략]
 최후의 순간에 둘은 친구인 코르데라에게 몸을 던졌다. 그녀를 껴안고 입을 맞추었다.
"안녕, 코르데라!"
 눈물로 뒤범벅이 된 로사가 소리쳤다.

"잘 가, 사랑하는 코르데라!"

"안녕, 코르데라!"

감정이 복받쳐 피닌이 따라 외쳤다.

마지막으로 코르데라의 방울 소리가 자기 방식대로 응답했다. 체념한 코르데라의 슬픈 탄식은 마을에 내려앉은 칠월 밤의 다른 소리들에 섞여 사라져 갔다……

이튿날 피닌과 로사는 평소처럼 아주 이른 시간에 소몬테 목장으로 갔다. 그 쓸쓸함이 그토록 슬프게 느껴진 적은 한 번도 없었다. 그날, 코르데라 없는 소몬테는 마치 사막과도 같았다.

갑자기 기적이 울리더니 증기가 피어올랐고, 이윽고 기차가 모습을 드러냈다. 화물차는 굳게 닫혀 있었지만, 쌍둥이 남매는 높고 좁은 차창과 환기통에서 겁에 질린 채 채광창을 통해 멍하니 밖을 내다보는 암소들의 머리를 어렴풋이 보았다.

"안녕, 코르데라!"

로사는 친구인 할머니 소 코르데라가 거기에 있다고 생각하며 소리쳤다.

"안녕, 코르데라!"

피닌도 같은 생각으로 카스티야의 길을 질주하는 기차를 향해 주먹을 쥐어 보이며 악을 썼다. 어리지만 세상의 야비함에 대해 여동생보다 더 잘 알고 있는 피닌이 울면서 다시 소리쳤다.

"코르데라를 도살장으로 데려가는 거야……. 소고기가 되어 지체 높은 양반네들과 사제들……. 졸부들 입에 들어가는 거라고."

로사와 피닌은 원망 어린 눈으로 그들에게서 친구를 앗아 간 적대적인 세계의 상징인 철길과 전봇대를 노려보았다. 돈 많은 대식가들을 위한 음식으로 만들어 그들의 식탐을 채우기 위해 오랜 세월 고독과 말 없는 사랑을 함께 나눈 자신들의 친구를 삼켜 버린……

(다) 무술년은 내가 예순여섯 살이 되던 해이다. 갑자기 앞니 하나가 빠져 버렸다. 그러자 입술도 일그러지고, 말도 새고, 얼굴까지도 한쪽으로 삐뚤어진 것 같았다. 거울에 얼굴을 비춰 보니 놀랍게도 딴사람을 보는 것 같아 눈물이 나려 하였다.

사람이 체력을 유지하고 기르는 데는 음식만한 것이 없는데, 음식을 먹으려면 이가 없어서는 안된다. 그런데 하루아침에 이가 빠져 버리고 나니 빠진 이 사이로 물이 새고 밥은 딱딱하여 잘 씹히지 않으며, 간간이 고기라도 씹으려면 마치 독약을 마시는 사람처럼 얼굴이 절로 찌푸려진다.

나는 어릴 때부터 책 읽기를 좋아했다. 그런데도 아직까지 입에 올리지 못한 책이 수두룩하다. 이제부터라도 아침저녁으로 시골 풍경을 바라보면서 책이나 흥얼거리는 것으로 말년을 보내려 했다. 그리하여 캄캄한 밤에 촛불로 길을 비추듯, 인간의 근본에서 벗어나지 않기를 바랐던 것이다.

이렇게 마음먹고 책을 펴서 읽기 시작했다. 그러자 이가 빠진 입술 사이로 흘러나오는 소리가 마치 깨진 종소리 같아서, 빠르고 느림이 마디지지 못하고, 맑고 탁한 소리가 조화를 잃고, 칠음(음계를 이루는 일곱 가지 소리)의 높낮이도 분간할 수 없으며 팔풍(여덟 가지 악기의 소리)도 이해할 수 없었다. 처음에는 낭랑한 목소리를 내 보려고 안간힘을 써 보았으나 끝내 소리가 말려 들어가고 말았다. 나는 내 모양이 슬퍼서 책 읽는 일을 그만두어 버렸다. 그러고 나니 마음은 더욱 게을러져 갔다. 결국 인간의 근본을 찾으려 했던, 최초의 마음을 그대로 유지할 수 없다는 것을 알게 되었다. 이것이 이가 빠지고 난 뒤에 나의 마음을 가장 슬프게 하는 것이다. [중략]

지금 얼굴이 일그러져 추한 모습으로 갑자기 사람들 앞에 나타나면 모두 놀라고 또 슬퍼하지 않는 사람이 없을 것이니, 내가 아무리 늙었음을 잠깐만이라도 잊으려 한다 해도 가능한 일이겠는가? 그러니 이제부터라도 나는 노인으로서의 분수를 지켜야겠다.

옛날 선인들의 예법에, 사람이 예순 살이 되면 마을에서 지팡이를 짚고 다니고, 군대에 나가지 않으며, 또 학문을 하려고 덤비지 말아야 한다고 했다. 나는 일찍이 『예기』를 읽었으나 이와 같은 예법에는 동의하지 않고, 계속해서 잘못을 저지르곤 했는데, 지금에 와서야 그동안 내가 한 행동이 잘못되었음을 크게 깨달았다. 앞으로는 조용한 가운데 휴식을 찾아야 할까 보다. 결국 빠진 이가 나에게 경고해 준 바가 참으로 적지 않다 하겠다. 얼굴이 일그러졌으니 조용히 들어앉아 있어야 하고, 말소리가 새니 침묵을 지키는 것이 좋고, 고기를 씹기 어려우니 부드러운 음식을 먹어야 하고, 글읽는 소리가 낭랑하지 못하니 그냥 마음속으로나 읽어야 할 것 같다. 조용히 들어앉아 있으면 정신이 안정되고, 말을 함부로 하지 않으면 허물이 적을 것이며, 부드러운 음식만 먹으면 수복(오래 사는 복)을 온전히 누릴 것이다. 그리고 마음속으로 글을 읽으면 조용한 가운데 인생의 도를 터득할 수 있을 터이니, 그 손익을 따져 본다면 그 이로움이 도리어 많지 않겠는가?

(라) 송도에 사는 황 진사의 딸 황진이는 시와 음악에 재능이 뛰어나고 용모가 아름답기로 유명했다. 황진이는 서울의 윤 승지댁과 혼약을 맺지만, 집안의 하인인 놈이 황진이의 출생 배경을 누설하여 파혼을 당한다. 이 무렵 한 총각이 황진이를 연모하다가 상사병으로 죽어서 그의 장례식이 열린다.

진이는 담장 밖에서 들려오는 소리에 귀를 기울이고 있었다. 서로 부르고 찾는 소리, 자리를 다투는 걸직한 욕설들, 느닷없이 터져 오르는 너털웃음들……. 저 사람들은 지금 그의 고통을, 그의 슬픔을, 그의 창피를, 그의 굴욕을 구경하고 싶어 저리도 뒤설레고 있는 것이였다.

(그래, 그렇다면 응당 그들이 보고 싶어 하는 것을 보여 주어야지.)

진이는 자개함 통을 열고 그 안에 깊숙이 간수해 두었던 자기의 혼수를 꺼냈다.

사시쯤 되었을 때 상행이 뒤골 어구에 들어섰다. 상여는 앞으로 나갈 듯 뒤로 물러서고 물러설 듯 다시 앞으로 나가며 요령 소리와 상여 노래에 맞추어 그네처럼 한자리에서 흔들렸다.

진이는 담장 안쪽에서 문고리를 쥐고 마음을 굳게 다잡았다. 진이는 문을 열었다.

구경군들은 깜짝 놀랐다. 상두군들이 상여를 내려놓았다. 진이는 죽은 총각의 관관 앞에 마주 섰다. 그리고는 손에 들고 나온 꽃무늬의 붉은 슬란치마를 활짝 펴서 관관을 덮었다. 진이는 마치 눈에 보이는 그 누구와 속삭이듯 입을 열었다. 그러자 신기하게도 류두날 밤 달빛 속에서 자기를 넋 잃고 쳐다보던 그 총각의 얼굴이 우렷하게 떠오르는 것이었다.

"여보세요, 나는 당신을 잘 모릅니다. 한번 얼핏 뵈온 일밖에 없으니까요. 그러나 당신이 죽음으로 보여 준 나에 대한 뜨거운 사랑은 압니다. 유명의 길이 달라 지금은 당신의 그 진실한 사랑에 보답할 길이 전혀 없군요. 혹시 이후 저승에서 다시 만나 뵙게 되는지……. 이승에서 보답할 수 없었던 사랑을 저승에서는 꼭 갚아 드리렵니다. 그 약속에 대한 표적으로 제가 마련해 가지고 있던 혼례 옷을 당신의 령전에 바치오니 알음이 있으면 받아 주세요. 인명이 하늘에 매였다고는 하나 인정에 어찌 애닯지 않겠나요. 생사가 영 리별이라고 하지만 후생의 기약이 있으니 바라옵건대 어서 떠나세요……."

진이의 눈에서는 눈물이 흐르고 있었다. 목소리가 갈려서 마지막 말을 채 맺지 못했다.

진이는 별당에 돌아와 방 안에 앉았다. 그는 방금 전에 수많은 사람들이 지켜보는 앞에서 죽은 혼백과 저승의 사랑을 약속했다. 진이는 사람들의 구구한 시비와 말밥에 오르는 것을 두려워하는 것이 아니였다. 한 가지 자신에게 명백히 할 것은 이 행동이 일시적인 충동이나 변덕이 아니라는 것이며 보다 중요하게는 자신이 지니고 있던 사랑의 감정을 송두리채 죽은 혼백한테 바쳐 버렸으니 이제부터 자기는 이승의 목숨이 다할 때까지 사랑이라는 감정은 전혀 있을 수 없는 목석과 같은 녀인이라는 것이였다. 바로 이것이 지금 진이가 간절히 바라는 바요, 진심으로 원하는 바였다.

(마) 사춘기 반항의 푸른 물결을 반추하게 해 주는 소설을 꼽으라고 한다면 단언컨대 열에 아홉은 『호밀밭의 파수꾼』을 꼽지 않을까? 뉴욕 맨해튼에 사는 부유한 가정 출신의 16세 소년, 홀든 콜필드가 사립 학교에서 쫓겨나면서 이틀 동안 경험하고 생각한 것들을 담고 있는, 시간상 짧은 이야기이지만 그 응집력은 어지간한 장편 소설을 넘어선다. 홀든은 잘사는 부모도, 그 밑에서 죽은 듯이 얌전히 살아가지 못하는 자신도 싫다. 우리가 십 대 초반에 이래도 싫고 저래도 싫었던, 마치 '부정'이 역병처럼 돌던 시기를 관통했듯이 말이다. 그러던 와중에 세 번째 사립 학교에서 쫓겨난 홀든은 더는 어른들의 공허함 가득한 허위와 가식의 세계에 동참할 수 없다고 생각하게 된다. 어린 나이에 학교라는 자신의 사회, 그 경계 밖으로 쫓겨난 것이다. 하지만 그렇게 뛰쳐나온 홀든 앞에 펼쳐진 뉴욕의 거리 또한 그에게 새로운 희망을 주는 것은 아니었다. [중략] 마음과는 달리 떠날 수 없는 자신을 발견하며 홀든은 담담히 꿈을 이야기한다.

"그건 그렇다 치고, 나는 늘 넓은 호밀밭에서 꼬마들이 재미있게 놀고 있는 모습을 상상하곤 했어. 어린애들만 수천 명이 있을 뿐 어른이라고는 나밖에 없는 거야. 그리고 난 아득한 절벽 옆에 서 있어. 내가 할 일은 아이들이 절벽으로 떨어질 것 같으면 재빨리 붙잡아 주는 거야. 애들이란 앞뒤 생각 없이 마구 달리는 법이니까 말이야. 그럴 때 어딘가에서 내가 나타나서는 꼬마가 떨어지지 않도록 붙잡아 주는 거지. 말하자면 호밀밭의 파수꾼이 되고 싶다고나 할까. 바보 같은 얘기라는 건 알고 있어. 하지만 내가 정말 되고 싶은 건 그거야."

홀든의 속마음이 그대로 드러나는 이 구절을 읽으며 나는 괜스레 눈물이 났다. 그가 얼마나 아이이고 싶은지, 또 동시에 얼마나 어른이고 싶은지를 느낄 수 있었다. 또 절벽에서 자신을 붙잡아 줄 어른을 얼마나 기다리고 있는지 나는 알 수 있었기 때문이었다. 그것은 곧 자신이 절벽 위에 서서 온갖 바람을 맞고 언젠가는 낭떠러지로 떨어질지 모른다고, 누군가 붙잡아 달라는 소리 없는 외침이 아니었을까? 그리고 이러한 외침이 어른들의 세계에서 메아리도 없이 공허한 울림만으로 돌아오는 것을 깨달았을 때 홀든은 공허함을 느꼈을 것이다.

나는 누구도 나를 이해할 수 없는 순간을 경험하는 것이 꼭 필요하다고 생각한다. 왜냐하면 아무도 나를 이해해 주지 않으므로 절실하게 내가 나를 이해하려 들기 때문이다. 그 과정을 통해 진정한 자기애가 생긴다고 믿는다. 반항이나 방황이 필요한 까닭도 바로 그것이다. 하지만 우리 사회는 그것을 돌이킬 수 없는 강이라고 인식하는 커다란 오류를 범하고 있다. 반항과 방황은 돌이킬 수 없는 강이 아니라 인생이라는 강에서 불어오는 편서풍 같은 것이다.

(바) '해시태그(hashtag)'는 해시(#, hash) 기호를 사용하여 게시물에 꼬리표를 단다는 뜻으로, 특정 단어나 문구 앞에 해시 기호를 써서 게시물이 그 단어나 문구와 관련된 것임을 표시하는 기능을 가리킨다. 이후 검색 기능이 더해져 해시태그를 누르면 똑같은 해시태그를 단 글들이 검색된다. 해시태그가 널리 알려진 계기로 '아이스 버킷 챌린지' 기부 운동 사례를 들 수 있다. 이 기부 운동은 근위축성 측삭 경화증에 관한 관심을 불러일으키고 환자들을 위한 기부금을 모으기 위해 시작되었다. 참가를 원하는 사람이 얼음물을 뒤집어쓰는 동영상을 누리 소통망에 올린 뒤 다음 도전자 세 명을 지목하는 방식으로 기부를 이어 간다. 찬 얼음물이 닿을 때처럼 근육이 수축되는 병의 고통을 잠시나마 함께 느껴 보자는 취지이다. 2014년 여름부터 정치인, 연예인, 운동선수 등 유명 인사는 물론 전 세계의 다양한 사람이 이 운동에 참여하면서 기부가 급속도로 확산되었다.

(사) 나는 이제 너에게도 슬픔을 주겠다.
　사랑보다 소중한 슬픔을 주겠다.
　겨울밤 거리에서 귤 몇 개 놓고
　살아온 추위와 떨고 있는 할머니에게
　귤값을 깎으면서 기뻐하던 너를 위하여
　나는 슬픔의 평등한 얼굴을 보여 주겠다.

내가 어둠 속에서 너를 부를 때
　단 한 번도 평등하게 웃어 주질 않은
　가마니에 덮인 동사자가 다시 얼어 죽을 때
　가마니 한 장조차 덮어 주지 않은
　무관심한 너의 사랑을 위해
　흘릴 줄 모르는 너의 눈물을 위해
　나는 이제 너에게도 기다림을 주겠다.
　이 세상에 내리던 함박눈을 멈추겠다.
　보리밭에 내리던 봄눈들을 데리고
　추워 떠는 사람들의 슬픔에게 다녀와서
　눈 그친 눈길을 너와 함께 걷겠다.
　슬픔의 힘에 대한 이야기를 하며
　기다림의 슬픔까지 걸어가겠다.

(아) 순자는 인간의 본성을 악하다고 했습니다. 그러면 무슨 근거로 인간의 본성을 악하다고 한 것 일까요? 인간의 도덕적인 측면에 주목한 맹자와 달리 순자는 배고프면 먹고 싶고, 추우면 따뜻하게 하고 싶고, 피곤하면 쉬고 싶은 인간의 자연적이고 생리적인 욕구에 주목했습니다. 이 욕구는 귀가 좋은 소리를 듣고 싶어 하고 눈이 좋은 빛깔을 보고 싶어 하는 것 같은, 감각 기관의 이기적 욕구와도 통합니다. 순자는 이러한 생리적 욕구를 바탕으로 한 이기심이 누구에게나 있다고 생각했습니다. 그리고 이 욕구대로 간다면 다툼이 생길 수밖에 없다는 것입니다. 그러나 실제로는 사람들이 악한 행위만 하는 것은 아닙니다. 오히려 그 반대로 행동하는 경우가 얼마든지 있습니다. 그렇다면 이처럼 스스로 자신의 악한 본성을 거스르는 착한 행위는 어디에서 오는 것일까요?

　순자는 본성대로 가면 결과가 악이고 본성을 거스르는 의지적 실천대로 가면 선이라고 합니다. 순자가 인간의 본성을 악하다고 보았다고 해서 본성대로 살자고 한 것은 아닙니다. 그에게는 의지적 실천을 통해 본성이 가져올 악한 결과를 어떻게 변화시켜 나갈 것인가가 문제였습니다. 따라서 순자의 철학은 의지에 기초한 실천 철학이라고 할 수 있습니다.

(자) 각 개인은 자신이 속한 집단에서 요구하는 역할을 수행하는 가운데 다른 구성원들과 관계를 형성하고 상호 작용하게 되는 것이다. 따라서 개인의 행동 양식이나 자아 정체성은 자신이 속한 사회 집단으로부터 많은 영향을 받는다.

　미국의 사회학자 머튼은 범죄 통계에서 하층 노동 계급 청년들의 재산 범죄가 차지하는 비율이 다른 집단에 비해 과도하게 높은 것은 그들 개인이 아니라 사회 자체의 특성 때문이라고 보았다. 일반적으로 미국 사회는 물질적 성공을 문화적 목표로 제시하고, 어떤 배경을 가진 사람이든 열심히 일하기만 하면 그 목표를 달성할 수 있다고 본다. 하지만 머튼에 따르면 실제로 성공을 위한 합법적 기회가 누구에게나 열려 있는 것은 아니다. 문화적 목표를 달성할 수 있는 합법적 수단을 갖지 못한 집단에 속한 사람들이 비합법적인 수단을 활용하려고 할 때, 일탈이 발생할 수 있다. 이는 이들에게 물질적 성공이라는 문화적 목표를 손에 넣기 위해 불법적 방법이라도 시도해야 한다는 상당한 압력으로 작용하여, 강도, 상점털이, 절도, 소매치기 등의 재산 범죄를 저지르게 된다는 것이다.

한편 낙인 이론은 일탈을 개인 또는 집단의 특성이 아니라 일탈자와 비일탈자 간의 상호 작용 과정으로 해석한다. 누구나 때로는 일탈적 행동을 할 수 있지만, 대부분 가볍고 일시적이며 쉽게 감추어질 수 있다. 이러한 일탈 행동이 일단 발견되고 세상에 알려지면 그 개인은 일탈자로 낙인찍히고, 다른 사람들은 그를 일탈자로 대하기 시작한다. 결과적으로 일탈자로 낙인찍힌 사람들은 그 낙인을 받아들이게 된다. 그리고 이에 따라 일탈자로서의 새로운 정체성을 형성하고 그에 따라 행동하기 시작한다. 결국, 일탈이 습관화될 수 있다. 예를 들어, 범죄를 저질러 교도소에 수감되었다가 형을 마치고 전과자로 낙인찍혀 나온 사람은 공식적이든 비공식적이든 취업과 같은 중요한 사회적 기회 획득에서 차별을 받곤 한다.

[문제 1] 제시문 (가), (나), (다), (라)에서 등장인물이 눈물을 흘리는 '이유'와 이를 계기로 등장인물에게 나타난 '변화'를 각각 찾아 하나의 완성된 글로 논술하시오. [40점, 550-570자]

[문제 2] '공감'이라는 측면에서 제시문 (마)와 (바)의 차이를 서술하고, 제시문 (바)에서 언급된 '도전자'가 기부행위를 할 때 고려할 점을 제시문 (라)와 (사)를 활용하여 서술하시오. [40점, 550-570자]

[문제 3] 제시문 (아)에서 언급된 순자의 철학이 가질 수 있는 한계를 제시문 (자)의 논지를 토대로 서술하시오. [20점, 400-420자]

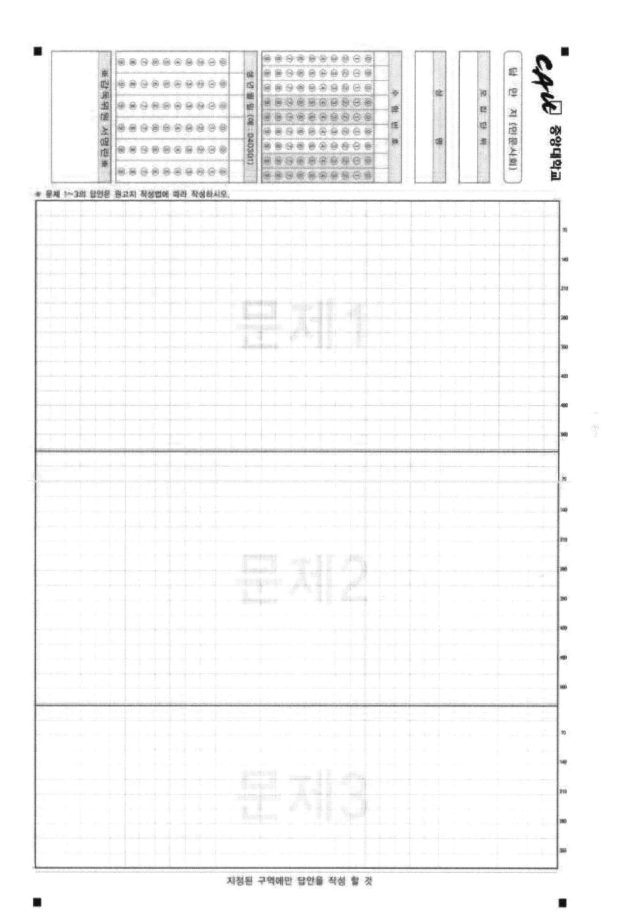

※ 문제 1~3의 답안은 원고지 작성법에 따라 작성하시오.

문제 1

문제 2

문제 3

지정된 구역에만 답안을 작성 할 것

※ 다음을 읽고 물음에 답하시오.

(가) 빚 독촉에 시달리던 남자 김 씨는 한강에서 자살하려다 우연히 살아남아 무인도인 밤섬에서 깨어난다. 밤섬에서 탈출하려던 남자는 버려진 오리배에 보금자리를 만들고 물고기와 새를 잡아먹으며 살아간다. 어느 날 쓰레기 속에서 짜장 라면 양념 가루를 발견한 남자 김 씨는 짜장면이 먹고 싶어져 농사를 짓기 시작한다. 한편 여자 김 씨는 다른 사람과 교류하지 않고 방에만 틀어박혀 지낸다. 그녀의 유일한 취미는 방 안에서 사진 찍기인데, 우연히 밤섬 쪽을 찍다가 남자 김 씨를 발견한다. 오랜 관찰로 남자의 사정을 알게 된 여자 김씨는 남자 김 씨에게 짜장면을 배달시켜 보낸다.

s#83 방(오후)

여자의 망원 렌즈 시점. 짜장면을 들고 배달원 앞까지 걸어오는 남자. 배달원에게 '뭐라 뭐라'하는 남자. 그러고는 돌아서 가 버린다. 황당한 배달원. 어쩔 수 없이 짜장면을 도로 철가방에 담는다. 카메라에서 눈을 떼는 여자.

s#85 현관(오후)

딩동! 딩동! 딩동! 짜증 날 대로 난 배달원. 대답이 없자 현관 앞에 급기야 무작정 짜장면을 내려 놓는다.

배달원 아, 몰라, 몰라, 몰라! 직접 전해주든지, 먹든지, 버리든지……

여자 그 남자……. 다른 말 없었어요? 뭐라고 하는 거 같던데……. 그죠? 뭐라고 그랬어요?

배달원 전해 달래요.

여자 (동그랗게 떠지는 두 눈)

배달원 (갑자기 정색하며) 자기한테 짜장면은……. 희망이래요.

s#97 짜장면을 만들다(오후)

오리배 앞. 말린 옥수수의 알을 하나하나 떼어내는 남자. 여자가 보내온 와인병으로 힘차게 옥수수 알을 빻는 남자. 이제는 가루가 된 옥수수에 적당량의 물을 붓는다. 다시 한번 와인병을 가지고 정성을 다해 반죽한다. 반죽한 덩어리는 깡통 뚜껑으로 얇게 잘라 낸다. 모닥불 위에 끓고 있는 물. 잘라 낸 면을 넣고 나뭇가지로 천천히 젓는 남자.

s#98 짜장면 완성(오후)

모래사장. 김이 모락모락 나는 면을 그릇에 담는 남자. 양념 가루를 들어 조심스럽게 찢는다. 툭 툭 툭 양념 가루의 마지막까지 남김없이 털어 낸다. 나무젓가락을 꺼내 쓱 쓱 면과 양념 가루를 비비는 남자. 마침내 어느 정도 비벼진 면을 잠시 바라보는 남자. 남자의 표정은 설명할 수 없는 감격으로 가득하다. 드디어 완성된 남자만의 짜장면을 한 젓가락 들어 입으로 가져간다. 우걱우걱 씹는 남자의 감정이 어느 순간 북받친다. 감정을 누르고 다시 한 젓가락을 입 속에 넣는다. 우걱우걱 씹을수록 점점 더 뜨거워지는 눈시울. 어느새 뚝뚝 떨어지는 굵은 눈물. 남자,

입가가 시커멓게 되도록 짜장면을 욱여넣어 보지만, 북받치는 감정을 참을 길 없다. 애써 웃어 보려 하는데 자꾸만 눈물이 흐른다. 이제껏 흘려 본 적 없는 눈물. 말하자면 그것은 살아 있다는 증거 같은 눈물이다.

s#99 방(오후)

여자는 무언가를 바라보며 나지막이 말한다.

여자 (미소를 지으며) 콩그래츌레이션스…….

s#102 오리배 안(오후)

그동안 받은 와인병들이 줄지어 서 있는 오리배 안. 여자의 편지, 'CONGRATULATIONS'를 보고 있는 남자. 바라보는 남자의 평온한 시선. 비록 짧은 단어지만 많은 감정을 읽을 수 있다. 한동안 보던 남자, 무슨 생각에선지 오리배 안 구석, 잡동사니가 쌓여 있는 곳에서 뭔가를 찾는다. 남자가 집어 드는 건 다름 아닌 휴대 전화. 목소리를 가다듬어 보는 남자. 폴더를 열고 잠시 후.

남자 헬로?……. 하우 아 유?……. 파인 생큐, 앤 유? 파인 생큐! 음……. 웨얼 아 유 프롬?……. 코리안? 리얼리? 오 마이 갓! 미투! 미투! 아임 코리안! 프롬 도봉구……. 예…… 아…… 앤드, 아…….

할 얘기가 없다. 아니다, 하고 싶은 얘기는 애초 하나뿐이었다.

남자 아이…… 아이…… 홉 투 씨 유……. 후 아 유?

(나) 로사, 피닌 그리고 코르데라 이렇게 셋은 늘 단짝이었다! 소몬테 목장은 구릉 아래로 녹색 들판이 융단처럼 펼쳐진 삼각 지대였다. [중략] 사실 동료들보다 한결 고지식한데다 나이도 한참 위인 코르데라는 상대적으로 문명 세계와의 소통을 일체 마다한 채 멀찍이서 전봇대를 바라보았는데, 실제로 그녀는 몸을 비빌 수조차 없어서 아무짝에도 쓸모없이 죽어 버린 사물을 대하듯 했다. 그녀는 나이 지긋한 암소였다. 풀밭이라면 훤히 꿰고 있는 그녀는 몇 시간이고 자리에 앉아 시간을 활용할 줄 알았다. 풀을 뜯기보다는 명상을 즐겼고, 또 영혼을 살찌우는 사람처럼(짐승에게도 영혼이 있다.) 자기 땅의 고즈넉한 회색빛 하늘 아래서 평화롭게 살아가는 기쁨을 만끽했다.

그녀는 자기를 사육하는 일을 맡은 어린 목동들의 놀이에 할머니처럼 함께 어울렸다. 그럴 수만 있다면, 코르데라는 로사와 피닌이 목장에서 맡은 임무가 울타리를 벗어나 철길로 뛰어들거나 근처의 경작지로 들어가지 못하게 그녀를 살피는 것이라고 생각하며 미소를 머금었을 것이다. 무엇 하러 울타리를 뛰어 넘겠는가!

그녀는 이따금씩 풀을 뜯어 먹었는데, 많이 먹지도 않았고 갈수록 양도 줄었다. 하지만 어리석은 호기심 때문에 고개를 들어 한눈을 파는 일은 없었다. 그녀는 주저 없이 가장 좋은 풀을 골라 조심조심 몇 입 뜯어 먹고서 흐뭇하게 엉덩이를 깔고 앉아 살아온 날들을 되새김질하거나 고통 없는 기쁨을 만끽했다. [중략]

최후의 순간에 둘은 친구인 코르데라에게 몸을 던졌다. 그녀를 껴안고 입을 맞추었다.

"안녕, 코르데라!"

눈물로 뒤범벅이 된 로사가 소리쳤다.

"잘 가, 사랑하는 코르데라!"

"안녕, 코르데라!"

감정이 복받쳐 피닌이 따라 외쳤다.

마지막으로 코르데라의 방울 소리가 자기 방식대로 응답했다. 체념한 코르데라의 슬픈 탄식은 마을에 내려앉은 칠월 밤의 다른 소리들에 섞여 사라져 갔다…….

이튿날 피닌과 로사는 평소처럼 아주 이른 시간에 소몬테 목장으로 갔다. 그 쓸쓸함이 그토록 슬프게 느껴진 적은 한 번도 없었다. 그날, 코르데라 없는 소몬테는 마치 사막과도 같았다.

갑자기 기적이 울리더니 증기가 피어올랐고, 이윽고 기차가 모습을 드러냈다. 화물차는 굳게 닫혀 있었지만, 쌍둥이 남매는 높고 좁은 차창과 환기통에서 겁에 질린 채 채광창을 통해 멍하니 밖을 내다보는 암소들의 머리를 어렴풋이 보았다.

"안녕, 코르데라!"

로사는 친구인 할머니 소 코르데라가 거기에 있다고 생각하며 소리쳤다.

"안녕, 코르데라!"

피닌도 같은 생각으로 카스티야의 길을 질주하는 기차를 향해 주먹을 쥐어 보이며 악을 썼다. 어리지만 세상의 야비함에 대해 여동생보다 더 잘 알고 있는 피닌이 울면서 다시 소리쳤다.

"코르데라를 도살장으로 데려가는 거야……. 소고기가 되어 지체 높은 양반네들과 사제들……. 졸부들 입에 들어가는 거라고."

로사와 피닌은 원망 어린 눈으로 그들에게서 친구를 앗아 간 적대적인 세계의 상징인 철길과 전봇대를 노려보았다. 돈 많은 대식가들을 위한 음식으로 만들어 그들의 식탐을 채우기 위해 오랜 세월 고독과 말 없는 사랑을 함께 나눈 자신들의 친구를 삼켜 버린…….

(다) 무술년은 내가 예순여섯 살이 되던 해이다. 갑자기 앞니 하나가 빠져 버렸다. 그러자 입술도 일그러지고, 말도 새고, 얼굴까지도 한쪽으로 삐뚤어진 것 같았다. 거울에 얼굴을 비춰 보니 놀랍게도 딴사람을 보는 것 같아 눈물이 나려 하였다.

사람이 체력을 유지하고 기르는 데는 음식만한 것이 없는데, 음식을 먹으려면 이가 없어서는 안 된다. 그런데 하루아침에 이가 빠져 버리고 나니 빠진 이 사이로 물이 새고 밥은 딱딱하여 잘 씹히지 않으며, 간간이 고기라도 씹으려면 마치 독약을 마시는 사람처럼 얼굴이 절로 찌푸려진다.

나는 어릴 때부터 책 읽기를 좋아했다. 그런데도 아직까지 입에 올리지 못한 책이 수두룩하다. 이제부터라도 아침저녁으로 시골 풍경을 바라보면서 책이나 흥얼거리는 것으로 말년을 보내려 했다. 그리하여 캄캄한 밤에 촛불로 길을 비추듯, 인간의 근본에서 벗어나지 않기를 바랐던 것이다.

이렇게 마음먹고 책을 펴서 읽기 시작했다. 그러자 이가 빠진 입술 사이로 흘러나오는 소리가 마치 깨진 종소리 같아서, 빠르고 느림이 마디지지 못하고, 맑고 탁한 소

146

리가 조화를 잃고, 칠음(음계를 이루는 일곱 가지 소리)의 높낮이도 분간할 수 없으며 팔풍(여덟 가지 악기의 소리)도 이해할 수 없었다. 처음에는 낭랑한 목소리를 내 보려고 안간힘을 써 보았으나 끝내 소리가 말려 들어가고 말았다. 나는 내 모양이 슬퍼서 책 읽는 일을 그만두어 버렸다. 그러고 나니 마음은 더욱 게을러져 갔다. 결국 인간의 근본을 찾으려 했던, 최초의 마음을 그대로 유지할 수 없다는 것을 알게 되었다. 이것이 이가 빠지고 난 뒤에 나의 마음을 가장 슬프게 하는 것이다. [중략]

지금 얼굴이 일그러져 추한 모습으로 갑자기 사람들 앞에 나타나면 모두 놀라고 또 슬퍼하지 않는 사람이 없을 것이니, 내가 아무리 늙었음을 잠깐만이라도 잊으려 한다 해도 가능한 일이겠는가? 그러니 이제부터라도 나는 노인으로서의 분수를 지켜야겠다.

옛날 선인들의 예법에, 사람이 예순 살이 되면 마을에서 지팡이를 짚고 다니고, 군대에 나가지 않으며, 또 학문을 하려고 덤비지 말아야 한다고 했다. 나는 일찍이 『예기』를 읽었으나 이와 같은 예법에는 동의하지 않고, 계속해서 잘못을 저지르곤 했는데, 지금에 와서야 그동안 내가 한 행동이 잘못되었음을 크게 깨달았다. 앞으로는 조용한 가운데 휴식을 찾아야 할까 보다. 결국 빠진 이가 나에게 경고해 준 바가 참으로 적지 않다 하겠다. 얼굴이 일그러졌으니 조용히 들어앉아 있어야 하고, 말소리가 새니 침묵을 지키는 것이 좋고, 고기를 씹기 어려우니 부드러운 음식을 먹어야 하고, 글읽는 소리가 낭랑하지 못하니 그냥 마음속으로나 읽어야 할 것 같다. 조용히 들어앉아 있으면 정신이 안정되고, 말을 함부로 하지 않으면 허물이 적을 것이며, 부드러운 음식만 먹으면 수복(오래 사는 복)을 온전히 누릴 것이다. 그리고 마음속으로 글을 읽으면 조용한 가운데 인생의 도를 터득할 수 있을 터이니, 그 손익을 따져 본다면 그 이로움이 도리어 많지 않겠는가?

(라) 송도에 사는 황 진사의 딸 황진이는 시와 음악에 재능이 뛰어나고 용모가 아름답기로 유명했다. 황진이는 서울의 윤 승지댁과 혼약을 맺지만, 집안의 하인인 놈이가 황진이의 출생 배경을 누설하여 파혼을 당한다. 이 무렵 한 총각이 황진이를 연모하다가 상사병으로 죽어서 그의 장례식이 열린다.

진이는 담장 밖에서 들려오는 소리에 귀를 기울이고 있었다. 서로 부르고 찾는 소리, 자리를 다투는 걸직한 욕설들, 느닷없이 터져 오르는 너털웃음들……. 저 사람들은 지금 그의 고통을, 그의 슬픔을, 그의 창피를, 그의 굴욕을 구경하고 싶어 저리도 뒤설레고 있는 것이였다.

(그래, 그렇다면 응당 그들이 보고 싶어 하는 것을 보여 주어야지.)

진이는 자개함 통을 열고 그 안에 깊숙이 간수해 두었던 자기의 혼수를 꺼냈다.

사시쯤 되었을 때 상행이 뒤골 어구에 들어섰다. 상여는 앞으로 나갈 듯 뒤로 물러서고 물러설 듯 다시 앞으로 나가며 요령 소리와 상여 노래에 맞추어 그네처럼 한자리에서 흔들렸다.

진이는 담장 안쪽에서 문고리를 쥐고 마음을 굳게 다잡았다. 진이는 문을 열었다.

구경군들은 깜짝 놀랐다. 상두군들이 상여를 내려놓았다. 진이는 죽은 총각의 관곽 앞에 마주 섰다. 그리고는 손에 들고 나온 꽃무늬의 붉은 슬란치마를 활짝 펴서 관곽을 덮었다. 진이는 마치 눈에 보이는 그 누구와 속삭이듯 입을 열었다. 그러자 신기하게도 류두날 밤 달빛 속에서 자기를 넋 잃고 쳐다보던 그 총각의 얼굴이 우렷하게 떠오르는 것이였다.

"여보세요, 나는 당신을 잘 모릅니다. 한번 얼핏 뵌온 일밖에 없으니까요. 그러나 당신이 죽음으로 보여 준 나에 대한 뜨거운 사랑은 압니다. 유명의 길이 달라 지금은 당신의 그 진실한 사랑에 보답할 길이 전혀 없군요. 혹시 이후 저승에서 다시 만나 뵙게 되는지……. 이승에서 보답할 수 없었던 사랑을 저승에서는 꼭 갚아 드리렵니다. 그 약속에 대한 표적으로 제가 마련해 가지고 있던 혼례 옷을 당신의 령전에 바치오니 알음이 있으면 받아 주세요. 인명이 하늘에 매였다고는 하나 인정에 어찌 애닯지 않겠나요. 생사가 영 리별이라고 하지만 후생의 기약이 있으니 바라옵건대 어서 떠나세요……."

진이의 눈에서는 눈물이 흐르고 있었다. 목소리가 갈려서 마지막 말을 채 맺지 못했다.

진이는 별당에 돌아와 방 안에 앉았다. 그는 방금 전에 수많은 사람들이 지켜보는 앞에서 죽은 혼백과 저승의 사랑을 약속했다. 진이는 사람들의 구구한 시비와 말밥에 오르는 것을 두려워하는 것이 아니였다. 한 가지 자신에게 명백히 할 것은 이 행동이 일시적인 충동이나 변덕이 아니라는 것이며 보다 중요하게는 자신이 지니고 있던 사랑의 감정을 송두리채 죽은 혼백한테 바쳐 버렸으니 이제부터 자기는 이승의 목숨이 다할 때까지 사랑이라는 감정은 전혀 있을 수 없는 목석과 같은 녀인이라는 것이였다. 바로 이것이 지금 진이가 간절히 바라는 바요, 진심으로 원하는 바였다.

(마) 사춘기 반항의 푸른 물결을 반추하게 해 주는 소설을 꼽으라고 한다면 단언컨대 열에 아홉은 『호밀밭의 파수꾼』을 꼽지 않을까? 뉴욕 맨해튼에 사는 부유한 가정 출신의 16세 소년, 홀든 콜필드가 사립 학교에서 쫓겨나면서 이틀 동안 경험하고 생각한 것들을 담고 있는, 시간상 짧은 이야기이지만 그 응집력은 어지간한 장편 소설을 넘어선다. 홀든은 잘사는 부모도, 그 밑에서 죽은 듯이 양전히 살아가지 못하는 자신도 싫다. 우리가 십 대 초반에 이래도 싫고 저래도 싫었던, 마치 '부정'이 역병처럼 돌던 시기를 관통했듯이 말이다. 그러던 와중에 세 번째 사립 학교에서 쫓겨난 홀든은 더는 어른들의 공허함 가득한 허위와 가식의 세계에 동참할 수 없다고 생각하게 된다. 어린 나이에 학교라는 자신의 사회, 그 경계 밖으로 쫓겨난 것이다. 하지만 그렇게 뛰쳐나온 홀든 앞에 펼쳐진 뉴욕의 거리 또한 그에게 새로운 희망을 주는 것은 아니었다. [중략] 마음과는 달리 떠날 수 없는 자신을 발견하며 홀든은 담담히 꿈을 이야기한다.

"그건 그렇다 치고, 나는 늘 넓은 호밀밭에서 꼬마들이 재미있게 놀고 있는 모습을 상상하곤 했어. 어린애들만 수천 명이 있을 뿐 어른이라고는 나밖에 없는 거야. 그리고 난 아득한 절벽 옆에 서 있어. 내가 할 일은 아이들이 절벽으로 떨어질 것 같으면 재빨리 붙잡아 주는 거야. 애들이란 앞뒤 생각 없이 마구 달리는 법이니까 말이야. 그럴 때 어딘가에서 내가 나타나서는 꼬마가 떨어지지 않도록 붙잡아 주는 거지. 말하자면 호밀밭의 파수꾼이 되고 싶다고나 할까. 바보 같은 얘기라는 건 알고 있어. 하지만 내가 정말 되고 싶은 건 그거야."

홀든의 속마음이 그대로 드러나는 이 구절을 읽으며 나는 괜스레 눈물이 났다. 그가 얼마나 아이이고 싶은지, 또 동시에 얼마나 어른이고 싶은지를 느낄 수 있었다. 또 절벽에서 자신을 붙잡아 줄 어른을 얼마나 기다리고 있는지 나는 알 수 있었기 때문이었다. 그것은 곧 자신이 절벽 위에 서서 온갖 바람을 맞고 언젠가는 낭떠러지로 떨어질지 모른다고, 누군가 붙잡아 달라는 소리 없는 외침이 아니었을까? 그리고 이러한 외침이 어른들의 세계에서 메아리도 없이 공허한 울림만으로 돌아오는 것을 깨달았을 때 홀든은 공허함을 느꼈을 것이다.

나는 누구도 나를 이해할 수 없는 순간을 경험하는 것이 꼭 필요하다고 생각한다. 왜냐하면 아무도 나를 이해해 주지 않으므로 절실하게 내가 나를 이해하려 들기 때문이다. 그 과정을 통해 진정한 자기애가 생긴다고 믿는다. 반항이나 방황이 필요한 까닭도 바로 그것이다. 하지만 우리 사회는 그것을 돌이킬 수 없는 강이라고 인식하는 커다란 오류를 범하고 있다. 반항과 방황은 돌이킬 수 없는 강이 아니라 인생이라는 강에서 불어오는 편서풍 같은 것이다.

(바) '해시태그(hashtag)'는 해시(#, hash) 기호를 사용하여 게시물에 꼬리표를 단다는 뜻으로, 특정 단어나 문구 앞에 해시 기호를 써서 게시물이 그 단어나 문구와 관련된 것임을 표시하는 기능을 가리킨다. 이후 검색 기능이 더해져 해시태그를 누르면 똑같은 해시태그를 단 글들이 검색된다. 해시태그가 널리 알려진 계기로 '아이스 버킷 챌린지' 기부 운동 사례를 들 수 있다. 이 기부 운동은 근위축성 측삭 경화증에 관한 관심을 불러일으키고 환자들을 위한 기부금을 모으기 위해 시작되었다. 참가를 원하는 사람이 얼음물을 뒤집어쓰는 동영상을 누리 소통망에 올린 뒤 다음 도전자 세 명을 지목하는 방식으로 기부를 이어 간다. 찬 얼음물이 닿을 때처럼 근육이 수축되는 병의 고통을 잠시나마 함께 느껴 보자는 취지이다. 2014년 여름부터 정치인, 연예인, 운동선수 등 유명 인사는 물론 전 세계의 다양한 사람이 이 운동에 참여하면서 기부가 급속도로 확산되었다.

(사) 나는 이제 너에게도 슬픔을 주겠다.
　　사랑보다 소중한 슬픔을 주겠다.
　　겨울밤 거리에서 귤 몇 개 놓고
　　살아온 추위와 떨고 있는 할머니에게
　　귤값을 깎으면서 기뻐하던 너를 위하여
　　나는 슬픔의 평등한 얼굴을 보여 주겠다.

내가 어둠 속에서 너를 부를 때

단 한 번도 평등하게 웃어 주질 않은

가마니에 덮인 동사자가 다시 얼어 죽을 때

가마니 한 장조차 덮어 주지 않은

무관심한 너의 사랑을 위해

흘릴 줄 모르는 너의 눈물을 위해

나는 이제 너에게도 기다림을 주겠다.

이 세상에 내리던 함박눈을 멈추겠다.

보리밭에 내리던 봄눈들을 데리고

추워 떠는 사람들의 슬픔에게 다녀와서

눈 그친 눈길을 너와 함께 걷겠다.

슬픔의 힘에 대한 이야기를 하며

기다림의 슬픔까지 걸어가겠다.

[문제 1] 제시문 (가), (나), (다), (라)에서 등장인물이 눈물을 흘리는 '이유'와 이를 계기로 등장인물에게 나타난 '변화'를 각각 찾아 하나의 완성된 글로 논술하시오. [40점, 550-570자]

[문제 2] '공감'이라는 측면에서 제시문 (마)와 (바)의 차이를 서술하고, 제시문 (바)에서 언급된 '도전자'가 기부행위를 할 때 고려할 점을 제시문 (라)와 (사)를 활용하여 서술하시오. [40점, 550-570자]

※ 다음 상황에 기초하여 문제에 답하시오.

• 평소 도자기 공예에 관심이 많은 영희는 찰흙으로 도자기 컵과 도자기 그릇을 만들어 판매하여 그 이익을 전액 기부하려고 한다. 영희는 최대 4시간까지 도자기 작업을 수행할 수 있고, 400g의 찰흙을 보유하고 있다.
• 찰흙으로 도자기 컵 한 개를 만들 때 소요되는 시간은 10분이고, 이때 필요한 찰흙의 양은 40g이다.
• 찰흙으로 도자기 그릇 한 개를 만들 때 소요되는 시간은 20분이고, 이때 필요한 찰흙의 양은 10g이다.
• 영희가 만든 도자기 컵 한 개가 판매될 확률은 0.5이고, 도자기 그릇 한 개가 판매될 확률은 0.2이다. 이때 도자기 컵과 그릇은 각각 독립적으로 판매된다고 가정한다.
• 도자기 컵 한 개를 판매할 때 얻을 수 있는 이익은 개당 4,000원이고, 도자기 그릇 한 개를 판매할 때 얻을 수 있는 이익은 개당 5,000원이다.

[문제 3] 영희가 이익의 기댓값을 최대로 하기 위해 만들어야 하는 도자기 컵과 그릇의 개수를 각각 구하시오. 그리고 이때 영희가 얻을 수 있는 이익의 기댓값을 구하시오. [20점]

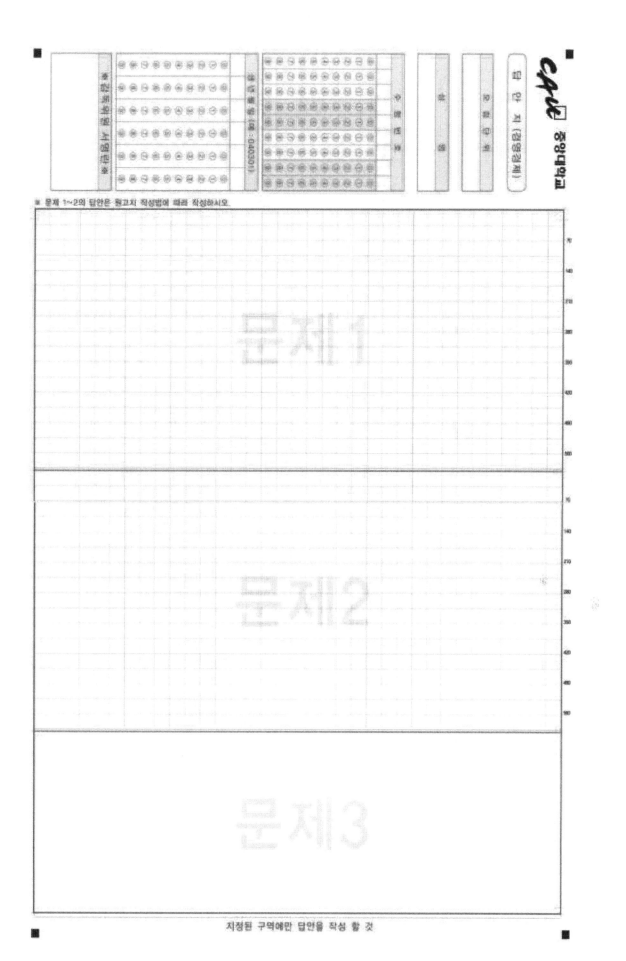

※ 문제 1~2의 답안은 원고지 작성법에 따라 작성하시오.

문제 1

문제 2

문제 3

지정된 구역에만 답안을 작성 할 것

15. 2021학년도 중앙대 수시 논술 [인문사회Ⅰ]

※ 다음을 읽고 물음에 답하시오.

(가) 절대적 최적화는 수학적으로 가장 작은 값을 찾는 것이고, 상대적 최적화는 이기적인 행동으로 개인의 만족도가 가장 높은 값을 추구하는 것이다. 출근을 하는 데 두 가지 선택지가 있다. 윗길은 고속도로로 넓은 대신에 길게 돌아가야 한다. 그리고 아랫길은 지름길로 짧지만 대신 좁다. 고속도로는 넓기 때문에 차가 1대가 가든 4대가 가든 언제나 10분이 걸린다. 그런데 지름길은 좁아, 이용 차량이 많을수록 길이 막혀 1대가 가면 1분이 걸리고, 2대가 가면 2분이 걸리고, 3대가 가면 3분이 걸리고, x대가 가면 x분이 걸린다. 만약 이 동네에 직장에 가는 사람이 10명이고, 이들이 각자 차를 타고 출근한다면 어떻게 가는 것이 가장 좋은 방법일까? 수식을 써서 푼다면 시간이 가장 적게 걸리는 최솟값이 나오는데, 그때 x=5가 된다. 즉 5명은 위로, 5명은 아래로 가야 한다. 그러면 위로 가는 사람은 고속도로이므로 10분씩 걸리고, 아래로 가는 사람은 5명이므로 5분씩 걸린다. 그래서 10분으로 가는 사람 5명하고, 5분으로 가는 사람 5명을 합치면 총 75분, 한 사람당 7.5분이 걸린다. 이것이 수학적으로 가장 좋은 절대적 최적화의 답이다. 그러나 실제 운전자들은 이 방법을 사용하지 않는다. 뭔가 불공평하기 때문인데, 고속도로로 가던 한 명이 지름길로 옮겨 가면 아래 지름길에는 차량 수가 5대에서 6대로 늘어나 6분이 걸리지만, 원래 고속도로에서는 10분이 걸렸던 사람이니 지름길을 선택하지 않을 이유가 없다. 도로 교통을 총괄하는 기관에서는 5:5로 질서 있게 나누어 가는 것이 모두에게 가장 좋은 답이라고 하겠지만, 개인에게는 이것이 좋은 답이 아니어서 지름길로 옮겨 갈 수밖에 없는 것이다. 그런데 문제는 한 사람만 이런 선택을 하는 게 아니라는 점이다. 두 번째 사람이 옮겨 가면 지름길에는 총 7대가 되어 7분이 걸리지만 고속도로로 갈 때보다 3분이 이익이므로 두 번째 사람도 지름길로 가게 된다. 이렇게 되면 세 번째, 네 번째, 다섯 번째 사람까지 모두 지름길을 택해, 10명이 모두 10분씩 총 100분이 소요되는 상황에 처하게 된다.

(나) 일천구백삼십사 년의 이 세상에도 기적이 있다. 그것은 P가 굶어 죽지 아니한 것이다. 그는 최근 일주일 동안 돈이 생긴 데가 없다. 잡힐 것도 없었고 어디서 벌이를 한 적도 없다. 그러나 그동안 굶어 죽지 아니하였다. P와 같은 인생을 이 세상에 하나도 없이 싹 치운다면 근로하는 사람이 조금은 편해질는지도 모른다. P가 소부르주아지* 축에 끼이는 인텔리가 아니요, 노동자였더라면 그동안 거지가 되었거나 비상수단을 썼을 것이다. 그러나 그에게는 그러한 용기도 없다. 그러면서도 죽지 아니하고 살아 있다. 그렇지만 죽기보다도 더 귀찮은 일은 그를 잠시도 해방시켜 주지 아니한다. 그의 아들 창선이를 올려 보낸다고 어제 편지가 왔고 오늘은 내일 아침에 경성역에 당도한다는 전보까지 왔다. 올라오는 길에 전에 잡지사에 있을 때 안 ○○인쇄소의 문선 과장을 찾아갔다. 월급도 일없고, 다만 일만 가르쳐 주면 그만이니 어린아이 하나를 써 달라고 졸라 대었다.

A라는 그 문선 과장은 요리조리 칭탈*을 하던 끝에 ―그는 P가 누구 친한 사람의 집 어린애를 천거하는 줄 알았던 것이다. ―

"보통학교나 마쳤나요?"

하고 물었다.

"아니요."

"그럼 왜 공부를 시키잖구?"

"인쇄소 일 배우는 것도 공부지."

"그건 그렇지만 학교에 보내야지."

"학교에 보낼 처지도 못 되고 또 보내 봤자 사람 구실도 못할 테니까……."

"거참 모를 일이……. 우리 같은 놈은 이 짓을 해 가면서도 자식을 공부시키느라고 애를 쓰는데 되려 공부시킬 줄 아는 양반이 보통학교도 아니 마친 자제를 공장엘 보내요?"

"내가 학교 공부를 해 본 나머지 그게 못쓰겠으니까 자식은 딴 공부를 시키겠다는 것이지요."

"글쎄, 정 그러시다면 내가 내 자식 진배없이 잘 데리고 있으면서 일이나 착실히 가르쳐 드린다마는……. 원, 너무 어린데 애처롭잖아요?"

"애처로운 거야 아비 된 내가 더하지요만 그것이 제게는 약이니까……."

P는 당부와 치하를 하고 인쇄소를 나왔다. 한짐을 벗어 놓은 것같이 몸이 가뜬하고 마음이 느긋하였다.

이튿날 아침 일찍 창선이를 데리고 ○○인쇄소에 가서 A에게 맡기고 내키지 않는 발길을 돌이켜 나오는 P는 혼자 중얼거렸다.

"레디메이드 인생이 비로소 겨우 임자를 만나 팔리었구나."

*소부르주아지: 부르주아(유산자)처럼 자산을 소유하지는 못했지만 프롤레타리아(무산자)도 아닌 중간 계층. 소상공인이나 소농인 및 지식인 등이 여기에 속함.
*칭탈: 무엇 때문이라고 핑계를 댐.

(다) 이런 땅을 팔기에는, 아무리 수입은 몇 배 더 나은 병원을 늘리기 위해서나 아버지께 미안하지 않을 수 없었다. 그러나 잡히기나 해 가지고는 삼만 원 돈을 만들 수가 없었고, 서울서 큰 양관을 손에 넣기란 돈만 있다고도 아무 때나 될 일이 아니었다.

'아버지께선 내년이 환갑이시다! 어머니께선 겨울이면 해마다 기침이 도지신다. 진작부터 내가 모셔야 했을 거다. 그런데 내가 시골로 올 순 없고, 천생 부모님이 서울로 가시어야 한다. 아버님의 말년을 편안히 해 드리기 위해서도 땅은 전부 없애 버릴 필요가 있는 거다!'

창섭은 샘말에 들어서자 동구에서 이내 아버지를 뵈일 수가 있었다.

"어떻게 갑재기 오느냐?"

"네. 좀 급히 여쭤봐야 할 일이 생겼습니다."

"그래? 먼저 들어가 있거라."

아버지는 아들의 뒤를 쫓아 이내 개울에서 들어왔다. 아들은, 의사인 아들은, 마치 환자에게 치료 방법을 이르듯이, 냉정히 채견채견히 이야기를 시작하였다. 외아들인 자기가 부모님을 진작 모시지 못한 것이 잘못인 것, 한집에 모이려면 자기가 병원을 버리기보다는 부모님이 농토를 버리시고 서울로 오시는 것이 순리인 것, 병원은 나날이 환자가 늘어 가나 입원실이 부족하여 오는 환자의 삼분지 일밖에 수용 못 하는 것…… 아버지는 아들의 의견을 끝까지 잠잠히 들었다. 그리고,

"점심이나 먹어라. 나두 좀 생각해 봐야 대답허겠다."

하고는 다시 개울로 나갔고, 떨어졌던 다릿돌을 올려놓고야 들어와 그도 점심상을 받았다.

점심을 자시면서였다.

"원, 요즘 사람들은 힘두 줄었나 봐! 그 다리 첨 놀 제 내가 어려서 봤는데 불과 여남은 이서거들던 돌인데 장정 수십 명이 한나절을 씨름을 허다니!"

"나무다리가 있는데 건 왜 고치시나요?"

"너두 그런 소릴 허는구나. 나무가 돌만 하다든? 넌 그 다리서 고기 잡던 생각두 안 나니? 서울루 공부 갈 때 그 다리 건너서 떠나던 생각 안 나니? 사람들은 모두 인정이란 게 사람헌테만 쓰는 건 줄 알드라! 내 할아버지 산소에 상돌을 그 다리로 건네다 모셨구, 네 어미두 그 다리루 가말 타구 내 집에 왔어. 나 죽건 그 다리루 건네다 묻어라…… 난 서울 갈 생각 없다."

"네?"

"천금이 쏟아진대두 난 땅은 못 팔겠다. 내 아버님께서 순수 이룩허시는 걸 내 눈으로 본 밭이구, 내 할아버님께서 손수 피땀을 흘려 모신 돈으루 작만 허신 논들이야. 돈 있다구 어디 가 느르지논 같은 게 있구, 독시장밭 같은 걸 사? 느르지논 둑에 선 느티나문 할아버님께서 심으신 거구, 저 사랑 마당에 은행나무는 아버님께서 심으신 거다. 그 나무 밑에를 설 때마다 난 그 어룬들 동상이나 다름없이 경건한 마음이 솟아 우러러보군 헌다. 땅이란 걸 어떻게 일시 이해를 따져 사구 팔구 허느냐? 땅 없어봐라, 집이 어딨으며 나라가 어딨는 줄 아니? 땅이란 천지만물의 근거야."

"……."

"팔지 않으면 그만 아닙니까?"

"자식의 젊은 욕망을 들어 못 주는 게 애비 된 맘으루두 섭섭허다. 그러나 이 늙은이헌테두 그만 신념쯤 지켜 오는 게 있다는 걸 무시하지 말어다구."

"아뇨, 아버지가 어떤 어룬이신 건 오늘 제가 더 잘 알았습니다. 우리 아버진 훌륭헌 인물이십니다."

그러나 창섭도 코허리가 찌르르하였다. 자기가 계획하고 온 일이 실패한 것쯤은 차라리 당연하게 생각되었고, 아버지와 자기와의 세계가 격리되는 일종의 결별의 심사를 체험하는 때문이었다.

아들은 아버지가 고쳐 놓은 돌다리를 건너 저녁차를 타러 가 버리었다. 동구 밖으로 사라지는 아들의 뒷모양을 지키고 섰을 때, 아버지의 마음도 정말 임종에서 유언이나

하고 난 것처럼 외롭고 한편 불안스러운 심사조차 설레었다.

(라)

　　면장: 어쨌든 칠산리 골짜기의 그 무덤을 옮기셔야 합니다.

　　장남: 몇십 년째 있던 무덤을…… 어디로 옮기라는 거죠?

　　면장: 이미 소식을 들으셨겠지만, 칠산리로 자동차 길을 냅니다. 산허리를 잘라 내고 골짜기를 메꿔야 길이 나는데, 그 무덤 때문에 공사가 늦어지고 있습니다.

　　장남: 그런 곳에 갑자기 자동차 길을 내다니요?

　　면장: 칠산리 주민들이 군청에 몰려가 시위를 했거든요. 깜짝 놀란 군수님이 자동차 길을 내 주기로 한 겁니다. 버스도 다니고 화물차도 다니면 사람들 형편이 좋아지게 되거든요.

　　장남: 물론 그렇겠지요. 하지만 우리 어머니 무덤은 그 자리에 그대로 두었으면 합니다.

　　면장: 안 됩니다. 오늘 안으로 옮기세요. 그 무덤 때문에 길 늦어진다고 칠산리 주민들이 야단입니다. 군청에서는 면장인 나더러 빨리 해결하라고 재촉하는데 연고자들은 어디 있는지 알 수 없구……. 그래서 생각 끝에 면사무소 문 앞에다 분묘 이장 공고를 써 붙였지요. 정말 놀랐습니다. 마지막 날인 오늘이 되니깐 하나둘씩 모여들더니…….

　　장남: 우리로서는 중대한 문젭니다. 어머니의 무덤을 옮긴다는 건. 자식들이 다 모여서 의논해 본 다음에 결정짓겠어요.

　　면장: (곤혹스러운 표정으로) 글쎄요……. 다 모여서 의논해 봐야만 결정짓겠다는 건 무슨 뜻이죠? 마치 그 결정에 따라 무덤을 옮길 수도 있고, 옮기지 않을 수도 있다는 것처럼 들리는데, 그런 뜻입니까?

　　장남: 물론이죠, 면장님.

　　면장: 이젠 면사무소 문 닫을 시간이 됐습니다. 칠산리 어머니의 무덤을 어떻게 할 건지 결정하시죠! [중략]

　　면장: 당신들의 심정은 알겠습니다. 당신들을 위해서 굶어 죽은 어머니, 그 어머니에 대한 애착이 대단하겠지요.

　　장남: 다른 사람들은 모를 겁니다. 우리들의 심정을요.

　　면장: 어쨌든 그 어머니가 묻힌 무덤은 옮겨야 합니다. (자식들에게 재촉한다.) 어서들 결정하세요! [중략]
　　　　　(난감한 표정으로) 그럼 유감스럽지만……. 칠산리 주민들이 당신들 어머니의 무덤을 파헤칠 겁니다.

　　장녀: (더욱 강경한 어조) 그렇게 할테면 하라죠! 그 무덤 옮기는 걸 반대하는 건 여기 있는 우리만이 아니에요.

　　차녀: (회의적인 태도로 고개를 흔든다.) 난 여기에 온 걸 후회해. 솔직히, 우리 손으로 어머닐 옮겨 드리고, 그만 빨리 돌아갔으면 좋겠어.

삼남: 칠산리는 지긋지긋해. 그곳은 우릴 반겨 주지도 않잖아? 우리가 칠산리를 아예 잊어버리는 것두 나쁜 건 아니라구. 오히려 냉정히 생각해 보면, 잊고 사는 것이 더 좋을 수도 있어.

장녀: (꾸짖는다.) 너희들, 많이 변했구나! 너희들은 이제 어머니의 자식들이 아냐!

삼남: (대항하듯이) 왜? 나도 어머니 자식이야. 칠산리를 인생의 전부인 양 붙잡고 있는 것만이 자식들이 할 일이라구 생각하지 마.

장녀: (분개해서 삼남의 뺨을 친다.) 누구야? 또 누구지? 우리들 중에서 칠산리를 부정하는 사람이 있으면 나와 봐! 정말 그냥 안 둘 테야!

삼녀: (두 손에 얼굴을 파묻으며 흐느낀다.) 싸우지 마……. 무서워……. 우리끼리 서로 싸우는 건 무섭다니깐…….

장남: (삼녀의 어깨를 감싸 안으며) 무서워할 것 없어. 우린 모두 어머니의 자식들이야. 오늘 여기에 온 사람, 무슨 이유에서든지 여기에 오지 않은 사람, 그 모두가 어머니에겐 똑같은 자식이라구. (자식들에게) 다들 마음을 진정하구 생각해 봐. 이 세상 어딜 가든지 칠산리와 똑같구, 우리가 겪은 고통도 다를 게 없더라구……. 우리가 모두 어머니의 자식이듯이, 어머니가 계시는 곳은 세상 어디든지 그곳이 칠산리야. (흐느끼는 삼녀를 데리고 무대 밖으로 퇴장하며) 우리는 칠산리로 가겠어. 어머니를 모셔 갈 사람들은 다 함께 칠산리로 가자구.

면장: 군청입니까? 여기는 월평면 면사무소입니다. 군수님, 이제 끝났습니다. 연고자들이 방금 칠산리를 향해서 떠났어요. 자기들 손으로 어머니의 무덤을 옮기겠답니다.

(마) 관료제 조직은 특정 목표를 달성하기 위해 구성원의 역할을 명확하게 구분하고 공식적인 규칙과 규정에 따라 운영하는 대규모 위계 조직이다. 관료제는 다음과 같은 특징을 지닌다. 첫째, 업무가 분화되고 전문화되어 있다. 세분화된 업무를 분업의 원리를 바탕으로 전문적으로 수행함에 따라 효율적으로 처리할 수 있다. 둘째, 위계가 서열화되어 있다. 조직 내에서 더 많은 권한과 책임이 있는 소수 상급자가 다수 하급자를 통제하고 감독하는 피라미드 형태를 띠고 있다. 셋째, 규칙과 절차에 의한 업무 수행이 이루어진다. 과업을 수행하는 절차가 표준화되어 있기 때문에 구성원이 바뀌어도 안정적으로 조직을 운영할 수 있다.

(바) 직업윤리는 직업 생활에서 지켜야 할 행동 기준과 규범을 뜻한다. 특수 직업윤리는 특정 직업에서 직무를 수행할 때 요구하는 행동 규범이다. 공직자는 국민 전체의 봉사자로서 공공의 목적을 달성해야 할 의무를 지니고 있다. 그래서 다른 직업에 비해 특정 개인이나 집단의 이익에 치우치지 않고 공익을 기준으로 정책을 결정하고 집행하는 공공성이 요구되며, 업무에 대한 전문성, 국민에 대한 봉사 정신 등의 높은 직업윤리 의식이 필요하다. 공직자가 가진 특권이나 사회적 영향력을 고려하면 그들

의 부정부패는 불신 풍조를 조장하고, 사회 통합과 안정을 위협하여 국가의 발전을 저해하는 요인이 될 수 있다. 따라서 이들은 사회에 대한 책임과 투철한 사명감으로 업무를 수행해야 하며, 주어진 권한을 남용하여 사익을 추구해서는 안 된다. (사) 공동체주의자들은 사회 구성원인 개인은 정의로운 사회와 좋은 삶을 위해 자신의 사익만을 추구하는 이기주의적 태도를 버리고, 연대의식을 가지고 사회 문제를 해결해야 하며, 공동선을 달성하기 위해 자발적인 봉사와 희생정신을 발휘해야 한다고 본다. 그러나 공동체주의가 그 사회만의 역사적·문화적 특수성을 존중한다고 해서 개인의 자유를 억압하는 부당한 관습과 정의롭지 못한 제도까지 수용하지는 않는다. 따라서 우리는 개인과 공동체 중 어느 한쪽만을 지나치게 중시해서는 안 되며, 양자를 상호 보완적인 관계로 바라보고 둘의 조화를 지향해야 한다. 즉 공동체는 개인의 자유와 권리를 최대한 보장하고, 개인은 공동체에 대한 의무를 적극적으로 다할 필요가 있다. 이를통해 개인선과 공동선의 조화가 적절히 이루어질 때 모든 구성원이 행복한 정의로운 사회가 실현될 것이다.

(아) "영감님네 땅을 내놓으셨다면서요? 그런데 뭘 그리 열심히 가꾸십니까. 이내 넘길 거라면서……."

"아니, 누가 그런 소릴 해?"

시뻘건 얼굴을 핵 돌리며 벽력같이 고함을 지르는 통에 김 씨가 움찔 뒤로 물러났다.

"어젯밤 반상회에서 댁의 며느님이 그러셨다는데요? 저도 우리 집 여편네한테 들은 소리라서."

더 들어 볼 것도 없이 강 노인은 곧장 집으로 뛰어갔다. 벗겨진 신발을 짝짝이로 꿰어 차고서. 얼갈이배추와 열무들을 다듬고 있던 마누라가 노인의 허둥대는 기세에 토끼 눈을 뜨고 일어섰다.

"그렇게 말한 게 아니라, 우리 아버님 근력이 쇠하셔서 올해일랑은 더 이상 일을 못하시니까 파실 모양이더라고 말했다는군요. 경국이 어미도 동네 사람들 닦달에 그냥 해 본 소리겠지요."

"그냥?"

"밭에다 그 지경을 해 댄 걸 보면 오죽했겠수. 뭐, 틀린 말도 아니고. 땅 팔아서 아들 살리고 남는 돈은 은행에 넣어 이자나 받으면 우리 식구 신간*이사 편치 뭘 그러슈."

밭이 그 지경이라는데도 마누라는 천하태평이다. 강 노인은 어이가 없어 그만 입을 다물어 버린다. 마누라는 이때다 싶은지 또 한차례 오금을 박는다. 어제 다녀간 복덕방 박 씨의 의미심장한 충고가 생각나서였다.

"팔육인가 팔팔인가 땜에 도로 주변 미화 사업이 한창이라는데 밭농사를 그냥 두고 보겠수? 팔팔 전에는 어차피 이곳에다가 뭐 은행도 짓고 병원도 짓게끔 계획되어 있다고 그럽디다. 시에다 팔면 금이나 제대로 쳐줍디까? 그 전에 제 가격 받고……."

"시끄러!"

"땅은 안 돼. 안 팔아!"

"고집 좀 그만 부리고 우선 집 앞에 거라도 떼어 팔아 발등의 불이라도 꺼 봅시다. 다 자식 잘되라고 하는 짓인데 왜 그러우?"

"자식 놈들 뒷바라지에 땅 다 날려 보낸 걸 몰라!"

자식 농사는 포기한 지 오래지만 해마다 씨를 뿌리고 수확을 거두는 재미만큼은 쉽게 포기할 수 없는 그였다. 씨 뿌린 땅에서 거두어들이는 수확이 아닌 담에야 어찌 땅 팔아서 그 돈으로 쌀 사고 채소 사며 살 수 있을 것인가. 농사꾼 주제로는 평생 만져 볼 엄두도 못 내는 큰돈이 굴러 들어왔어도 쉽게 생긴 내력만큼 쓰임도 허망하기 짝이 없었다. 그나마 이만큼이라도 마지막 땅 조각을 붙들고 있다는 위안이 강 노인에게는 큰 힘이 되었다.

*신간: 몸통.

(자) 피파 집행 위원회가 2002년 월드컵 개최국 결정 시기를 앞당기자 한국은 이에 맹렬히 반대하며 협상 시기를 지연하는 전략을 사용하기도 했다. 이후 유치 홍보 기간의 종반에 한국은 기존의 단독 개최 입장에서 한발 물러나 한일 공동 개최도 고려할 용의가 있다고 밝혔다. 이는 단순히 한국이 일본에 비해 불리하다고 생각했기 때문이 아니었다. 공동 개최가 양국 간의 화해와 협력이라는 외교적인 결실을 가져올 수 있고, 세계적으로 두 나라의 이름을 알릴 수 있다는 점에서 양쪽 모두 만족할 수 있는 좋은 대안이라고 판단한 것이다. 하지만 일본은 월드컵은 한 나라에서 개최되어야 한다는 피파 규정을 들어 공동 개최를 반대했다. 한일 간의 유치 경쟁이 과열 양상으로 흐르자 아시아 축구 연맹(AFC) 측에서 '한일 공동 개최'를 제안했고, 유럽 축구 연맹(UEFA) 회장이 이를 지지하면서 새로운 국면을 맞게 된다. 한국과 일본 모두 구한다는 조건을 동시에 만족시키는 '한일 공동 개최'는 유럽 세력의 호응을 받기에 충분했다.

[문제 1] 제시문 (가)~(라)에서는 다양한 의사결정이 나타난다. 제시문 (가), (나), (다), (라)에서 의사결정을 내린 '이유'와 그 결정으로 인해 초래된 '결과'를 찾아 하나의 완성된 글로 논술하시오. [40점, 550-570자]

[문제 2] 제시문 (라)에 나타난 '면장'의 행동을 제시문 (마)를 토대로 서술하고, '면장'이 직무를 수행할 때 갖춰야 할 자세를 제시문 (바)와 (사)의 논지를 통합적으로 고려하여 서술하시오. [40점, 550-570자]

[문제 3] 제시문 (다)의 창섭 아버지와 제시문 (아)의 강 노인이 땅에 부여한 의미의 차이를 서술하고, 자식들이 강 노인과의 갈등을 해결하기 위해 필요한 방법을 제시문 (자)를 활용하여 서술하시오. [20점, 400-420자]

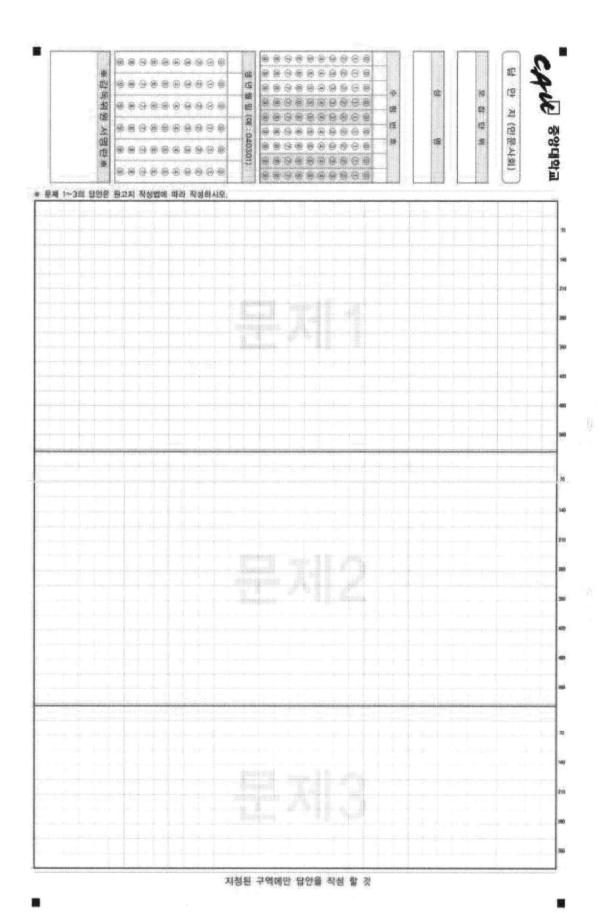

16. 2021학년도 중앙대 수시 논술 [인문사회 Ⅱ]

※ 다음을 읽고 물음에 답하시오.

(가) "그 애가 옆에 있다면 정말 좋으련만." 노인이 큰 소리로 말했다. 하지만 소년은 지금 자네 곁에 없잖아, 하고 그는 생각했다. 지금은 자네 혼자뿐이니 어둡건 말건 아무튼 마지막 줄이 있는 곳으로 가서 그것을 끊어 버리고 예비 줄 두 개를 연결해 두는 게 좋겠어. 그래서 노인은 그렇게 했다. 어둠 속이라 일하기 어려웠고, 한번은 고기 놈이 갑자기 움직이는 바람에 앞으로 고꾸라져 얼굴 아래가 찢어졌다. 그는 간신히 이물* 쪽으로 돌아가 판자에 몸을 기대고 쉬었다. 그리고 어깨의 힘으로 줄을 고정하면서 고기가 끌어당기는 힘을 주의 깊게 가늠해 보고 나서 한 손을 물에 담가 나아가는 조각배의 속도를 헤아려 보았다.

날이 밝기 시작하자 낚싯줄이 물속으로 풀려 내려갔다. 조각배는 한결같이 움직이고 있었고, 아침 해가 수평선 위에 첫 모습을 드러내자 노인의 오른쪽 어깨에 햇살이 비쳤다. 그때 조그만 새 한 마리가 북쪽에서 조각배를 향해 날아왔다. 휘파람새는 수면 가까이 아주 나지막하게 날고 있었다. 노인은 새가 몹시 지쳐 있다는 것을 알 수 있었다. 새는 배의 고물*에 가서 지친 날개를 쉬었다. 그리고 노인의 머리 위를 맴돌다가 이번에는 좀 더 편안한 낚싯줄 위에 가서 앉았다. "너 몇 살이냐? 이번 여행이 첫 나들이인 거야?" 노인이 새에게 물었다. 노인이 말을 걸자 새는 노인을 바라보았다. 새는 너무 기진맥진한 상태여서 제대로 낚싯줄을 살펴볼 겨를도 없어 보였다. 가냘픈 발가락으로 낚싯줄을 꽉 움켜잡고 있는 동안 아래위로 흔들거렸다.

"줄은 튼튼해. 아주 단단하다고. 간밤에는 바람 한 점 없었는데 그렇게 지쳐서야 되겠니." 노인이 새에게 말했다. "새들은 앞으로 도대체 어떻게 되는 걸까?" 저 새들을 노리고 바다까지 날아오는 매들이 있지, 하고 노인은 생각했다. "실컷 푹 쉬어라, 작은 새야." 그가 말했다. 밤 동안에 등이 뻣뻣했고 지금은 심한 통증까지 있었는데, 새에게 말을 걸고 나니 노인은 힘이 솟았다.

바로 그때 고기가 갑자기 요동치는 바람에 노인은 이물 쪽으로 그만 고꾸라지고 말았다. 갑자기 낚싯줄이 당겨지는 바람에 새가 하늘로 날아가 버렸지만, 노인은 새가 날아가는 것도 보지 못했다. 새와 벗 삼을 수 있을 거라 생각했기 때문에 노인은 그제야 사방을 둘러보면서 새를 찾았다. 그러나 새는 온데간데없었다. 오래 쉬지도 못하고 그만 가 버렸구나, 하고 노인은 생각했다.

*이물: 배의 앞부분.
*고물: 배의 뒷부분.

(나) 유세차* 모년 모월 모일에 미망인 모씨는 두어 자 글로써 침자에게 고하노니, 인간 부녀의 손가운데 종요로운* 것이 바늘이로되, 세상 사람이 귀히 아니 여기는 것은 도처에 흔한 바이로다. 이 바늘은 한낱 작은 물건이나, 이렇듯이 슬퍼함은 나의 정회가 남과 다름이라. 오호통재라, 아깝고 불쌍하다. 너를 얻어 손 가운데 지닌 지 우금 이십칠 년이라. 어이 인정이 그렇지 아니하리요. 슬프다. 연전에 우리 시삼촌께옵서

동지상사* 낙점을 무르와 북경을 다녀오신 후에, 바늘 여러 쌈을 주시거늘, 친정과 원근 일가에게 보내고, 비복들도 쌈쌈이 낱낱이 나눠 주고, 그중에 너를 택하여 손에 익히고 익히어 지금까지 해포되었더니, 슬프다. 연분이 비상하여 너희를 무수히 잃고 부러뜨렸으되, 오직 너 하나를 영구히 보전하니, 비록 무심한 물건이나 어찌 사랑스럽고 미혹지 아니하리오.

나의 신세 박명하여 슬하에 한 자녀 없고, 인명이 흉완하여 일찍 죽지 못하고, 가산이 빈궁하여 침선에 마음을 붙여 널로 하여 시름을 잊고 생애를 도움이 적지 아니하더니, 오늘날 너를 영결하니, 오호통재라. 민첩하고 날래기는 백대의 협객이요, 굳세고 곧기는 만고의 충절을 듣는 듯한지라. 그 민첩하고 신기함은 귀신이 돕는 듯하니, 어찌 인력이 미칠 바리요. 오호통재라, 자식이 귀하나 손에 서 놓을 때도 있고, 비복이 순하나 명을 거스를 때 있나니, 너의 미묘한 재질이 나의 전후에 수응*함을 생각하면, 자식에게 지나고 비복에게 지나는지라. 밥 먹을 적 만져 보고 잠잘 적 만져 보아, 널로 더불어 벗이 되어, 여름 낮에 주렴이며, 겨울밤에 등잔을 상대하여 누비며, 호며, 감치며, 박으며, 공글릴 때에, 겹실을 꿰었으니 봉미를 두르는 듯 땀땀이 떠 갈 적에 수미가 상응하고, 솔솔이 붙여 내매 조화가 무궁하다.

이 생애 백 년 동거하렸더니, 오호애재라, 바늘이여. 금년 시월 초십일 술시에 희미한 등잔 아래서, 관대 깃을 달다가, 무심 중간에 자끈동 부러지니 깜짝 놀라워라. 아야 아야 바늘이여 두 동강이 났구나.

*유세차: 제문의 첫머리에 관용적으로 쓰는 말.
*종요롭다: 없어서는 안 될 정도로 매우 긴요하다.
*동지상사: 조선 시대에 해마다 동짓달에 중국으로 보내던 사신의 우두머리.
*수응: 요구에 응함.

(다) 이 몸이 생겨날 때 임을 따라 생겼으니
　　　　한평생 연분이며 하늘 모를 일이던가.
　　　　나 하나 젊어 있고 임 하나 날 사랑하시니
　　　　이 마음 이 사랑 견줄 데 전혀 없다.
　　　　평생에 원하기를 함께 살자 하였더니
　　　　늙어서야 무슨 일로 외따로 두고 그리는가.
　　　　엊그제 임을 모셔 광한전*에 올랐는데
　　　　그사이에 어찌하여 인간 세상에 내려오니
　　　　올 적에 빗은 머리 흐트러진 지 삼 년일세.
　　　　황혼에 달이 따라와 베갯머리에 비치니
　　　　흐느끼는 듯 반기는 듯 임이신가 아니신가.
　　　　원앙금 베어 놓고 오색실을 풀어 내어
　　　　금자로 재어서 임의 옷을 지어 내니
　　　　솜씨는 물론이고 격식도 갖추었구나.
　　　　임에게 보내려고 임 계신 데 바라보니

산인가 구름인가 험하기도 험하구나.

천리만리 길을 뉘라서 찾아갈까.

가거든 열어 두고 나인가 반기실까.

동산에 달 오르고 북극에 별이 뵈니

임인가 반기니 눈물이 절로 난다.

하루도 열두 때 한 달도 서른 날

잠시라도 생각 말아 이 시름 잊자 하니

마음에 맺혀 있어 뼛속까지 사무쳤으니

편작*이 열이 온다 한들 이 병을 어찌하리.

어와, 내 병이야 이 임의 탓이로다.

*광한전: 달의 선녀인 항아가 산다는 누각.
*편작: 중국 춘추 전국 시대의 명의.

(라) 가족 뒷바라지로 항상 분주한 인희는 남편 정철이 퇴직하면 교외에서 살기 위해 전원주택을 짓고 있다. 그러던 어느 날 가끔 느끼는 통증 때문에 진료를 받으러 갔다가 자궁암 말기임을 알게 된다. 수술 후 인희의 병세는 더욱 악화되고, 인희는 자신의 죽음을 예상한다.

S# 73. 침실

조금은 어두운, 그러나 따뜻해 보이는. 인희, 정철, 조금은 낯설고 멋쩍게 침대에 걸터앉아 있다.

정철: (멀뚱하게 앞만 보며) 텔레비전이라도 하나 갖다 놓을걸. 심심하네.

인희: 여보, 나 소원 있어.

정철: 뭐?

인희: 나 무덤 만들어 줘.

정철: 언제는 답답해서 싫다고 화장해 달라며?

인희: 우리 엄마 화장하니까 별로더라. 강에 뿌렸는데 하도 오래되니까 여기다 뿌렸는지, 저기다 뿌렸는지 도통 기억에 없고. 여기 가서 울다 저기 가서 울다, 꼭 미친 사람처럼. 당신하고 애들은 그러지 말라고.

정철: ……

인희: 당신은…… 나 없이도 괜찮지?

정철: (인희를 본다.)

인희: 잔소리도 안 하고 좋지, 뭐.

정철: (고개를 돌리며) 싫어.

인희: 나…… 보고 싶을 것 같아?

정철: (고개를 끄덕인다.)

인희: 언제? 어느 때?

정철: 다.

인희: 다 언제?

정철: 아침에 출근하려고 넥타이 맬 때.

인희: (안타까운 마음으로 본다.) 또?

정철: (고개를 돌려, 눈물을 참으며) 맛없는 된장국 먹을 때.

인희: 또?

정철: 술 먹을 때, 술 깰 때, 잠자리 볼 때, 잘 때, 잠 깰 때, 잔소리 듣고 싶을 때, 어머니가 망령부릴 때, 연수 시집갈 때, 정수 대학 갈 때, 그놈 졸업할 때, 설날 지짐이 할 때, 추석날 송편빚을 때, 아플 때, 외로울 때.

인희: (눈물이 그렁그렁하고, 괜한 옷섶만 만지고 두리번거리며) 당신, 빨리 와. 나 심심하지 않게. (눈물이 주룩 흐른다.)

정철: (인희를 안고, 눈물 흘린다.)

인희: (울며 웃으며) 여보, 나 이쁘면 뽀뽀나 한번 해 줘라.

정철: (인희 얼굴을 손으로 안고, 입을 맞춰 준다.) 고마웠다.

(마) 인류 중 불행하고 불쌍한 자 중에 가장 불행하고 불쌍한 자는 무정한 사회에 사는 사람이요, 복 있는 자 중에 가장 다행하고 복 있는 자는 유정한 사회에 사는 사람입니다. 사회에 정의*가 있으면 화기*가 있고, 화기가 있으면 흥미가 있고, 흥미가 있으면 활동과 용기가 있습니다. 우리 대한 사회는 무정한 사회입니다. 다른 나라에도 무정한 사회가 많겠지만, 우리 대한 사회는 가장 불쌍한 사회입니다. 민족의 사활 문제를 앞에 두고도 냉정한 우리 민족입니다. 우리가 하는 운동에도 동지 간에 정의가 있었던들 효력이 더욱 많았겠습니다. 정의가 있어야 단결도 되고 민족도 흥하는 법입니다.

정의는 본래 천부*한 것이언만, 유교를 숭상하는 데서 우리 민족이 남을 공경할 줄은 알았으나, 남을 사랑하는 것은 잊어버렸습니다. 또 혼상, 제사도 허례로 기울어지고 진정으로 하는 일이 별로 없습니다. 여러분의 유년 시절을 회고해 보십시오. 사람과 사람 사이에 서로 사랑하는 정이 생김은 당연하거늘 우리 사회에서는 부모와 자녀, 형과 아우 사이에 아무 정의가 없습니다. 어른들이 어린 아이를 대할 때 한 개인의 완희물*로 여깁니다. 또한, 집 안에 계신 조부모나 부모는 호령과 매 때리기로만 일을 삼으므로 아이들은 매를 맞을 생각에 떨고 있습니다. 이같이 하여 강보에서부터 공포심만 가득한 생활을 하던 아이가 가정을 벗어나서 학교에 가면 훈장이라는 이가 또한 호랑이 노릇을 합니다. 또 시부모와 며느리, 형과 아우, 모든 식구가 다 서로 원수입니다. 관민 간에도 그러합니다. 리에, 면에, 군에, 도에 가 보십시오. 어디서든지 찬바람이 아니 부는 데가 없습니다. 그보다 더 기막힌 것은 남녀 간의 무정함입니다. 우리네의 가정에서 부부가 만일 서로 보고 웃었다가는 큰 결딴이 납니다.

이제 한 번 눈을 돌려 다정한 남의 사회를 봅시다. 그들의 가정에서는 부모가 결코 노하지 않습니다. 식탁에서도 아이를 특별히 대우합니다. 우리 가정에서처럼 역정을 내며 먹으라고 호령하지 않습니다. 선생이 학생을 친절히 대접하므로 학생들은 선생을 매우 따르고 학교에 가고 싶어합니다. 학교뿐 아니라 선차*에도, 집회에도 화기가 있습니다.

우리가 우리 사회를 개조하자면 먼저 다정한 사회를 만들어야 하겠습니다. 우리는 선조 적부터 무정한 피를 받았기 때문인지 아무래도 더운 정이 없습니다. 그러므로 정의를 기르는 공부를 해야겠습니다. 그러한 뒤에야 참삶의 맛을 알겠습니다.

*정의: 서로 가깝게 지내어 친하여진 정.
*화기: 화목한 기운.
*천부: 하늘이 줌. 또는 태어날 때부터 지님.
*완희물: 장난하며 희롱하는 대상.
*선차: 배와 수레. 여러 사람이 이용하는 대중교통을 의미함.

(바) 사람들이 모여 살아가는 곳에서는 갈등과 그것을 해결하려는 노력이 항상 존재한다. 갈등을 해결하려면 관련된 모든 사람이 열린 마음으로 진지하게 대화하고 타협하는 의사소통의 과정이 필요하다. 사회 구성원 간의 의사소통이 잘 이루어지려면 구성원 간에 합리성을 공유해야 한다. 담론의 중요성을 강조한 하버마스는 이러한 합리성을 의사소통적 이성이라고 하였다.

의사소통적 이성을 발휘하여 바람직한 의사소통을 하려면 이를 향상하기 위한 대화와 토론을 활성화해야 한다. 또한, 모든 사람이 대화와 토론에 항상 참여할 수 있도록 제도적 장치를 마련해야 한다. 이러한 노력으로 의사소통이 바람직하게 이루어지면 참여자들은 스스로 서로의 주장을 인정하고 합의한 사항을 지키게 된다. 이와 같은 화해와 자율 정신은 현실 사회를 비판적이면서도 건설적으로 바라볼 수 있게 한다. 또한, 의사소통의 과정에서 드러난 왜곡된 부분을 바로잡아 자유로운 의사소통을 할 수 있도록 돕고 사회가 발전하는 원동력으로 작용한다.

우리 사회에서 이루어지는 대부분의 일은 대화와 토론, 즉 의사소통으로 형성되고 유지되므로 사회 구성원의 의사소통 행위는 윤리와 떼려야 뗄 수 없는 관계이다. 다시 말해, 바람직한 방향으로 의사소통이 이루어지면 우리 사회가 옳은 방향으로 나아가지만, 왜곡된 의사소통이 이루어지면 그 반대의 방향으로 가게 된다. 따라서, 윤리적 기준에 근거하여 의사소통을 원활하게 해나가야 한다.

그러나 우리는 자유롭고 평등하게 대화에 참여한다고 말하지만, 권력과 돈의 위력 등 외부의 압력으로 자신이 하고 싶은 주장이나 반론을 하지 못하는 경우가 있다. 또한, 상대방의 말을 왜곡하여 자신에게 유리하게 몰아가고, 거짓을 진실인 것처럼 호도하는 경우도 볼 수 있다. 이처럼 윤리적인 기준을 무시하는 왜곡된 담화는 화해와 평화가 아니라 갈등의 심화와 분쟁을 초래한다.

(사) 과거 서양의 사상가들은 전통적으로 도덕의 문제를 정념과 이성 간의 싸움으로 설정하였고, 이 싸움에서 이성이 승리하는 것이 곧 선이요 덕이라는 입장을 취하였다. 따라서 '이성에 의한 정념의 지배'는 오랫동안 서양 윤리학의 공리와도 같은 것이었다. 하지만 흄에 따르면 이성은 행위의 동기를 제공하지 못하며, 이성의 능력인 지

성은 그 자체로는 우리가 실천할 수 있게 만드는 힘을 가지고 있지 않다. 다만 이성은 바람직한 행위의 방향을 제시할 뿐이며, 감정만이 의지에 영향을 미쳐 우리가 도덕적 행위를 하게 만든다. 따라서 도덕적 활동은 지적 판단에 의한 것이 아니라, 어떤 것에 대한 시인(是認)의 감정이나 부인(否認)의 감정에 의해서 결정된다. 물론 시인의 감정과 부인의 감정은 개인들 각자의 주관적 감정이라기보다는 우리가 공통적으로 느끼는 사회적인 감정들이다. 흄에 따르면, 우리 모두는 타인의 행복과 불행을 함께 느낄 수 있는 공감 능력을 가지고 있다. 그리고 공감 능력은 인류 전체의 복지에 대해 동정심을 갖도록 만든다. 흄은 이를 다음처럼 설명한다. "그(도덕적 판단을 내리는 자)는 자신의 개인적이고 특수한 상황을 떠나 타인과 공유할 수 있는 관점을 취해야 한다. 그는 인간 본성 안의 보편적 원리를 움직여, 모든 인간이 거기에 화답할 수 있는 소리를 내야 한다."

(아) 죄형 법정주의는 어떤 행위가 범죄가 되고 그 범죄에 대하여 어떤 처벌을 할 것인가를 의회가 제정한 법률로 미리 규정해 두어야 한다는 원칙이다. 이에 따라 국가는 아무리 사회적으로 비난받아야 할 행위라도 법률이 이를 범죄로 규정하지 않는 한 처벌할 수 없다. 이처럼 죄형 법정주의는 강력한 권력 수단인 형벌권의 남용을 방지하여 국민의 자유와 권리를 보장하는 기준이 된다. 한편, "법률 없으면 범죄 없고 형벌도 없다."라는 형식적 의미의 죄형 법정주의는 법률만 있으면 그 내용을 문제 삼지 않아 부당한 법률에 의한 형벌권의 남용을 방지하기 어려웠다. 이에 따라 "적정한 법률 없으면 범죄 없고 형벌 없다."라는 실질적 의미의 죄형 법정주의가 확립되었다. 실질적 의미의 죄형 법정주의는 법률의 내용이 정의에 합치하고 적정할 것을 요구함으로써 법관의 자의뿐만 아니라 입법자의 자의로부터 국민의 자유와 권리를 보장한다. 현대적 의미의 죄형 법정주의는 이와같은 실질적 의미의 죄형 법정주의를 의미한다.

(자) 정보화로 시공간적 제약이 극복되고 실시간 정보 교류가 활성화되면서 생활 양식이 크게 변화하였다. 또한 사회 전반에 걸쳐 누리 소통망(SNS)이 확산되면서 인간관계의 폭이 확대되었고, 다양한 문화를 접할 수 있게 되었다. 원격 진료, 원격 근무, 온라인 교육, 전자 행정 서비스 등을 통해 우리의 일상생활은 더욱 편리해졌다. 한편 개인 및 국가 간 정보 격차가 소득 및 국가의 빈부 격차로 이어질 것이라는 우려도 있다. 정보의 소유와 활용 능력에 따른 사회 불평등 구조가 형성되고 사이버 범죄, 사생활 침해와 같은 문제가 나타나고 있다. 뿐만 아니라 개인 정보 유출, 지적 재산권 침해, 인터넷의 익명성을 악용한 악성 댓글 등의 문제도 발생하고 있다.

[문제 1] 제시문 (가)~(라)에서는 '정'이 다양하게 나타난다. 제시문 (가), (나), (다), (라)에서 등장인물이 정을 주는 이유와 이들이 느끼는 감정을 찾아 하나의 완성된 글로 논술하시오. [40점, 550-570자]

[문제 2] 제시문 (라)를 토대로 제시문 (마)의 '무정한 사회'가 '다정한 사회'로 나아가기 위한 조건을 서술하고, 제시문 (마)의 '다정한 사회'가 이루어진 후 우리 사회가 더욱 발전하기 위해 갖춰야 할 조건을 제시문 (바)와 (사)의 논지를 통합하여 서술하시오. [40점, 550-570자]

[문제 3] 제시문 (자)의 문제에 대처하는 데 있어 제시문 (아)의 형식적 의미의 죄형 법정주의가 갖는 한계를 서술하고, 제시문 (아)의 실질적 의미의 죄형 법정주의를 실행하기 위해 필요한 사회적인 조건을 제시문 (사)를 토대로 서술하시오. [20점, 400-420자]

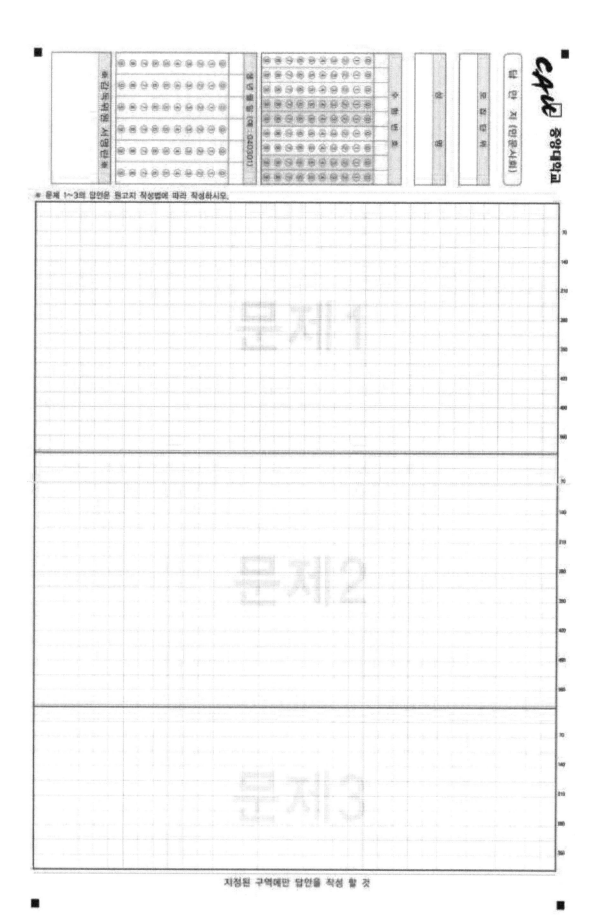

17. 2021학년도 중앙대 수시 논술 [경영경제Ⅰ]

※ 다음을 읽고 물음에 답하시오.

(가) 그날따라 어머니는 내 생각으로 눈을 감고 있었다. 그런데 뭔가 발등을 타고 넘어갔다. 눈을 떠 보니 아주 귀여운 다람쥐다. 숱하게 보아 온 동물이지만 그날은 특별하게 보였다. 겨울잠에서 깬 후 충분히 먹지 못했는지 여위어 보였다.

"옜다. 이거 먹으렴."

막내를 서울로 떠나보낸 지도 10년이 넘는다. 자식들은 철들기도 전에 모두 서울로 떠났다. 어머니는 갑자기 눈시울을 문질렀다. 외로움 때문이다. 그리움 때문이다. 다람쥐가 어머니의 가슴속에 있는 그리움을 불러낸 셈이다.

"자아, 많이 먹어라. 아침이 든든해야 해. 요즘 젊은 것들은 아침을 빵에다 우유로 때운다고 하더라만, 사람은 아침이 든든해야 써. 내일도 오너라. 알았지?"

어머니는 꼭 자식을 보는 심정이었다. 어머니는 자식들을 키우는 데 평생을 바쳤다. 하지만 자식들이 커 버리자 이상하게도 허탈했다. 모두 손에 잡히지 않는 곳으로 떠나가 버린 듯했다.

그날부터 다람쥐는 매일 어머니를 찾아왔다. 어머니는 다람쥐에게 많은 이야기를 들려주었다. 항상 어머니의 이야기를 들어 준다. 전에는 밤늦게 일에 지쳐서 들어오면 그냥 쓰러져 잤다. 밥상 차릴 기운도 없었다. 그런데 다람쥐가 반기면서부터 달라졌다. 어머니는 아무리 몸이 고달파도 밥을 먹는다. 막내의 밥그릇을 차지한 다람쥐는 이제 하찮은 동물이 아니다. 언제부턴가 어머니는 외롭지 않다는 생각을 하였다. 그러고 보니 외로움도 별게 아니었다. 누군가와 이야기를 하니까 쉽게 없어지니 말이다.

어머니는 다람쥐 어미를 정성스럽게 보살폈다. 보고 들은 경험으로 다람쥐의 먹이를 구하고, 밥도 주었다. 묵은 밤도 구해다 주었다. 사실 지난봄부터 다람쥐는 스스로 먹이를 구하지 않았다. 애써서 먹이를 구할 필요가 없었다. 어머니가 다 구해다 주었기 때문이다. 어머니는 다람쥐의 식성을 잘 알았다. 새끼들은 무럭무럭 자랐다. 수컷 다람쥐는 서너 번 보이더니 사라졌다. 다른 동물들에게 당한 모양이다. 그래서 암컷 다람쥐는 더욱 먹이를 어머니에게 의존했는지 모른다. 어머니는 암컷 다람쥐가 얼마만큼 게을러져 있는지 몰랐다. 다람쥐는 먹이를 구하려는 노력을 전혀 하지 않았다.

(나) S# 4. 언덕길(밤) - 눈

만석: 이런 날은 쉬지……. 뭘 하러 나왔어? 이깟 파지 주워서 몇 푼이나 번다고……!

송 씨: (심드렁 본다.)

만석: 아무도 없는 게야? 밥 멕여 줄 식구나 자식이 없어?

송 씨: ……! (서글퍼지는……. 못 들은 척 외면하며 무릎을 짚고 일어난다.) 그럴 처지나 되나요.

송 씨 옆에 멈추는 만석의 오토바이, 불쑥 우유 하나를 내민다.

만석: (덤덤) 들어! 우유가 뼈에 좋대!

송 씨: 안 그러셔도 돼요.

　　　송 씨, 싫지 않은 표정이다.

S# 45. 송 씨 집 계단(낮) 송 씨 집 계단에 앉아 있는 만석과 송 씨.

송 씨: 이름은 아버지가 짓는 거라며…… 징용 가신 아버지가 돌아오길 기다리다 결국 이름도 없이 살았어요. 그러다 사람들이, 송 씨니까…… '송 씨야 송 씨야' 하고 불렀다고요!

만석: (끄덕끄덕)

S# 58. 동 주민 센터(낮) 송 씨를 끌고 동 주민 센터 안으로 들어가는 만석.

연아: (벌떡 일어서며) 할아버지! 여긴 어쩐 일이세요?

만석: 접때 혼자 사는 노인들한테 돈 나온다 그랬지?

연아: 독거노인 보상 급여요?

만석: 얼마나 나와?

연아: 한 10만원 정도 나올걸요.

송 씨: 한 달 꼬박 모아도 힘든 돈인데…… 가…… 감사합니다. 정말 감사합니다…….

연아: 할머니, 일단 주민 등록증 주세요.

송 씨: ……. (머뭇머뭇) 그게 없는데…….

연아: 그럼 일단 등록 신청부터 할게요. 성함이 어떻게 되시죠?

송 씨: 송 씨요.

연아: 그다음은요?

송 씨: 그냥……. 송……. 그게……. (머뭇)

만석: 이뿐이야.

연아: (이름을 적는데…….)

만석: 아니 이쁘다 할 때 이쁜 말고…… 송이, 뿐이다 할 때, "이뿐", 그래……. 빨리 써……!

　　　연아, 얼떨결에 빈칸을 채우고……. 만석, 송 씨를 보며 눈을 찡긋찡긋…….

S# 61. 송 씨 방(낮) 송 씨의 손에 이끌려 방으로 들어온 연아.

연아: 짜잔! 송이뿐 할머니 주민 등록증 나왔어요.

송 씨: 아이구 아이구……. (받아 본다.) 이게 내 이름이라구? 송…… 이……뿐!

연아: 주소지는 여기로 했구요……. 복지과에서 심사가 끝나는 대로 지원금은 나올 거예요.

송 씨: 이거 고마워서 어떡해요.

　　　부엌으로 나가는 송 씨, 뭔가를 덜거덕거리며 만들고…….

연아: 할머니! 할아버지 안 무서우세요?

송 씨: 입이 걸어 그렇지, 속은 순한 데가 많은 분이잖수.

연아: 네……. 혹시 할아버지랑 사귀세요?

169

순간 젓가락이 손에서 바닥으로 쨍그랑…….

연아: 괜찮으세요?

송 씨: 손이 미끄러워서…….

연아: '송이뿌운' 이름을 말씀하실 때 꼭 '송이뿐이다' 하는 소리처럼 들리더라고요.

(다) 사회 속의 모든 개인은 자신의 행복한 삶을 위해 활동하지만, 살아가다가 빈곤, 질병, 장애, 실업과 같이 다양한 어려움이나 위험에 직면할 수 있다. 이러한 어려움이나 위험은 개인의 안정적인 삶을 위협할 뿐만 아니라, 사회 문제를 일으키기도 한다. 자유방임주의에 기초한 초기 자본주의 시대에는 빈곤과 같은 어려움의 책임이 개인에게 있다고 여겼기 때문에 빈민 구제도 민간의 자선 차원에서 이루어졌다. 그 후 빈부 격차, 실업 등 자본주의 사회의 구조적 모순이 심화되고 취약 집단의 어려운 삶이 사회적 쟁점으로 등장하자 이를 극복하기 위한 국가의 개입이 필요해졌으며, 이를 계기로 사회 복지의 중요성이 싹트기 시작했다. 사회 구성원들의 안전하고 행복한 생활을 실현하기 위해 마련된 복지 제도의 역할은 개인적 차원과 사회적 차원으로 나누어 볼 수 있다. 먼저, 개인적 차원에서는 질병, 사고, 산업 재해, 노령 등의 위험이 닥쳤을 때 이를 극복할 수 있도록 돕는다. 또 저소득층, 중증 장애인, 돌봄이 필요한 노인이나 어린이 등 어려움에 처한 이들의 기본적 욕구 충족을 보장하고 공적 서비스를 제공하여 최소한의 인간다운 삶을 살아갈 수 있도록 지원한다. 사회적 차원에서는 복지 문제에 대한 사회적 책임을 강조함으로써, 사회 구조와 제도를 개선하는 역할을 한다. 또 소득을 재분배하고 사회 구성원의 기본적 생활을 보장함으로써 인간의 존엄성과 인간다운 생활을 할 권리를 실현하여 사회 안정과 통합에 기여한다.

(라) 그 무렵 집에 드나들던 파출부가 어느 날 나한테 이런 소리를 했다.

"세상 사람들이 눈이 멀어도 분수가 있지. 왜 사모님 같은 분을 효부 표창에서 빠뜨리느냐 말예요. 별거 아닌 사람들이 다 효자 효녀 효부라고 신문에 나고 상금도 타던데."

그 여자가 순진하게 분개하는 소리를 들으며 나는 나의 완벽한 위선에 절망했다. 나는 벌써부터 내 속에서 증오와 절망적인 쾌감이 지글지글 끓어오르는 걸 느끼고 있었다. 그날 이후 나는 몸져누웠다. 몸살에 신경 안정제의 후유증까지 겹쳐 정신과 치료까지 받지 않으면 안 되었다. 집안 꼴이 엉망이 되었다. 정신과 의사도 그런 귀띔을 했지만, 시어머님을 한동안 어디로 보낼 수 있었으면 하는 논의가 본격화된 것은 그분의 친정 조카들로부터였다. 그런 분을 잠시라도 맡아 줄 만한 아들이나 딸이 또 있는 것도 아니니까 입원을 일단 생각해 보았던 것 같다. 〔중략〕

처음으로 남편한테서 그런 기관에 대한 구체적인 얘기를 들은 셈이었다.

"시설은 어때요? 살 만해요? 주위 환경은요?"

"그렇게 궁금하면 같이 가 볼래?"

이렇게 해서 오래간만에 동부인해서 기차를 탔고, 완행열차나 서는 작은 역에서 내

170

린 우리는 다시 버스를 타고 포장 안 된 시골길을 한 시간이나 달렸다. 기도원 대신 무슨 암자라는 이름이 붙은 그곳은 거기서도 한참을 더 가야 한다고 했다. 좀 떨어진 데 초가가 보였다. 초가지붕 위엔 방금 떠오른 보름달처럼 풍만하고 잘생긴 박이 서너 덩이 의젓하게 자리 잡고 있었다.

"여보 저 박 좀 봐요. 해산 바가지 했으면 좋겠네."

나는 생뚱한 소리로 환성을 질렀다.

실로 오래간만에 기쁨과 평화와 삶에 대한 믿음이 샘물처럼 괴어 오는 걸 느꼈다. 내가 첫애를 뱄을 때 시어머님은 해산달을 짚어 보고 섣달이구나, 좋을 때다, 곧 해가 길어지면서 기저귀가 잘 마를 테니, 하시더니 그해 가을 일부러 사람을 시켜 시골에 가서 해산 바가지를 구해오게 했다.

"잘생기고, 여물게 굳고, 정한 데서 자란 햇바가지여야 하네, 첫 손자 첫국밥 지을 미역 빨고 쌀 씻을 소중한 바가지니까."

이러면서 후한 값까지 미리 쳐주는 것이었다. 그럴 때의 그분은 너무 경건해 보여 나도 덩달아서 아기를 가졌다는 데 대한 경건한 기쁨을 느꼈었다. 이윽고 정말 잘 굳고 잘생기고 정갈한 두 짝의 바가지가 당도했고, 시어머니는 그걸 신령한 물건인 양 선반 위에 고이 모셔 놓았다. 그건 해산 사발이라고 했다. 그 잘생긴 해산 바가지를 미역 빨고 쌀 씻어 두 개의 해산 사발에 밥 따로 국 따로 퍼다가 내 머리맡에 놓더니 정성껏 산모의 건강과 아기의 명과 복을 비는 것이었다. 그런 그분의 모습이 어찌나 진지하고 아름답던지, 비로소 내가 엄마 됐음에 황홀한 기쁨을 느낄 수가 있었고, 내 아기가 장차 무엇이 될지는 몰라도 착하게 자라리라는 것 하나만은 믿어도 될 것 같은 확신이 생겼다.

그분은 어디서 배운 바 없이, 또 스스로 노력한 바 없이도 저절로 인간의 생명을 어떻게 대접해야 하는지를 알고 있는 분이었다. 그분이 아직 살아 있지 않은가, 그분의 여생도 거기 합당한 대우를 받아 마땅했다. 나는 하마터면 큰일을 저지를 뻔했다. 그분의 망가진 정신, 노추한 육체만 보았지 한때 얼마나 아름다운 정신이 깃들었었나를 잊고 있었던 것이다. 비록 지금 빈 그릇이 되었다해도 사이비 기도원 같은 데 맡겨 있지도 않은 마귀를 내쫓게 하는 수모와 학대를 당하게 할 수는 없는 일이었다. 나는 남편이 막걸릿병을 다 비우기도 전에 길을 재촉해 오던 길을 되돌아섰다. 시어머님은 그 후에도 삼 년을 더 살고 돌아가셨지만 그동안 힘이 덜 들었단 얘기는 아니다. 그분의 망령은 여전히 해괴하고 새록새록 해서 감당하기 힘들었지만 나는 효부인 척 위선을 떨지 않음으로써 조금은 숨구멍을 만들 수가 있었다. 너무 속상할 때는 아이들이나 이웃 사람의 눈치 볼 것 없이 큰 소리로 분풀이도 했고 목욕시키거나 옷 갈아 입힐 때는 아프지 않을 만큼 거칠게 다루기도 했다. 너무했다 뉘우쳐지면 즉각 애정 표시에도 인색하지 않았다.

위선을 떨지 않고 마음껏 못된 며느리 노릇을 할 수 있고부터 신경 안정제가 필요 없게 됐다. 시어머니도 나를 잘 따랐다. 마치 갓난아기처럼 천진한 얼굴로 내 치마꼬리만 졸졸 따라다녔다. 외출했다 늦게 돌아오면 그분은 저녁도 안 들고 어린애처럼 칭얼대며 골목 밖에서 나를 기다리고 있곤했다. 임종 때의 그분은 주름살까지 말끔히 가셔 평화롭고 순결하기가 마치 그분이 이 세상에 갓 태어날 때의 얼굴을 보는 것 같았다. 나는 마치 그분의 그런 고운 얼굴을 내가 만든 양 크나큰 성취감에 도취했었다.

(마) 감성 로봇은 홀로 사는 노인의 고독사, 일을 중시하고 혼자 사는 것을 선호하는 비혼족의 증가, 여러 사정에 따른 가족 해체 등 현 사회가 직면한 문제에 대응할 수 있는 가장 적절한 해결책으로 주목받으면서 그 수요가 더욱 커질 전망이다. 감정 인식 로봇 '페퍼'는 인간처럼 감정을 이해할 수 있다. 사람의 표정 변화를 관찰하여 슬픔이나 기쁨 등의 감정을 파악하고, 목소리의 높낮이와 떨림 등으로 상대방의 근심을 감지한다. 페퍼의 정서적 기능은 이미 유아 수준을 뛰어넘었다는 평가를 받는다. 노인을 위한 간호용 로봇도 등장했다. 강아지처럼 생긴 로봇 '미로'는 홀로 사는 노인들의 벗이자 간병인 역할을 맡는다. 노인 곁을 따라다니며 약 먹을 시간을 알려 주고, 누가 찾아오면 그 사람이 누구인지 확인해 준다. 노인들의 외로움을 덜기 위한 가벼운 대화도 나눌 줄 안다. 카메라로 노인의 움직임을 매일 확인하며, 건강에 문제가 발생했다고 판단하면 가족이나 병원에 직접 연락을 취하기도 한다.

(바) 감정은 비이성적이고 비효율적이지만 인간됨을 규정하는 본능으로, 감정에 따라 판단하고 의지적으로 행동하는 인간에게 감정은 강점이면서 동시에 결함이 된다. 논리적으로 설명할 수 없는 인간의 행동은 대부분 감정과 의지에서 비롯한 것이다. 인류는 진화의 세월을 거쳐 공감과 두려움, 만족 등 다양한 감정을 발달시켜 왔다. 인간의 감정과 의지는 수백만 년의 진화 과정에서 인류가 살아남으려고 선택한 전략의 결과이다. 인공지능 시대는 필연적으로 인간의 본질과 삶의 의미에 대해 근원적 질문을 던진다. 인공지능과 자동화는 우리에게 기계가 인간을 능가할 수 없는, 기계가 도저히 흉내낼 수 없는 인간의 능력이 무엇이냐고 묻는다. 이것이 단지 기계와의 경주에서 살아남기 위해 경쟁력 있는 직업을 유지할 수 있는 인간만의 고유한 기능이 무엇인지를 묻는 게 아니다. 인공지능이 점점 더 똑똑해지고, 인간이 해 오던 많은 일을 기계가 대신하게 되는 상황에서 인간이 인간다워지는 것의 의미를 묻는 것이다.
 인공지능 시대에 인간을 인간답게 만드는 것은 무엇보다 결핍과 그에 따른 고통이다. 인류의 역사와 문명은 이러한 결핍과 고통에서 느낀 감정을 동력으로 발달해 온 고유의 생존 시스템이다. 처음 마주하는 위험과 결핍은 두렵고 고통스러웠지만, 인류는 놀라운 유연성과 창의성으로 대응해 왔다. 결핍과 고통을 벗어나는 과정에서 인류가 체득한 생존의 방법이 유연성과 창의성이다. 이것은 기계에 가르칠 수 없는 속성이다. 그래서 인간의 약점은 인간과 기계를 구별하는 최후의 요소라고 할 수 있다. 우리는 기계를 설계할 때 부정확한 인식과 판단, 감정에서 비롯한 변덕스럽고 비합리적인 행동, 망각과 고통 같은 인간의 약점을 기계에 부여하지 않는다. 인간은 우리가 기계에 부여하지 않을, 이러한 부족함과 결핍을 지닌 존재이다. 하지만 거기에 인공지능 시대 우리가 가야 할 사람의 길이 있다.

(사) 알송이: 선생님, 인간은 어떤 존재일까요? 인간과 동물이 다른 것은 분명 알겠는데 구체적으로 동물과 다른 인간의 고유한 특성이 무엇인지 궁금해요.

선생님: 네, 인간은 어느 한 요소만 지니고 있는 존재라기보다 다양한 특성이 상호 연결되어 나타나는 복합적 존재라 할 수 있어요. 또한 인간은 이미 주어진 목적에 맞춰 기계적으로 반응하기보다 자신의 경험과 해석을 통해 주변 세계와 인간에 대한 인식을 형성해 가는 능동적이고 주체적인 존재이기도 합니다.

선생님: 더불어 인간은 능동적이고 주체적 존재인 동시에 각자의 해석과 판단이 갖는 임의성과 한계를 반성적으로 사고할 수 있는 존재예요. 즉, 자신의 신념과 판단의 타당성과 객관성을 다시 묻고 확인할 수 있지요. 인간은 이러한 반성적 사고와 비판적 검토를 통해 보다 객관적이고 보편타당한 신념을 형성해 보편적 가치를 지향할 수 있으며, 선한 행위를 선택하고 이를 추구할 수 있지요. 이것이 바로 인간을 '윤리적 존재'라고 하는 이유예요. 이러한 윤리적 특성은 인간과 동물의 가장 큰 차이고요.

알송이: 자신의 관점에서만 생각하지 않고 타인과의 관계를 고려하기도 하고, 자신의 행동을 반성적으로 성찰할 수 있는 존재라는 말이죠? 그래서 윤리적 존재고요?

선생님: 소크라테스는 "반성하지 않는 삶은 의미가 없다."라고 했어요. 일상생활에서 자신의 행동과 판단을 끊임없이 성찰할 때 우리의 삶은 더욱 풍성해질 수 있답니다.

알송이: 네! 알겠습니다.

[문제 1] 제시문 (가), (나), (다), (라)에서 돌봄의 '동기와 결과'를 찾아 하나의 완성된 글로 논술하시오. [40점, 550-570자]

[문제 2] 제시문 (마)에서 언급된 로봇의 돌봄을 기능적 차원에서 서술하고, 제시문 (바)와 (사)를 통합적으로 고려하여 돌봄 행위자로서 (라)의 '나'가 (마)의 로봇과 어떻게 다른지 서술하시오. [40점, 550-570자]

※ 다음 상황에 기초하여 문제에 답하시오.

(가) 중앙마트는 매주 총 수익의 10%를 이웃 돕기 후원금으로 기부한다.
(나) 주중(월~금)에 방문한 고객에 대한 기대 수익은 고객 1인당 5만 원이고, 주말(토, 일)에 방문한 고객에 대한 기대 수익은 고객 1인당 10만 원이다.
(다) 중앙마트에 오는 모든 고객은 전용 주차장에 주차한 후에 방문한다.

요일	월	화	수	목	금	토	일
(라) 이번 주 중앙마트 전용 주차장에 주차한 차량의 총 대수는 아래와 같다.							
요일	월	화	수	목	금	토	일
주차 차량 대수	20	10	20	30	20	70	50

(마) 차량 한 대에 타고 있는 고객의 수는 요일과 관계없이 아래 확률분포를 따른다.

사람의 수 (명)	1	2	3	4	5
확률	0.1	0.3	0.2	0.3	0.1

[문제 3] 다음 주 중앙마트가 기부할 이웃 돕기 후원금의 기댓값(단위: 만 원)을 구하시오. 단, 다음 주 중앙마트 전용 주차장에 주차하는 차량의 총 대수 정보는 이번 주와 동일하다고 가정한다. [20점, 원고지 작성법을 준수할 필요 없음]

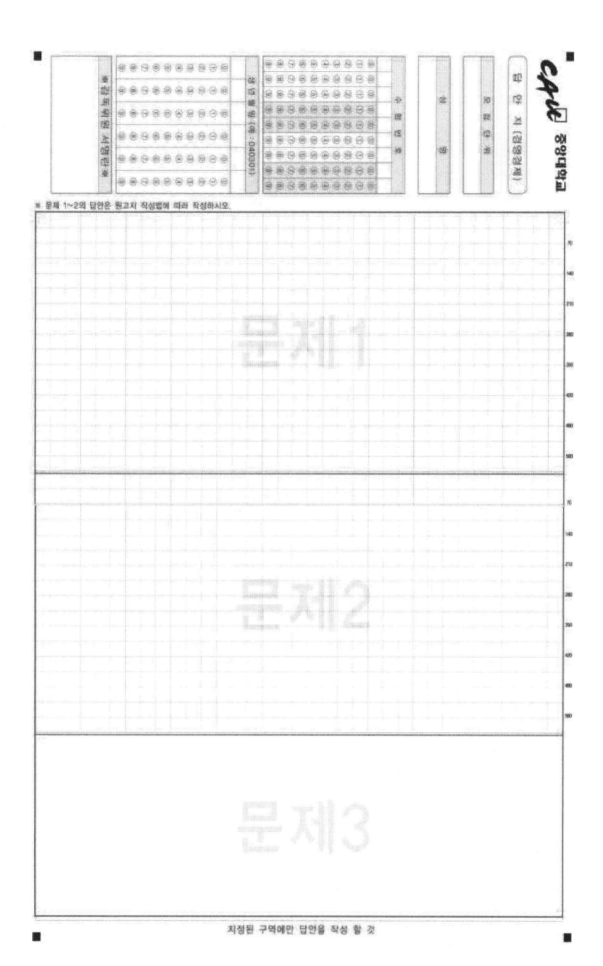

18. 2021학년도 중앙대 수시 논술 [경영경제Ⅱ]

※ 다음을 읽고 물음에 답하시오.

(가) "그 애가 옆에 있다면 정말 좋으련만." 노인이 큰 소리로 말했다. 하지만 소년은 지금 자네 곁에 없잖아, 하고 그는 생각했다. 지금은 자네 혼자뿐이니 어둡건 말건 아무튼 마지막 줄이 있는 곳으로 가서 그것을 끊어 버리고 예비 줄 두 개를 연결해 두는 게 좋겠어. 그래서 노인은 그렇게 했다. 어둠 속이라 일하기 어려웠고, 한번은 고기 놈이 갑자기 움직이는 바람에 앞으로 고꾸라져 얼굴 아래가 찢어졌다. 그는 간신히 이물* 쪽으로 돌아가 판자에 몸을 기대고 쉬었다. 그리고 어깨의 힘으로 줄을 고정하면서 고기가 끌어당기는 힘을 주의 깊게 가늠해 보고 나서 한 손을 물에 담가 나아가는 조각배의 속도를 헤아려 보았다.

날이 밝기 시작하자 낚싯줄이 물속으로 풀려 내려갔다. 조각배는 한결같이 움직이고 있었고, 아침 해가 수평선 위에 첫 모습을 드러내자 노인의 오른쪽 어깨에 햇살이 비쳤다. 그때 조그만 새 한 마리가 북쪽에서 조각배를 향해 날아왔다. 휘파람새는 수면 가까이 아주 나지막하게 날고 있었다. 노인은 새가 몹시 지쳐 있다는 것을 알 수 있었다. 새는 배의 고물*에 가서 지친 날개를 쉬었다. 그리고 노인의 머리 위를 맴돌다가 이번에는 좀 더 편안한 낚싯줄 위에 가서 앉았다. "너 몇 살이냐? 이번 여행이 첫 나들이인 거야?" 노인이 새에게 물었다. 노인이 말을 걸자 새는 노인을 바라보았다. 새는 너무 기진맥진한 상태여서 제대로 낚싯줄을 살펴볼 겨를도 없어 보였다. 가냘픈 발가락으로 낚싯줄을 꽉 움켜잡고 있는 동안 아래위로 흔들거렸다.

"줄은 튼튼해. 아주 단단하다고. 간밤에는 바람 한 점 없었는데 그렇게 지쳐서야 되겠니." 노인이 새에게 말했다. "새들은 앞으로 도대체 어떻게 되는 걸까?" 저 새들을 노리고 바다까지 날아오는 매들이 있지, 하고 노인은 생각했다. "실컷 푹 쉬어라, 작은 새야." 그가 말했다. 밤 동안에 등이 뻣뻣했고 지금은 심한 통증까지 있었는데, 새에게 말을 걸고 나니 노인은 힘이 솟았다.

바로 그때 고기가 갑자기 요동치는 바람에 노인은 이물 쪽으로 그만 고꾸라지고 말았다. 갑자기 낚싯줄이 당겨지는 바람에 새가 하늘로 날아가 버렸지만, 노인은 새가 날아가는 것도 보지 못했다. 새와 벗 삼을 수 있을 거라 생각했기 때문에 노인은 그제야 사방을 둘러보면서 새를 찾았다. 그러나 새는 온데간데없었다. 오래 쉬지도 못하고 그만 가 버렸구나, 하고 노인은 생각했다.

*이물: 배의 앞부분.
*고물: 배의 뒷부분.

(나) 유세차* 모년 모월 모일에 미망인 모씨는 두어 자 글로써 침자에게 고하노니, 인간 부녀의 손가운데 종요로운* 것이 바늘이로되, 세상 사람이 귀히 아니 여기는 것은 도처에 흔한 바이로다. 이 바늘은 한낱 작은 물건이나, 이렇듯이 슬퍼함은 나의 정회가 남과 다름이라. 오호통재라, 아깝고 불쌍하다. 너를 얻어 손 가운데 지닌 지 우금 이십칠 년이라. 어이 인정이 그렇지 아니하리요. 슬프다. 연전에 우리 시삼촌께옵서

동지상사* 낙점을 무르와 북경을 다녀오신 후에, 바늘 여러 쌈을 주시거늘, 친정과 원근 일가에게 보내고, 비복들도 쌈쌈이 낱낱이 나눠 주고, 그중에 너를 택하여 손에 익히고 익히어 지금까지 해포되었더니, 슬프다. 연분이 비상하여 너희를 무수히 잃고 부러뜨렸으되, 오직 너 하나를 영구히 보전하니, 비록 무심한 물건이나 어찌 사랑스럽고 미혹지 아니하리오.

　나의 신세 박명하여 슬하에 한 자녀 없고, 인명이 흉완하여 일찍 죽지 못하고, 가산이 빈궁하여 침선에 마음을 붙여 널로 하여 시름을 잊고 생애를 도움이 적지 아니하더니, 오늘날 너를 영결하니, 오호통재라. 민첩하고 날래기는 백대의 협객이요, 굳세고 곧기는 만고의 충절을 듣는 듯한지라. 그 민첩하고 신기함은 귀신이 돕는 듯하니, 어찌 인력이 미칠 바리요. 오호통재라, 자식이 귀하나 손에 서 놓을 때도 있고, 비복이 순하나 명을 거스를 때 있나니, 너의 미묘한 재질이 나의 전후에 수응*함을 생각하면, 자식에게 지나고 비복에게 지나는지라. 밥 먹을 적 만져 보고 잠잘 적 만져 보아, 널로 더불어 벗이 되어, 여름 낮에 주렴이며, 겨울밤에 등잔을 상대하여 누비며, 호며, 감치며, 박으며, 공글릴 때에, 겹실을 꿰었으니 봉미를 두르는 듯 땀땀이 떠 갈 적에 수미가 상응하고, 솔솔이 붙여 내매 조화가 무궁하다.

　이 생애 백 년 동거하렸더니, 오호애재라, 바늘이여. 금년 시월 초십일 술시에 희미한 등잔 아래서, 관대 깃을 달다가, 무심 중간에 자끈동 부러지니 깜짝 놀라워라. 아야 아야 바늘이여 두 동강이 났구나.

*유세차: 제문의 첫머리에 관용적으로 쓰는 말.
*종요롭다: 없어서는 안 될 정도로 매우 긴요하다.
*동지상사: 조선 시대에 해마다 동짓달에 중국으로 보내던 사신의 우두머리.
*수응: 요구에 응함.

(다) 이 몸이 생겨날 때 임을 따라 생겼으니
　　　한평생 연분이며 하늘 모를 일이던가.
　　　나 하나 젊어 있고 임 하나 날 사랑하시니
　　　이 마음 이 사랑 견줄 데 전혀 없다.
　　　평생에 원하기를 함께 살자 하였더니
　　　늙어서야 무슨 일로 외따로 두고 그리는가.
　　　엊그제 임을 모셔 광한전*에 올랐는데
　　　그사이에 어찌하여 인간 세상에 내려오니
　　　올 적에 빗은 머리 흐트러진 지 삼 년일세.
　　　황혼에 달이 따라와 베갯머리에 비치니
　　　흐느끼는 듯 반기는 듯 임이신가 아니신가.
　　　원앙금 베어 놓고 오색실을 풀어 내어
　　　금자로 재어서 임의 옷을 지어 내니
　　　솜씨는 물론이고 격식도 갖추었구나.
　　　임에게 보내려고 임 계신 데 바라보니

산인가 구름인가 험하기도 험하구나.

천리만리 길을 뉘라서 찾아갈까.

가거든 열어 두고 나인가 반기실까.

동산에 달 오르고 북극에 별이 뵈니

임인가 반기니 눈물이 절로 난다.

하루도 열두 때 한 달도 서른 날

잠시라도 생각 말아 이 시름 잊자 하니

마음에 맺혀 있어 뼛속까지 사무쳤으니

편작*이 열이 온다 한들 이 병을 어찌하리.

어와, 내 병이야 이 임의 탓이로다.

*광한전: 달의 선녀인 항아가 산다는 누각.
*편작: 중국 춘추 전국 시대의 명의.

(라) 가족 뒷바라지로 항상 분주한 인희는 남편 정철이 퇴직하면 교외에서 살기 위해 전원주택을 짓고 있다. 그러던 어느 날 가끔 느끼는 통증 때문에 진료를 받으러 갔다가 자궁암 말기임을 알게 된다. 수술 후 인희의 병세는 더욱 악화되고, 인희는 자신의 죽음을 예상한다.

S# 73. 침실

조금은 어두운, 그러나 따뜻해 보이는. 인희, 정철, 조금은 낯설고 멋쩍게 침대에 걸터앉아 있다.

정철: (멀뚱하게 앞만 보며) 텔레비전이라도 하나 갖다 놓을걸. 심심하네.

인희: 여보, 나 소원 있어.

정철: 뭐?

인희: 나 무덤 만들어 줘.

정철: 언제는 답답해서 싫다고 화장해 달라며?

인희: 우리 엄마 화장하니까 별로더라. 강에 뿌렸는데 하도 오래되니까 여기다 뿌렸는지, 저기다 뿌렸는지 도통 기억에 없고. 여기 가서 울다 저기 가서 울다, 꼭 미친 사람처럼. 당신하고 애들은 그러지 말라고.

정철: …….

인희: 당신은…… 나 없이도 괜찮지?

정철: (인희를 본다.)

인희: 잔소리도 안 하고 좋지, 뭐.

정철: (고개를 돌리며) 싫어.

인희: 나…… 보고 싶을 것 같아?

정철: (고개를 끄덕인다.)

인희: 언제? 어느 때?

정철: 다.

인희: 다 언제?

정철: 아침에 출근하려고 넥타이 맬 때.

인희: (안타까운 마음으로 본다.) 또?

정철: (고개를 돌려, 눈물을 참으며) 맛없는 된장국 먹을 때.

인희: 또?

정철: 술 먹을 때, 술 깰 때, 잠자리 볼 때, 잘 때, 잠 깰 때, 잔소리 듣고 싶을 때, 어머니가 망령부릴 때, 연수 시집갈 때, 정수 대학 갈 때, 그놈 졸업할 때, 설날 지짐이 할 때, 추석날 송편빚을 때, 아플 때, 외로울 때.

인희: (눈물이 그렁그렁하고, 괜한 옷섶만 만지고 두리번거리며) 당신, 빨리 와. 나 심심하지 않게. (눈물이 주룩 흐른다.)

정철: (인희를 안고, 눈물 흘린다.)

인희: (울며 웃으며) 여보, 나 이쁘면 뽀뽀나 한번 해 줘라.

정철: (인희 얼굴을 손으로 안고, 입을 맞춰 준다.) 고마웠다.

(마) 인류 중 불행하고 불쌍한 자 중에 가장 불행하고 불쌍한 자는 무정한 사회에 사는 사람이요, 복 있는 자 중에 가장 다행하고 복 있는 자는 유정한 사회에 사는 사람입니다. 사회에 정의*가 있으면 화기*가 있고, 화기가 있으면 흥미가 있고, 흥미가 있으면 활동과 용기가 있습니다. 우리 대한 사회는 무정한 사회입니다. 다른 나라에도 무정한 사회가 많겠지만, 우리 대한 사회는 가장 불쌍한 사회입니다. 민족의 사활 문제를 앞에 두고도 냉정한 우리 민족입니다. 우리가 하는 운동에도 동지 간에 정의가 있었던들 효력이 더욱 많았겠습니다. 정의가 있어야 단결도 되고 민족도 흥하는 법입니다.

정의는 본래 천부*한 것이언만, 유교를 숭상하는 데서 우리 민족이 남을 공경할 줄은 알았으나, 남을 사랑하는 것은 잊어버렸습니다. 또 혼상, 제사도 허례로 기울어지고 진정으로 하는 일이 별로 없습니다. 여러분의 유년 시절을 회고해 보십시오. 사람과 사람 사이에 서로 사랑하는 정이 생김은 당연하거늘 우리 사회에서는 부모와 자녀, 형과 아우 사이에 아무 정의가 없습니다. 어른들이 어린 아이를 대할 때 한 개인의 완희물*로 여깁니다. 또한, 집 안에 계신 조부모나 부모는 호령과 매 때리기로만 일을 삼으므로 아이들은 매를 맞을 생각에 떨고 있습니다. 이같이 하여 강보에서부터 공포심만 가득한 생활을 하던 아이가 가정을 벗어나서 학교에 가면 훈장이라는 이가 또한 호랑이 노릇을 합니다. 또 시부모와 며느리, 형과 아우, 모든 식구가 다 서로 원수입니다. 관민 간에도 그러합니다. 리에, 면에, 군에, 도에 가 보십시오. 어디서든지 찬바람이 아니 부는 데가 없습니다. 그보다 더 기막힌 것은 남녀 간의 무정함입니다. 우리네의 가정에서 부부가 만일 서로 보고 웃었다가는 큰 결딴이 납니다.

이제 한 번 눈을 돌려 다정한 남의 사회를 봅시다. 그들의 가정에서는 부모가 결코 노하지 않습니다. 식탁에서도 아이를 특별히 대우합니다. 우리 가정에서처럼 역정을 내며 먹으라고 호령하지 않습니다. 선생이 학생을 친절히 대접하므로 학생들은 선생을 매우 따르고 학교에 가고 싶어합니다. 학교뿐 아니라 선차*에도, 집회에도 화기가 있습니다.

우리가 우리 사회를 개조하자면 먼저 다정한 사회를 만들어야 하겠습니다. 우리는 선조 적부터 무정한 피를 받았기 때문인지 아무래도 더운 정이 없습니다. 그러므로 정의를 기르는 공부를 해야겠습니다. 그러한 뒤에야 참삶의 맛을 알겠습니다.

*정의: 서로 가깝게 지내어 친하여진 정.
*화기: 화목한 기운.
*천부: 하늘이 줌. 또는 태어날 때부터 지님.
*완희물: 장난하며 희롱하는 대상.
*선차: 배와 수레. 여러 사람이 이용하는 대중교통을 의미함.

(바) 사람들이 모여 살아가는 곳에서는 갈등과 그것을 해결하려는 노력이 항상 존재한다. 갈등을 해결하려면 관련된 모든 사람이 열린 마음으로 진지하게 대화하고 타협하는 의사소통의 과정이 필요하다. 사회 구성원 간의 의사소통이 잘 이루어지려면 구성원 간에 합리성을 공유해야 한다. 담론의 중요성을 강조한 하버마스는 이러한 합리성을 의사소통적 이성이라고 하였다.

의사소통적 이성을 발휘하여 바람직한 의사소통을 하려면 이를 향상하기 위한 대화와 토론을 활성화해야 한다. 또한, 모든 사람이 대화와 토론에 항상 참여할 수 있도록 제도적 장치를 마련해야 한다. 이러한 노력으로 의사소통이 바람직하게 이루어지면 참여자들은 스스로 서로의 주장을 인정하고 합의한 사항을 지키게 된다. 이와 같은 화해와 자율 정신은 현실 사회를 비판적이면서도 건설적으로 바라볼 수 있게 한다. 또한, 의사소통의 과정에서 드러난 왜곡된 부분을 바로잡아 자유로운 의사소통을 할 수 있도록 돕고 사회가 발전하는 원동력으로 작용한다.

우리 사회에서 이루어지는 대부분의 일은 대화와 토론, 즉 의사소통으로 형성되고 유지되므로 사회 구성원의 의사소통 행위는 윤리와 떼려야 뗄 수 없는 관계이다. 다시 말해, 바람직한 방향으로 의사소통이 이루어지면 우리 사회가 옳은 방향으로 나아가지만, 왜곡된 의사소통이 이루어지면 그 반대의 방향으로 가게 된다. 따라서, 윤리적 기준에 근거하여 의사소통을 원활하게 해나가야 한다.

그러나 우리는 자유롭고 평등하게 대화에 참여한다고 말하지만, 권력과 돈의 위력 등 외부의 압력으로 자신이 하고 싶은 주장이나 반론을 하지 못하는 경우가 있다. 또한, 상대방의 말을 왜곡하여 자신에게 유리하게 몰아가고, 거짓을 진실인 것처럼 호도하는 경우도 볼 수 있다. 이처럼 윤리적인 기준을 무시하는 왜곡된 담화는 화해와 평화가 아니라 갈등의 심화와 분쟁을 초래한다.

(사) 과거 서양의 사상가들은 전통적으로 도덕의 문제를 정념과 이성 간의 싸움으로 설정하였고, 이 싸움에서 이성이 승리하는 것이 곧 선이요 덕이라는 입장을 취하였다. 따라서 '이성에 의한 정념의 지배'는 오랫동안 서양 윤리학의 공리와도 같은 것이었다. 하지만 흄에 따르면 이성은 행위의 동기를 제공하지 못하며, 이성의 능력인 지

성은 그 자체로는 우리가 실천할 수 있게 만드는 힘을 가지고 있지 않다. 다만 이성은 바람직한 행위의 방향을 제시할 뿐이며, 감정만이 의지에 영향을 미쳐 우리가 도덕적 행위를 하게 만든다. 따라서 도덕적 활동은 지적 판단에 의한 것이 아니라, 어떤 것에 대한 시인(是認)의 감정이나 부인(否認)의 감정에 의해서 결정된다. 물론 시인의 감정과 부인의 감정은 개인들 각자의 주관적 감정이라기보다는 우리가 공통적으로 느끼는 사회적인 감정들이다. 흄에 따르면, 우리 모두는 타인의 행복과 불행을 함께 느낄 수 있는 공감 능력을 가지고 있다. 그리고 공감 능력은 인류 전체의 복지에 대해 동정심을 갖도록 만든다. 흄은 이를 다음처럼 설명한다. "그(도덕적 판단을 내리는 자)는 자신의 개인적이고 특수한 상황을 떠나 타인과 공유할 수 있는 관점을 취해야 한다. 그는 인간 본성 안의 보편적 원리를 움직여, 모든 인간이 거기에 화답할 수 있는 소리를 내야 한다."

[문제 1] 제시문 (가)~(라)에서는 '정'이 다양하게 나타난다. 제시문 (가), (나), (다), (라)에서 등장인물이 정을 주는 이유와 이들이 느끼는 감정을 찾아 하나의 완성된 글로 논술하시오. [40점, 550-570자]

[문제 2] 제시문 (라)를 토대로 제시문 (마)의 '무정한 사회'가 '다정한 사회'로 나아가기 위한 조건을 서술하고, 제시문 (마)의 '다정한 사회'가 이루어진 후 우리 사회가 더욱 발전하기 위해 갖춰야 할 조건을 제시문 (바)와 (사)의 논지를 통합하여 서술하시오. [40점, 550-570자]

※ 다음 상황에 기초하여 문제에 답하시오.

(가) 동굴에 갇혀 있는 관광객을 구조하기 위해 한 명의 구조원이 파견되었다.
(나) 구조원이 동굴 안에 들어갔을 때, 아래와 같은 코스 A, B, C, D의 갈림길이 나타났다.
　　 구조원이 코스 A, B, C를 선택하는 경우, 관광객을 만나지 못하고 각각 4시간, 3시간, 2시간 후 출발 장소(갈림길)로 돌아온다.
　　 구조원이 코스 D를 선택하는 경우, 1시간 후 관광객이 갇혀 있는 장소에 도착한다.
(다) 구조원이 출발 장소(갈림길)에서 각 코스를 선택할 확률은 동일하다.
(라) 코스를 잘못 선택하여 출발 장소(갈림길)로 돌아온 경우, 선택했던 코스는 다시 선택하지 않는다.

[문제 3] 구조원이 출발 장소(갈림길)로부터 관광객이 갇혀 있는 장소까지 도착하는 데 소요되는 시간의 기댓값을 구하시오. [20점, 원고지 작성법을 준수할 필요 없음]

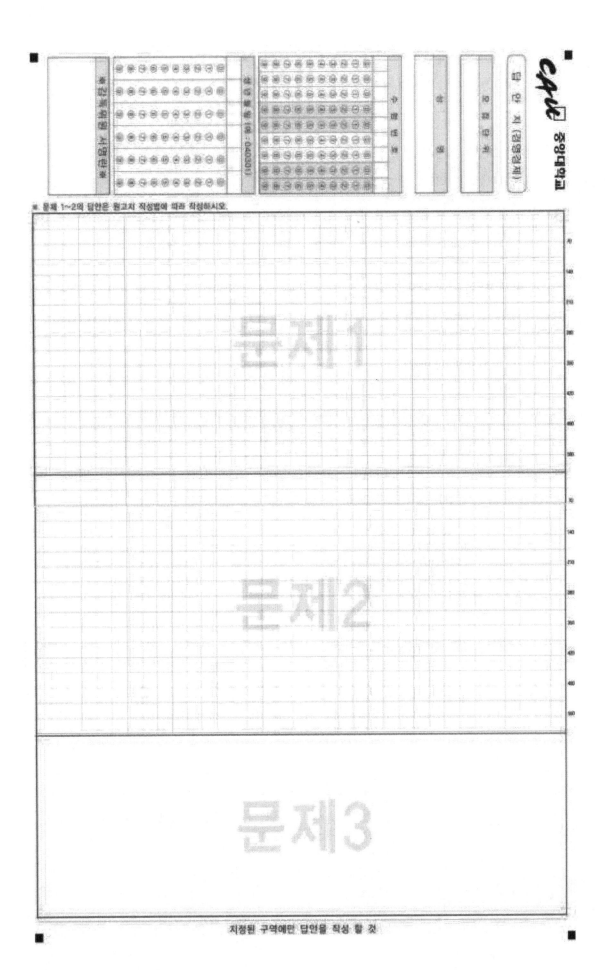

※ 다음을 읽고 물음에 답하시오.

(가) 아버지는 난쟁이였다. 불행하게도 사람들은 아버지를 보는 것 하나만 옳았다. 그 밖의 것들은 하나도 옳지 않았다. 나는 아버지·어머니·영호·영희, 그리고 나를 포함한 다섯 식구의 모든 것을 걸고 그들이 옳지 않다는 것을 언제나 말할 수 있다. 나의 '모든 것'이라는 표현에는 '다섯 식구의 목숨'이 포함되어 있다. 천국에 사는 사람들은 지옥을 생각할 필요가 없다. 그러나 우리 다섯 식구는 지옥에 살면서 천국을 생각했다. 단 하루라도 천국을 생각해 보지 않은 날이 없다. 하루하루의 생활이 지겨웠기 때문이다. 우리의 생활은 전쟁과 같았다. 우리는 그 전쟁에서 날마다 지기만 했다. 그런데도 어머니는 모든 것을 잘 참았다. 그러나 그날 아침 일만은 참기 어려웠던 것 같다. 〔중략〕

"그게 뭐냐?"

"철거 계고장예요."

"기어코 왔구나!"

어머니가 말했다.

"그러니까 집을 헐라는 거지? 우리가 꼭 받아야 할 것 중의 하나가 이제 나온 셈이구나!" 〔중략〕

어머니는 대문 기둥에 붙어 있는 알루미늄 표찰을 떼기 위해 식칼로 못을 뽑고 있었다. 내가 식칼을 받아 반대쪽 못을 뽑았다. 영호는 어머니와 내가 하는 일이 못마땅한 모양이었다. 그러나 마음에 드는 일이 우리에게 일어나 주기를 바랄 수는 없는 일이었다. 어머니는 무허가 건물 번호가 새겨진 알루미늄 표찰을 빨리 떼어 간직하지 않으면 나중에 괴로운 일이 생길 것이라는 것을 알고 있었다.

"너희들이 놀게 되지만 않았어도 난 별걱정을 안 했을 거다."

어머니가 말했다.

"스무 날 안에 무슨 뾰족한 수가 생기겠니, 이제 하나하나 정리를 해야지."

"입주권을 팔려고 그래요?"

영희가 물었다.

"팔긴 왜 팔아!"

영호가 큰 소리로 말했다.

"그럼 아파트 입주할 돈이 있어야지."

"아파트로 안 가."

"그럼 어떻게 할 거야?"

"여기서 그냥 사는 거야. 여긴 우리 집이다."

아버지가 말했다. 어머니가 내준 철거 계고장을 막 읽고 난 참이었다.

"시에서 아파트를 지어 놨다니까 얘긴 그걸로 끝난 거다."

"그건 우릴 위해서 지은 게 아녜요."

영호가 말했다.

"돈도 많이 있어야 되잖아요?"

영희는 마당가 팬지꽃 앞에 서 있었다.

"우린 못 떠나. 갈 곳이 없어. 그렇지 큰오빠?"

"어떤 놈이든 집을 헐러 오는 놈은 그냥 놔두지 않을 테야."

영호가 말했다.

"그만둬."

내가 말했다.

"그들 옆엔 법이 있다."

아버지 말대로 모든 이야기는 끝나 버린 것이나 마찬가지였다. 영희는 울고 있었다.

(나) 수오재(守吾齋), 즉 '나를 지키는 집'은 큰형님이 자신의 서재에 붙인 이름이다. 나는 처음 그 이름을 보고 의아하게 여기며, "나와 단단히 맺어져 서로 떠날 수 없기로는 '나'보다 더한 게 없다. 비록 지키지 않는다 한들 '나'가 어디로 갈 것인가. 이상한 이름이다."라고 생각했다.

장기로 귀향 온 이후 나는 홀로 지내며 생각이 깊어졌는데, 어느 날 갑자기 이러한 의문점에 대해 환히 깨달을 수 있었다. 〔중략〕 유독 이 '나'라는 것은 그 성품이 달아나기를 잘하며 출입이 무상하다. 아주 친밀하게 붙어 있어 서로 배반하지 못할 것 같지만 잠시라도 살피지 않으면 어느 곳이든 가지 않는 곳이 없다. 이익으로 유혹하면 떠나가고, 위험과 재앙으로 겁을 주면 떠나가며, 질탕한 음악 소리만 들어도 떠나가고, 미인의 예쁜 얼굴과 요염한 자태만 보아도 떠나간다. 그런데 한번 떠나가면 돌아올 줄 몰라 붙잡아 만류할 수가 없다. 그러므로 천하 만물 중에 잃어버리기 쉬운 것으로는 '나'보다 더 한 것이 없다. 그러니 꽁꽁 묶고 자물쇠로 잠가 '나'를 굳게 지켜야 하지 않겠는가? 나는 '나'를 허투루 간수했다가 '나'를 잃은 사람이다. 어렸을 때는 과거 시험을 좋게 여겨 그 공부에 빠져 있었던 것이 십 년이다. 마침내 조정의 벼슬아치가 되어 사모관대에 비단 도포를 입고 백주 대로를 미친 듯 바쁘게 돌아다니며 십이 년을 보냈다. 그러다 갑자기 상황이 바뀌어 친척을 버리고 고향을 떠나 한강을 건너고 문경 새재를 넘어 아득한 바닷가 대나무 숲이 있는 곳에 이르러서야 멈추게 되었다. 이때 '나'도 땀을 흘리고 숨을 몰아쉬며 허둥지둥 내 발뒤꿈치를 쫓아 함께 이곳에 오게 되었다. 나는 '나'에게 말했다.

"너는 무엇 때문에 여기에 왔는가? 여우나 도깨비에게 홀려서 왔는가? 바다의 신이 불러서 왔는가? 너의 가족과 이웃이 소내에 있는데, 어째서 그 본고장으로 돌아가지 않는가?"

그러나 '나'는 멍하니 꼼짝도 하지 않고 돌아갈 줄을 몰랐다. 그 안색을 보니 마치 얽매인 게 있어 돌아가려 해도 돌아갈 수 없는 듯했다. 그래서 '나'를 붙잡아 함께 머무르게 되었다.

(다)

　나는 바람의 말을 알아들을 수 있었습니다
　내가 계산이 되기 전에는

　나는 비의 말을 새길 줄 알았습니다
　내가 측량이 되기 전에는

　나는 별의 말을 이해할 수 있었습니다
　내가 해석이 되기 전에는

　나는 대지의 말을 받아 적을 수 있었습니다
　내가 부동산이 되기 전에는

　나는 숲의 말을 알아들을 수 있었습니다
　내가 시계가 되기 전에는

　이제 이들은 까닭 없이 심오해졌습니다
　그들의 말은 난해하여 알아들을 수 없습니다

　내가 측량된 다음 삶은 터무니없이
　난해해졌습니다

　내가 계산되기 전엔 바람의 이웃이었습니다
　내가 해석되기 전엔 물과 별의 동무였습니다
　그들과 말 놓고 살았습니다
　나도 그들처럼 소용돌이였습니다

(라) 창고 밖으로 상자들을 옮기고 있던 자앙과 트럭 운전수 사이에 언쟁이 벌어진다.
　운전수: 그건 미친 짓이야! 일부러 잘못했다고 편지를 보낼 필요는 없어!
　자앙: (편지를 운전수에게 내밀며) 제발 보내야 해요!
　운전수: 여봐, 내가 상자들을 운반하고 다니니깐 상자 주인과 통할 수 있다고 생각한 모양인데, 그건 큰 착각이야. 난 말이야, 뭐가 뭔지도 모르고 그냥 싣고 왔다가 그냥 실어 가는 거라구. 실제로 내가 아는 건, 정거장에서 여러 트럭들이 상자를 나눠 받을 때 만나는 분배 반장 딸기코하고, 접수 반장 외눈깔, 그 둘뿐이라구.
　자앙: 그래도 상자 주인에게는 반드시 알려 줘야죠. 엉뚱하게 바뀐 상자 하나 때문에 뭔가 잘못 만들어지면 안 되잖아요. 〔중략〕

185

운전수: 도대체 무슨 소리인지 모르겠네! (자앙에게) 어쨌든 상자 속의 부속품으로 뭘 만드는지 알수는 없어. 만약 폭탄을 만든다면 오히려 상자가 바뀐 것이 사람들의 목숨을 살릴 테니깐 잘된 일이잖아? 여봐, 자넨 너무 배짱이 약해. 이 조그만 창고 속에서 모든 걸 성실하게 잘했다는 것이, 창고 밖에서는 매우 큰 잘못이 된다고 생각해 봐. 그럼 상자 하나쯤 틀렸다고 안절부절못하진 않을거야. 무슨 일이 생겨도 창고 밖으로 알릴 필요는 없어. 그게 잘한 일인지 못한 일인지 모를 바에야 그냥 덮어두라구. 창고 속의 자네한테는, 그게 배짱 편한 거야.

자앙: (손에 들고 있는 서류를 가리키며) 그렇다면 이런 서류들은 뭡니까? 누군가 이 서류들을 보면, 상자가 잘못된 것을 알 수 있을 텐데요?

운전수: 서류가 완전하다고 믿는 건 바보들뿐이지! 좋은 예가 있어. 내 아내는 옛날에 죽었는데 사망 신고를 안 했거든. 그래서 구청에서 호적을 떼어 보면 지금도 서류상으로는 버젓하게 살아 있는 것으로 나온다구. 자, 굼벵이 양반, 꾸물대지 말고 어서 상자들이나 옮겨!

운전수: 우린 트럭에 상자들을 다 옮겼어. 그런데 너희는 짐도 안 싸고 뭘 했지?

자앙: 짐이라니……?

기임: 으음, 그렇게 됐어. 오늘 나는 이 창고 속을 떠난다구!

다링: (자앙의 침대 밑에서 상자 하나를 꺼낸다.) 이건 뭐죠?

자앙: 북어 대가리죠. 그건 가져가세요. 꼭 필요할 겁니다.

다링: 북어 대가리……?

기임: 이게 왜 필요한지는 두고 보면 알게 될 거야. (상자를 열어서 북어 대가리를 하나 꺼내 자앙에게 준다.) 난 너한테 이것밖에 줄 게 없군. 내 생각이 날 거야. 항상 곁에 두고 보라구. 〔중략〕

창고는 조용해진다. 자앙, 식탁 앞에 힘없이 주저앉는다. 늙고 허약해진 모습이다. 그는 식탁 위에 놓여 있는 북어 대가리를 물끄러미 바라본다.

자앙: 그래, 나도 너처럼 머리만 남았군. 그저 쓸쓸하고…… 허무한 생각으로 가득 찬…… 머리만……덜렁…… 남은 거야. (두 손으로 북어 대가리를 집어서 얼굴 가까이 마주보며) 말해 보렴, 네 눈엔 내가 어떻게 보이는지? 그토록 오랜 나날…… 나는 이 어둡고 조그만 창고 속에서…… 행복했다. 상자들을 옮겨 오고…… 내보내며…… 내가 맡고 있는 일을 성실하게 잘하고 있다는 뿌듯함…… 그게 내 삶을 지탱해 왔었는데……. 그러나 만약에…… 세상이 엉뚱하게 잘못되고 있는 것이라면…… 이 창고 속에서의 성실함이…… 무슨 소용 있는 거지? (사이) 북어 대가리야, 왜 말이 없냐? 멀뚱멀뚱 바라만 볼 뿐 왜 대답이 없어? (북어 대가리를 식탁 위에 내려놓는다.) 아냐, 내 의심은 틀린 거야. 덜렁 남은 머릿속의 생각만으로 세상을 잘못됐다구 판단해선 안 돼. (손수레에 실린 상자를 서류와 대조하며 혼자서 쌓기 시작한다.) 제자리에 상자들을 옮겨 놓아라! 정확하게 쌓아! 틀리면 안 돼! 단 하나의 착오도 없게, 절대로 틀려서는 안 된다!

(마) **노라**: 톨발. 뭐라고 대답할 수가 없군요. 저는 전혀 모르겠어요. 모든 일에 대해서 판단이 서지를 않는군요. 제가 지금 알고 있는 것이란 모든 일에 대하여 저는 당신과는 아주 다른 생각을 하고 있다는 것, 그리고 법이 옳다는 것은 아무래도 납득이 되지 않는다는 것만은 확실합니다. 여자에게는 돌아가시게 된 친정아버지에게 걱정을 끼쳐 드리지 않을 수 있는 권리가 없다는 것, 자기 남편의 목숨을 구할 권리가 없다니 말입니다ㅡ. 저는 그런 일들을 도저히 믿을 수가 없는 거랍니다.

헬멜: 당신은 어린애와 같은 소리를 하고 있소. 자기가 살고 있는 세계가 어떤 것인지 이해를 하고있지 않은 거요.

노라: 그래요, 저는 모르겠어요. 그러니까 그것 역시 이제부터 배우겠어요. 이 사회가 옳은지 제가 옳은 생각을 한 것인지 반드시 알아내고 말겠어요. 〔중략〕

노라: 저는 지난 8년 동안 끈기 있게 기다렸어요. 기적이 매일 일어나지 않는다는 것은 저도 잘 알고 있었지요. 하지만 이번 재난이 닥치자, 저는 이제야말로 기적이 일어나리라고 굳게 믿었어요. 크로그스타의 편지가 그곳에 내던져졌을 때ㅡ 당신이 그 사나이의 요구대로 움직이리라고는 꿈에도 생각해 보지 않았어요. 당신이 그 사나이를 보고 외칠 줄 알았어요. '가서 세상에다 공표를 하게!' 그리고 일이 벌어지게 되면ㅡ.

헬멜: 그래서? 그다음에 어떻게 된다는 거요? 내가 자기 아내를 수치와 추문 속에 떨어지게 한 뒤에 말이오?

노라: 저는 완전히 확신을 하고 있었던 거예요ㅡ 당신이 나타나서 모든 책임을 한 몸에 지게, 되리라고ㅡ 책임은 모두 나에게 있소, 하고 말하리라고 굳게 믿었던 거예요. 〔중략〕

헬멜: 오, 당신은 철부지 아이와 같이 생각하고 말하는구려.

노라: 아마 그럴지도 모르죠. 하지만 당신은 제 자신이 일생을 맡길 수 있다고 생각한 사나이답게 생각하지도 않았고 말하지도 않았어요. 제 자신을 위협하게 되었대서가 아니라 당신 자신이 위험에 빠지게 될까 봐 벌벌 떨었으면서도 위험이 이제 지나갔다는 사실을 알게 되자, 당신은 아무런 일도 일어나지 않았던 것처럼 태연해지신 거란 말이에요. 단지 저는 그전과 마찬가지로 작은 종달새고 당신의 인형에 지나지 않는 거예요. 부서지기 쉽다는 것을 알았기 때문에 앞으로는 좀 더 소중하게 취급하게 되리라는 것뿐. (일어선다.) 톨발ㅡ 그때 저는 깨달은 거예요. 지난 8년 동안 저는 낯선 사나이와 생활해 왔다는 것, 그리고 그의 자식을 셋이나 낳았다는 것ㅡ 아, 참을 수 없어요. 이 몸을 갈기갈기 찢어 버리고 싶군요ㅡ.

헬멜: (슬픈 어조로) 그렇소. 나도 알았소ㅡ 알아들었다고. 우리들 사이에는 분명히 커다란 틈이 있소ㅡ 아, 그러나 노라, 그 틈은 메워질 수 없는 것일까?

노라: 지금과 같아서는 저는 당신의 아내라고 할 수가 없어요.

헬멜: 나도 딴사람이 되어 보이겠소.

노라: 아마 그럴지도 모르죠ㅡ 당신의 손에서 인형이 치워진다면요.

헬멜: 노라, 당신을 잃게 되다니ㅡ 아니, 아니요, 나로선 상상조차도 할 수 없는 일이오.

노라: (무대 오른쪽으로 나간다.) 그렇다면 더욱 헤어져야만 해요.

헬멜: 그러나 당신은 내 아내요— 지금도 앞으로도 어떻게 변하든 간에—.

노라: 제가 듣자 하니 아내가 남편의 집에서 떠나면 법에 의하여 남편은 아내에 대한 일체의 의무에서 해방된다고 하더군요. 어쨌든 저는 당신을 자유의 몸이 되게 한 거예요. 우리 두 사람은 완전한 자유의 몸이 되어야 해요. 자아, 여기 당신이 준 반지를 돌려드리겠어요. 제 것도 돌려주세요.

헬멜: 그것까지도?

노라: 그것까지도.

(바) 실존주의는 인간의 보편적 합리성보다는 개개인의 주체성을 중시한다. 키르케고르는 실존이란 '이것이냐 저것이냐'를 선택해야 하는 구체적인 상황에 처한 개인이라고 본다. 이러한 상황에서 개인은 늘 불안을 느끼며 주체적 결정을 회피하면서 죽음에 이르는 병, 즉 절망에 빠지게 된다. 사르트르는 모든 인간에게 자유가 주어져 있음을 강조하며 주체적인 선택과 결단에 따라 자신의 삶을 스스로 만들어 나가고 그 결과에 대하여 책임질 때 참된 실존을 회복할 수 있다고 보았다. 실존주의는 인간의 개성을 긍정적으로 본다. 실존주의는 이성과 같은 보편적 특성을 통해서는 인간의 삶을 제대로 파악하기 힘들다고 본다. 따라서 인간의 보편적 본질이나 목적이 아닌 사람마다 가지고 있는 구체적인 개성을 실현해야 한다. 또한 목적이나 용도가 미리 결정되어 있는 사물과 달리 인간은 자신을 주체적으로 만들어 가야 한다. 따라서 실존주의는 타인이 만들어 놓은 삶의 방식을 무조건 따르는 것에서 벗어나 자신만의 결단과 선택에 따라 살아가야 한다고 강조한다.

(사) 실용주의 사상가들은 옳고 그름과 선악의 절대적인 기준을 강조하는 기존의 사상으로는 사회적 혼란을 해결할 수 없다고 보았다. 이들은 영국의 경험론과 다윈의 진화론을 수용하여 실용주의를 전개하였다. 실용주의는 경험적이고 과학적인 방법을 바탕으로 문제 해결을 위한 유용한 지식을 강조하였다. 듀이는 문제 상황에 대한 답을 얻기 위해서는 지성을 통한 탐구가 이루어져야 한다고 보았다. 여기서 말하는 지성은 근대 과학이 보여 준 실험적이며 실천적인 지적 태도를 일컫는다. 듀이는 지성적인 탐구를 통해 현재 상황에서 구체적으로 존재하는 문제가 무엇인지를 밝히고 그것을 교정하려는 노력을 할 때, 문제 상황을 개선하고 사회의 성장과 진보를 가져올 수 있다고 보았다.

(아) 우리나라는 사회 복지 제도, 지역 격차 완화 정책, 적극적인 우대 조치 등 다양한 제도를 시행하고 있다. 소수자 우대 정책은 '공정한 기회균등'의 차원에서 사회적 약자에게 일정한 몫을 우선 보장하려는 정책이다. 예를 들어, 농·어촌 자녀의 특례 입학, 지역 균형 선발, 여성 할당, 장애인 의무 고용 등이 이에 해당한다. 사회제도적 측면에서는 사회적 소수자에 대한 차별을 금지하는 법을 제정하고 차별을 시정하는

제도적 노력을 기울이고 있다. 특히 오랫동안 차별받아 온 특정 집단에 대한 차별을 개선하여 실질적인 기회의 평등을 제고하기 위해 적극적 차별 시정 조치를 도입하기도 한다. 반면, 소수자 우대 정책을 반대하는 사람들은 소수자를 우대하는 것이 또 다른 역차별과 부정의를 초래한다고 지적한다. 역차별이란 사회적 소수자에 대한 차별을 시정하기 위한 제도나 방침으로 인해, 소수자가 아닌 집단이 도리어 차별을 받게 되는 경우를 말한다.

도심 재개발은 도심의 상주인구가 감소하고 건물이 노후화된 지역에 상업·업무 기능의 건물을 신축하거나 낡은 건물을 새롭게 바꾸는 사업이다. 재개발을 통해 건물이 고층화되면 토지 이용의 효율성이 높아지고, 도로 및 교통 체계가 개선되면 공공시설의 배치와 기능성이 좋아진다. 그 결과 낙후된 도심의 기능이 회복되어 도심의 경제가 활성화되는 효과가 나타난다. 재개발이 이루어지면 지역의 경제적 가치가 상승하고, 각종 시설이 들어서면서 주민 생활이 편리해진다. 그러나 재개발 사업이 기존 환경을 고려하지 않아 문제가 되거나 일부 주민에게는 불리하게 작용하여 보상비와 이주비 등으로 갈등이 발생하기도 한다. 철거 재개발 후 원거주민들의 삶터와 공동체가 파괴되고 나아진 거주 환경에 상위 계층이 거주하는 젠트리피케이션(gentrification)이 발생하는 경우가 많았다.

(자) 동양 윤리 사상의 밑바탕에는 우리가 사는 세상을 상호 의존적이고 상보적인 관계로 이루어진 하나의 유기적 전체로 이해한다는 인식이 공통으로 자리 잡고 있다. 『주역』에서는 이러한 인식을 대대(對待)라는 말로 설명하였다. 대대란 다른 성질을 가진 것들이 대립하면서도, 동시에 서로 의존하는 관계를 뜻한다. 낮과 밤은 대립하면서도 서로를 필요로 하고, 둘이 합쳐져야만 하루가 된다. 유교와 도가는 이러한 인식을 이어받아 만물의 조화로운 관계를 바탕으로 세계를 파악하고자 하였다. 음양은 반대이면서 서로를 보완하는 짝이다. 짝을 이루면서 둘은 하나의 복합적 개념이 되고, 하나씩 나누어 보아도 서로 독립적인 개념이 된다. 하나가 다른 하나에 의존하고, 다른 하나가 없다면 이 하나 역시도 존재할 수 없을 것이다. 존재하는 모든 것들이 실은 짝이 있다는 생각을 심화하여 심오한 철학을 만들어 낸 것이 『주역』이다.

[문제 1] '상실의 원인'과 '상실의 결과'를 제시문 (가), (나), (다), (라)에서 각각 찾아 하나의 완성된 글로 논술하시오. [40점, 550-570자]

[문제 2] 제시문 (마)의 '노라의 주장'을 제시문 (바)의 논지에 근거하여 서술하고, 제시문 (라)의 자앙이 결정을 내리는 과정에서 참고할 점을 제시문 (바)와 (사)를 통합적으로 고려하여 서술하시오. [40점, 550-570자]

[문제 3] 제시문 (아)의 소수자 우대 정책과 도심 재개발 사업에서 공통적으로 나타나는 특징을 '목표와 결과의 관계'를 토대로 서술하고, 그 특징의 원인을 제시문 (자)에 근거하여 서술하시오. [20점, 400-420자]

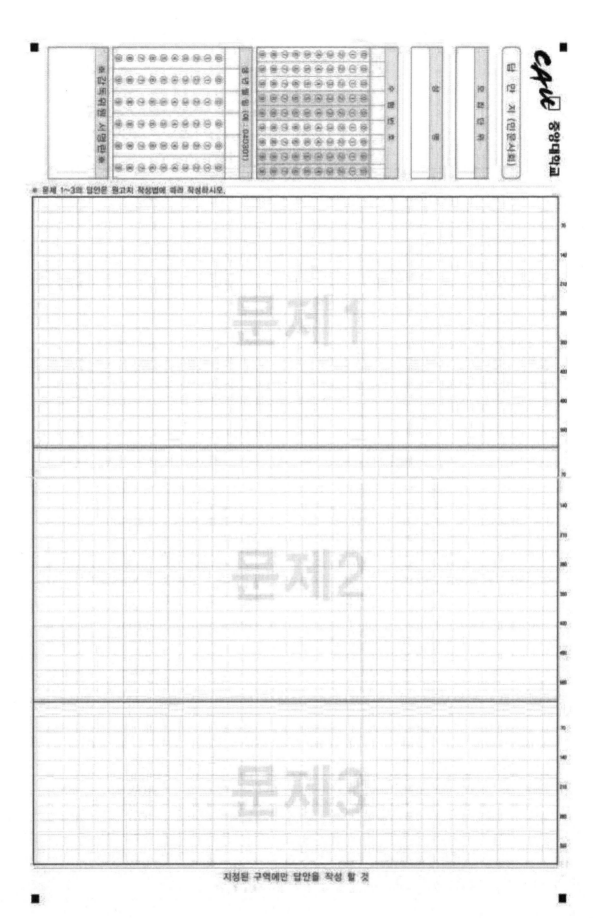

※ 다음을 읽고 물음에 답하시오.

(가) 아버지는 난쟁이였다. 불행하게도 사람들은 아버지를 보는 것 하나만 옳았다. 그 밖의 것들은 하나도 옳지 않았다. 나는 아버지·어머니·영호·영희, 그리고 나를 포함한 다섯 식구의 모든 것을 걸고 그들이 옳지 않다는 것을 언제나 말할 수 있다. 나의 '모든 것'이라는 표현에는 '다섯 식구의 목숨'이 포함되어 있다. 천국에 사는 사람들은 지옥을 생각할 필요가 없다. 그러나 우리 다섯 식구는 지옥에 살면서 천국을 생각했다. 단 하루라도 천국을 생각해 보지 않은 날이 없다. 하루하루의 생활이 지겨웠기 때문이다. 우리의 생활은 전쟁과 같았다. 우리는 그 전쟁에서 날마다 지기만 했다. 그런데도 어머니는 모든 것을 잘 참았다. 그러나 그날 아침 일만은 참기 어려웠던 것 같다. 〔중략〕

"그게 뭐냐?"

"철거 계고장예요."

"기어코 왔구나!"

어머니가 말했다.

"그러니까 집을 헐라는 거지? 우리가 꼭 받아야 할 것 중의 하나가 이제 나온 셈이구나!" 〔중략〕

어머니는 대문 기둥에 붙어 있는 알루미늄 표찰을 떼기 위해 식칼로 못을 뽑고 있었다. 내가 식칼을 받아 반대쪽 못을 뽑았다. 영호는 어머니와 내가 하는 일이 못마땅한 모양이었다. 그러나 마음에 드는 일이 우리에게 일어나 주기를 바랄 수는 없는 일이었다. 어머니는 무허가 건물 번호가 새겨진 알루미늄 표찰을 빨리 떼어 간직하지 않으면 나중에 괴로운 일이 생길 것이라는 것을 알고 있었다.

"너희들이 놀게 되지만 않았어도 난 별걱정을 안 했을 거다."

어머니가 말했다.

"스무 날 안에 무슨 뾰족한 수가 생기겠니, 이제 하나하나 정리를 해야지."

"입주권을 팔려고 그래요?"

영희가 물었다.

"팔긴 왜 팔아!"

영호가 큰 소리로 말했다.

"그럼 아파트 입주할 돈이 있어야지."

"아파트로 안 가."

"그럼 어떻게 할 거야?"

"여기서 그냥 사는 거야. 여긴 우리 집이다."

아버지가 말했다. 어머니가 내준 철거 계고장을 막 읽고 난 참이었다.

"시에서 아파트를 지어 놨다니까 얘긴 그걸로 끝난 거다."

"그건 우릴 위해서 지은 게 아녜요."

영호가 말했다.

"돈도 많이 있어야 되잖아요?"

영희는 마당가 팬지꽃 앞에 서 있었다.

"우린 못 떠나. 갈 곳이 없어. 그렇지 큰오빠?"

"어떤 놈이든 집을 헐러 오는 놈은 그냥 놔두지 않을 테야."

영호가 말했다.

"그만둬."

내가 말했다.

"그들 옆엔 법이 있다."

아버지 말대로 모든 이야기는 끝나 버린 것이나 마찬가지였다. 영희는 울고 있었다.

(나) 수오재(守吾齋), 즉 '나를 지키는 집'은 큰형님이 자신의 서재에 붙인 이름이다. 나는 처음 그 이름을 보고 의아하게 여기며, "나와 단단히 맺어져 서로 떠날 수 없기로는 '나'보다 더한 게 없다. 비록 지키지 않는다 한들 '나'가 어디로 갈 것인가. 이상한 이름이다."라고 생각했다.

장기로 귀향 온 이후 나는 홀로 지내며 생각이 깊어졌는데, 어느 날 갑자기 이러한 의문점에 대해 환히 깨달을 수 있었다. [중략] 유독 이 '나'라는 것은 그 성품이 달아나기를 잘하며 출입이 무상하다. 아주 친밀하게 붙어 있어 서로 배반하지 못할 것 같지만 잠시라도 살피지 않으면 어느 곳이든 가지 않는 곳이 없다. 이익으로 유혹하면 떠나가고, 위험과 재앙으로 겁을 주면 떠나가며, 질탕한 음악 소리만 들어도 떠나가고, 미인의 예쁜 얼굴과 요염한 자태만 보아도 떠나간다. 그런데 한번 떠나가면 돌아올 줄 몰라 붙잡아 만류할 수가 없다. 그러므로 천하 만물 중에 잃어버리기 쉬운 것으로는 '나'보다 더 한 것이 없다. 그러니 꽁꽁 묶고 자물쇠로 잠가 '나'를 굳게 지켜야 하지 않겠는가? 나는 '나'를 허투루 간수했다가 '나'를 잃은 사람이다. 어렸을 때는 과거 시험을 좋게 여겨 그 공부에 빠져 있었던 것이 십 년이다. 마침내 조정의 벼슬아치가 되어 사모관대에 비단 도포를 입고 백주 대로를 미친 듯 바쁘게 돌아다니며 십이 년을 보냈다. 그러다 갑자기 상황이 바뀌어 친척을 버리고 고향을 떠나 한강을 건너고 문경 새재를 넘어 아득한 바닷가 대나무 숲이 있는 곳에 이르러서야 멈추게 되었다. 이때 '나'도 땀을 흘리고 숨을 몰아쉬며 허둥지둥 내 발뒤꿈치를 쫓아 함께 이곳에 오게 되었다. 나는 '나'에게 말했다.

"너는 무엇 때문에 여기에 왔는가? 여우나 도깨비에게 홀려서 왔는가? 바다의 신이 불러서 왔는가? 너의 가족과 이웃이 소내에 있는데, 어째서 그 본고장으로 돌아가지 않는가?"

그러나 '나'는 멍하니 꼼짝도 하지 않고 돌아갈 줄을 몰랐다. 그 안색을 보니 마치 얽매인 게 있어 돌아가려 해도 돌아갈 수 없는 듯했다. 그래서 '나'를 붙잡아 함께 머무르게 되었다.

(다) 나는 바람의 말을 알아들을 수 있었습니다
　내가 계산이 되기 전에는

　나는 비의 말을 새길 줄 알았습니다
　내가 측량이 되기 전에는

　나는 별의 말을 이해할 수 있었습니다
　내가 해석이 되기 전에는

　나는 대지의 말을 받아 적을 수 있었습니다
　내가 부동산이 되기 전에는

　나는 숲의 말을 알아들을 수 있었습니다
　내가 시계가 되기 전에는

　이제 이들은 까닭 없이 심오해졌습니다
　그들의 말은 난해하여 알아들을 수 없습니다

　내가 측량된 다음 삶은 터무니없이
　난해해졌습니다

　내가 계산되기 전엔 바람의 이웃이었습니다
　내가 해석되기 전엔 물과 별의 동무였습니다
　그들과 말 놓고 살았습니다
　나도 그들처럼 소용돌이였습니다

(라) 창고 밖으로 상자들을 옮기고 있던 자앙과 트럭 운전수 사이에 언쟁이 벌어진다.
　운전수: 그건 미친 짓이야! 일부러 잘못했다고 편지를 보낼 필요는 없어!
　자앙: (편지를 운전수에게 내밀며) 제발 보내야 해요!
　운전수: 여봐, 내가 상자들을 운반하고 다니니깐 상자 주인과 통할 수 있다고 생각한 모양인데, 그건 큰 착각이야. 난 말이야, 뭐가 뭔지도 모르고 그냥 싣고 왔다가 그냥 실어 가는 거라구. 실제로 내가 아는 건, 정거장에서 여러 트럭들이 상자를 나눠 받을 때 만나는 분배 반장 딸기코하고, 접수 반장 외눈깔, 그 둘뿐이라구.
　자앙: 그래도 상자 주인에게는 반드시 알려 줘야죠. 엉뚱하게 바뀐 상자 하나 때문에 뭔가 잘못 만들어지면 안 되잖아요. 〔중략〕
　운전수: 도대체 무슨 소리인지 모르겠네! (자앙에게) 어쨌든 상자 속의 부속품으로 뭘 만드는지 알 수는 없어. 만약 폭탄을 만든다면 오히려 상자가 바뀐 것이 사람들의

목숨을 살릴 테니깐 잘된 일이잖아? 여봐, 자넨 너무 배짱이 약해. 이 조그만 창고 속에서 모든 걸 성실하게 잘했다는 것이, 창고 밖에서는 매우 큰 잘못이 된다고 생각해 봐. 그럼 상자 하나쯤 틀렸다고 안절부절못하진 않을거야. 무슨 일이 생겨도 창고 밖으로 알릴 필요는 없어. 그게 잘한 일인지 못한 일인지 모를 바에야 그냥 덮어두라구. 창고 속의 자네한테는, 그게 배짱 편한 거야.

자앙: (손에 들고 있는 서류를 가리키며) 그렇다면 이런 서류들은 뭡니까? 누군가 이 서류들을 보면, 상자가 잘못된 것을 알 수 있을 텐데요?

운전수: 서류가 완전하다고 믿는 건 바보들뿐이지! 좋은 예가 있어. 내 아내는 옛날에 죽었는데 사망 신고를 안했거든. 그래서 구청에서 호적을 떼어 보면 지금도 서류상으로는 버젓하게 살아 있는 것으로 나온다구. 자, 굼벵이 양반, 꾸물대지 말고 어서 상자들이나 옮겨!

운전수: 우린 트럭에 상자들을 다 옮겼어. 그런데 너희는 짐도 안 싸고 뭘 했지?

자앙: 짐이라니……?

기임: 으음, 그렇게 됐어. 오늘 나는 이 창고 속을 떠난다구!

다링: (자앙의 침대 밑에서 상자 하나를 꺼낸다.) 이건 뭐죠?

자앙: 북어 대가리죠. 그건 가져가세요. 꼭 필요할 겁니다.

다링: 북어 대가리……?

기임: 이게 왜 필요한지는 두고 보면 알게 될 거야. (상자를 열어서 북어 대가리를 하나 꺼내 자앙에게 준다.) 난 너한테 이것밖에 줄 게 없군. 내 생각이 날 거야. 항상 곁에 두고 보라구. 〔중략〕

창고는 조용해진다. 자앙, 식탁 앞에 힘없이 주저앉는다. 늙고 허약해진 모습이다. 그는 식탁 위에 놓여 있는 북어 대가리를 물끄러미 바라본다.

자앙: 그래, 나도 너처럼 머리만 남았군. 그저 쓸쓸하고…… 허무한 생각으로 가득 찬…… 머리만……덜렁…… 남은 거야. (두 손으로 북어 대가리를 집어서 얼굴 가까이 마주보며) 말해 보렴, 네 눈엔 내가 어떻게 보이는지? 그토록 오랜 나날…… 나는 이 어둡고 조그만 창고 속에서…… 행복했다. 상자들을 옮겨 오고…… 내보내며…… 내가 맡고 있는 일을 성실하게 잘하고 있다는 뿌듯함…… 그게 내 삶을 지탱해 왔었는데……. 그러나 만약에…… 세상이 엉뚱하게 잘못되고 있는 것이라면…… 이 창고 속에서의 성실함이…… 무슨 소용 있는 거지? (사이) 북어 대가리야, 왜 말이 없냐? 멀뚱멀뚱 바라만 볼 뿐 왜 대답이 없어? (북어 대가리를 식탁 위에 내려놓는다.) 아냐, 내 의심은 틀린 거야. 덜렁 남은 머릿속의 생각만으로 세상을 잘못됐다구 판단해선 안 돼. (손수레에 실린 상자를 서류와 대조하며 혼자서 쌓기 시작한다.) 제자리에 상자들을 옮겨 놓아라! 정확하게 쌓아! 틀리면 안 돼! 단 하나의 착오도 없게, 절대로 틀려서는 안 된다!

(마) 노라: 토발. 뭐라고 대답할 수가 없군요. 저는 전혀 모르겠어요. 모든 일에 대해서 판단이 서지를 않는군요. 제가 지금 알고 있는 것이란 모든 일에 대하여 저는 당

신과는 아주 다른 생각을 하고 있다는 것, 그리고 법이 옳다는 것은 아무래도 납득이 되지 않는다는 것만은 확실합니다. 여자에게는 돌아가시게 된 친정아버지에게 걱정을 끼쳐 드리지 않을 수 있는 권리가 없다는 것, 자기 남편의 목숨을 구할 권리가 없다니 말입니다ㅡ. 저는 그런 일들을 도저히 믿을 수가 없는 거랍니다.

헬멜: 당신은 어린애와 같은 소리를 하고 있소. 자기가 살고 있는 세계가 어떤 것인지 이해를 하고있지 않은 거요.

노라: 그래요, 저는 모르겠어요. 그러니까 그것 역시 이제부터 배우겠어요. 이 사회가 옳은지 제가 옳은 생각을 한 것인지 반드시 알아내고 말겠어요. 〔중략〕

노라: 저는 지난 8년 동안 끈기 있게 기다렸어요. 기적이 매일 일어나지 않는다는 것은 저도 잘 알고 있었지요. 하지만 이번 재난이 닥치자, 저는 이제야말로 기적이 일어나리라고 굳게 믿었어요. 크로그스타의 편지가 그곳에 내던져졌을 때ㅡ 당신이 그 사나이의 요구대로 움직이리라고는 꿈에도 생각해 보지 않았어요. 당신이 그 사나이를 보고 외칠 줄 알았어요. '가서 세상에다 공표를 하게!' 그리고 일이 벌어지게 되면ㅡ.

헬멜: 그래서? 그다음에 어떻게 된다는 거요? 내가 자기 아내를 수치와 추문 속에 떨어지게 한 뒤에 말이오?

노라: 저는 완전히 확신을 하고 있었던 거예요ㅡ 당신이 나타나서 모든 책임을 한 몸에 지게, 되리라고ㅡ 책임은 모두 나에게 있소, 하고 말하리라고 굳게 믿었던 거예요. 〔중략〕

헬멜: 오, 당신은 철부지 아이와 같이 생각하고 말하는구려.

노라: 아마 그럴지도 모르죠. 하지만 당신은 제 자신이 일생을 맡길 수 있다고 생각한 사나이답게 생각하지도 않았고 말하지도 않았어요. 제 자신을 위협하게 되었대서가 아니라 당신 자신이 위험에 빠지게 될까 봐 벌벌 떨었으면서도 위험이 이제 지나갔다는 사실을 알게 되자, 당신은 아무런 일도 일어나지 않았던 것처럼 태연해지신 거란 말이에요. 단지 저는 그전과 마찬가지로 작은 종달새고 당신의 인형에 지나지 않는 거예요. 부서지기 쉽다는 것을 알았기 때문에 앞으로는 좀 더 소중하게 취급하게 되리라는 것뿐. (일어선다.) 톨발ㅡ 그때 저는 깨달은 거예요. 지난 8년 동안 저는 낯선 사나이와 생활해 왔다는 것, 그리고 그의 자식을 셋이나 낳았다는 것ㅡ 아, 참을 수 없어요. 이 몸을 갈기갈기 찢어 버리고 싶군요ㅡ.

헬멜: (슬픈 어조로) 그렇소. 나도 알았소ㅡ 알아들었다고. 우리들 사이에는 분명히 커다란 틈이 있소ㅡ 아, 그러나 노라, 그 틈은 메워질 수 없는 것일까?

노라: 지금과 같아서는 저는 당신의 아내라고 할 수가 없어요.

헬멜: 나도 딴사람이 되어 보이겠소.

노라: 아마 그럴지도 모르죠ㅡ 당신의 손에서 인형이 치워진다면요.

헬멜: 노라, 당신을 잃게 되다니ㅡ 아니, 아니요, 나로선 상상조차도 할 수 없는 일이오.

노라: (무대 오른쪽으로 나간다.) 그렇다면 더욱 헤어져야만 해요.

헬멜: 그러나 당신은 내 아내요ー 지금도 앞으로도 어떻게 변하든 간에ー.

노라: 제가 듣자 하니 아내가 남편의 집에서 떠나면 법에 의하여 남편은 아내에 대한 일체의 의무에서 해방된다고 하더군요. 어쨌든 저는 당신을 자유의 몸이 되게 한 거예요. 우리 두 사람은 완전한 자유의 몸이 되어야 해요. 자아, 여기 당신이 준 반지를 돌려드리겠어요. 제 것도 돌려주세요.

헬멜: 그것까지도?

노라: 그것까지도.

(바) 실존주의는 인간의 보편적 합리성보다는 개개인의 주체성을 중시한다. 키르케고르는 실존이란 '이것이냐 저것이냐'를 선택해야 하는 구체적인 상황에 처한 개인이라고 본다. 이러한 상황에서 개인은 늘 불안을 느끼며 주체적 결정을 회피하면서 죽음에 이르는 병, 즉 절망에 빠지게 된다. 사르트르는 모든 인간에게 자유가 주어져 있음을 강조하며 주체적인 선택과 결단에 따라 자신의 삶을 스스로 만들어 나가고 그 결과에 대하여 책임질 때 참된 실존을 회복할 수 있다고 보았다. 실존주의는 인간의 개성을 긍정적으로 본다. 실존주의는 이성과 같은 보편적 특성을 통해서는 인간의 삶을 제대로 파악하기 힘들다고 본다. 따라서 인간의 보편적 본질이나 목적이 아닌 사람마다 가지고 있는 구체적인 개성을 실현해야 한다. 또한 목적이나 용도가 미리 결정되어 있는 사물과 달리 인간은 자신을 주체적으로 만들어 가야 한다. 따라서 실존주의는 타인이 만들어 놓은 삶의 방식을 무조건 따르는 것에서 벗어나 자신만의 결단과 선택에 따라 살아가야 한다고 강조한다.

(사) 실용주의 사상가들은 옳고 그름과 선악의 절대적인 기준을 강조하는 기존의 사상으로는 사회적 혼란을 해결할 수 없다고 보았다. 이들은 영국의 경험론과 다윈의 진화론을 수용하여 실용주의를 전개하였다. 실용주의는 경험적이고 과학적인 방법을 바탕으로 문제 해결을 위한 유용한 지식을 강조하였다. 듀이는 문제 상황에 대한 답을 얻기 위해서는 지성을 통한 탐구가 이루어져야 한다고 보았다. 여기서 말하는 지성은 근대 과학이 보여 준 실험적이며 실천적인 지적 태도를 일컫는다. 듀이는 지성적인 탐구를 통해 현재 상황에서 구체적으로 존재하는 문제가 무엇인지를 밝히고 그것을 교정하려는 노력을 할 때, 문제 상황을 개선하고 사회의 성장과 진보를 가져올 수 있다고 보았다.

[문제 1] '상실의 원인'과 '상실의 결과'를 제시문 (가), (나), (다), (라)에서 각각 찾아 하나의 완성된 글로 논술하시오. [40점, 550-570자]

[문제 2] 제시문 (마)의 '노라의 주장'을 제시문 (바)의 논지에 근거하여 서술하고, 제시문 (라)의 자양이 결정을 내리는 과정에서 참고할 점을 제시문 (바)와 (사)를 통합적으로 고려하여 서술하시오. [40점, 550-570자]

※ 다음 조건에 기초하여 문제에 답하시오.

> (조건 1) 다른 사람과 관계를 맺어 친구가 되는 경우와 그렇지 않은 경우만 고려한다.
> (조건 2) 전체 인원은 N명이고, 각 사람은 3개 그룹 A, B, C 중 하나에만 속해 있다. 이때 그룹 B에 속한 인원은 그룹 A에 속한 인원의 2배이고, 그룹 C에 속한 인원은 그룹 B에 속한 인원의 2배이다.
> (조건 3) 그룹 A에 속한 사람들끼리 친구가 될 확률은 0.5, 그룹 B에 속한 사람들끼리 친구가 될 확률은 0.3, 그룹 C에 속한 사람들끼리 친구가 될 확률은 0.2이다.
> (조건 4) 그룹 A에 속한 사람과 그룹 B에 속한 사람이 친구가 될 확률은 0.17, 그룹 A에 속한 사람과 그룹 C에 속한 사람이 친구가 될 확률은 0.12, 그룹 B에 속한 사람과 그룹 C에 속한 사람이 친구가 될 확률은 0.13이다.

[문제 3] 그룹 A에 속한 어떤 사람이 관계를 맺은 친구 수의 기댓값이, 그룹 B에 속한 어떤 사람이 관계를 맺은 친구 수의 기댓값보다 더 커지는 데 필요한 전체 인원 N의 최솟값을 구하시오. [20점, 원고지 작성법을 준수할 필요 없음]

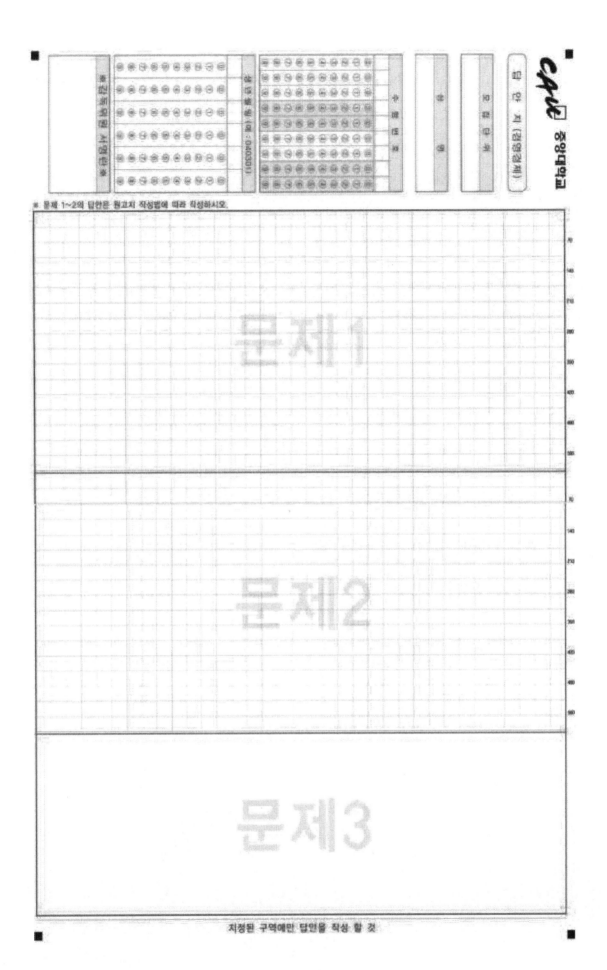

VI. 예시 답안

1. 2024학년도 중앙대 수시 논술 [인문사회]

[문제 1] 제시문 (가)~(라)에는 특정한 대상이나 상황이 서로 비교되는 다양한 모습이 나타난다. 제시문 (가), (나), (다), (라)에서 화자가 비교를 통해 발견한 '차이점'과 이로 인해 깨달은 것'을 각각 찾아 하나의 완성된 글로 논술하시오. [40점, 550-570자]

> (가)~(라)에는 비교를 통해 차이를 발견하고 깨달음을 얻는 모습이 나타난다. (가)의 나는 목수가 집을 짓는 순서대로 주춧돌부터 집을 그리지만 자신은 지붕부터 집을 그리는 차이를 발견했다. 이를 통해 이론보다 현장 경험과 실천적 삶의 중요성을 깨달았다. (나)의 화자는 현재의 자화상과 옛사진 속 그림을 비교해 상반신 윤곽선의 유무, 인상과 분위기의 상이함을 찾았다. 그래서 작가의 의도와 성찰의 과정이 남은 미완성작도 예술성이 높을 수 있음을 알았다. (다)의 나는 자신에 비해 할아버지가 두 배나 힘들게 일한다는 점을 발견했다. 이로 인해 각자 불편을 감수하고 하는 일이 근본적으로 다르지 않고 소소하게라도 생명을 돌보는 일에 진정성을 가져야 함을 깨달았다. (라)의 화자는 부탄 사람들은 가난해도 욕심없고 여유롭게 살지만 우리는 많이 가져도 더 갖고자 조급하게 산다는 차이를 발견했다. 그 결과 행복의 가치를 재성찰하면서 나눔과 만족이 진정한 행복이라는 인식에 도달했다. 따라서 화자는 그리는 순서, 그림의 상태, 수고로움, 삶의 방식에서 차이점을 찾고 이를 통해 실천, 예술성, 생명, 행복의 의미를 깨달았다. (570자)

[문제 2] 제시문 (라)에 나타난 부탄 사람들의 '삶의 여유'를 제시문 (마)의 내용을 토대로 평가하고, 제시문 (라)에 언급된 '우리'에게 필요한 삶의 자세를 제시문 (바)와 (사)를 각각 고려하여 서술하시오. [40점, 550-570자]

> (마)에서 언급된 세 가지 여유의 맥락에서 (라)의 부탄 사람들이 처한 상황으로 보면, 이들은 가난한 삶을 살기에 물질적 여유가 없고, 몸을 바삐 움직여야만 모든 일상이 영위되기 때문에 시간적 여유도 부족해 보인다. 하지만 이들은 마음의 상태로서의 여유를 충분히 지니고 있기에 가난해도 삶을 즐기고, 낯선 이들에게도 친절을 베푸는 여유로운 삶을 산다. 따라서 이들의 삶의 여유는 객관적으로 측정할 수 있는 물질적, 시간적 여유보다 마음의 여유가 중요하다는 것을 보여준다는 점에서 의미가 있다고 평가할 수 있다. 한편 (바)에서는 잠시 멈추고 세상의 아름다움을 바라보는 시간을 갖는 것이 중요하다고 말한다. 이를 활용하여 (라)의 '우리'에게 필요한 자세는 (바)의 노승처럼 지금의 순간 자체에 집중해 근원적 행복감을 느낄 수 있는 여유로운 마음가짐이라 할 수 있다. 또한 (사)에서 언급한 존재 양식의 삶도 필요하다. (라)의 '우리'는 소유의 방식에 기반하기에 가진 것을 잃을까 걱정하고 불안할 수밖에 없다. 따라서 소유의 집착에서 벗어나 주체적 삶을 여유롭게 향유 하는 존재 양식의 삶을 실천하는 자세가 필요하다. (568자)

[문제 3] 제시문 (아)의 편의점 서비스 공급자와 제시문 (자)의 누리 소통망(SNS)의 뉴스 공급자가 이용자를 대하는 '전략의 차이'를 기술하고, 제시문 (자)의 가짜 뉴스에 대처하기 위해 우리 사회에 필요한 것이 무엇인지 제시문 (차)를 토대로 서술하시오. [20점, 330-350자]

(아)에서 편의점 서비스 공급자는 이용자에게 관심을 두지 않음으로써 익명성을 보장하고, 규격화된 상호작용 지침을 토대로 응대하여 개인의 취향을 고려하기보다 표준화된 서비스를 제공하는 전략을 사용한다. 반면 (자)에서 누리 소통망 뉴스 공급자는 사람들의 관심을 끌기 위해 개인 간 취향 차에 초점을 맞춰 뉴스를 이용자 맞춤형으로 선별 제공하는 전략을 사용한다. 한편 (차)에 따르면 (자)의 가짜 뉴스에 대처하기 위해 우리 사회는 개인 정보 보호를 통해 인격권을 보장하고, 타인의 권리와 이익을 침해하지 않으면서 표현의 자유를 인정하는 제도를 마련하고, 구성원들은 정보를 비판적으로 활용하는 매체 이해력을 신장시킬 필요가 있다. (350자)

2. 2024학년도 중앙대 수시 논술 [경영경제]

[문제 1] 제시문 (가)~(라)에는 다양한 음악적 행위를 하는 인물이 등장한다. 제시문 (가), (나), (다), (라)에서 등장인물의 삶 전반에 드러난 '난관'과 각 제시문에 나타난 음악의 '역할'을 각각 찾아 하나의 완성된 글로 논술하시오. [40점, 550-570자]

각 제시문에는 삶의 난관 및 음악의 역할이 다양하게 나타난다. (가)의 최 씨는 난리 중에 죽임을 당한 후 이생과 재회하나 결국 헤어져야만 하는 운명에 놓여있다. 이때 음악은 최 씨의 억울한 삶에 대한 한탄과 기약 없는 이별에 대한 애절함을 고조시킨다. (나)의 '나'는 가난 때문에 반지하에 살면서 욕망이 억눌린 채 피아노도 마음대로 치지 못하는 처지이다. 이때 음악은 좋아하지만 온전히 누릴 수 없는 대상이자 절박한 상황에서 자존감을 표현하는 도구이다. (다)의 '그'는 고향도 부모도 흠모하던 여성도 잃은 후 어디에도 마음 두지 못한 채 떠돌아다니는 신세이다. 여기서 음악은 당대의 처참한 사회상을 묘사하는 동시에 등장인물의 설움과 울분을 담고 있다. (라)의 '나'는 남자다움을 강요하는 주변 시선과 폭력적 상황에 노출되었으나 이에 대응할 방법을 찾지 못하고 있었다. 여기서 음악은 사회적 통념을 비판하고 등장인물의 자기 긍정 및 해방의 통로로 작용한다. 이처럼 등장인물은 운명, 가난, 실향, 성장통 등의 문제 상황에 처했으며, 이때 음악은 비애, 자존감, 비통함, 해 방감 등을 드러내는 역할을 한다. [563자]

[문제 2] 제시문 (라)에 나타나는 '남자다움'에 대한 고정관념을 제시문 (마)와 (바)의 내용을 각각 고려하여 비판하고, 제시문 (라)의 등장인물 '나'에게 필요한 자세가 무엇인지 제시문 (사)와 (아)를 각각 고려하여 서술하시오. [40점, 550-570자]

(마)는 오른손잡이와 왼손잡이의 신체적 차이가 특정 방식의 양육 과정을 통해 근본적 차이로 인식된다면 성별에 대한 사회적 통념의 기준이 될 수도 있음을 보여준다. 이에 따르면, 남자다움에 대한 통념은 성별에 따른 근본적 차이라기보다는 사회적 과정을 통해 구성되었음을 알 수 있다. (바)에 의하면, 평균은 한 집단의 특성을 잘 반영하는 대푯값이긴 하나 동시에 집단의 다양성을 고려하지 못한다. 남자다움에 대한 통념은 마치 평균을 통해 집단을 이해하는 것과 같이 다양성을 고려하지 못하고 평균과 다른 사람을 배제하는 부정적 결과를 초래할 수 있다. (사)에 따르면, 인간은 자신의 생물학적 특성에 구속받는 존재이지만 동시에 자유 의지와 문화적 힘을 통해 그 한계를 극복할 수 있다. 따라서 나는 성

별과 그에 따른 고정관념에 얽매이지 말고 최선을 다해 삶을 살아가는 자세가 필요하다. (아)는 살아가면서 겪게 되는 다양한 상처들이 부끄러움거리가 아니고 삶의 가치가 될 수 있다는 것을 보여준다. 그렇기에 나는 지난 삶의 흉터들을 회피하기보다는 그 과정에서 단단해진 자신의 삶을 긍정하고 당당하게 앞으로 나아가야 한다. [567자]

※ 다음 상황에 기초하여 문제에 답하시오.

한 음악 평론가는 새롭게 발표된 노래 한 곡을 듣고, 다음 두 가지 기준을 모두 만족시키면 작곡가 A가 작곡한 노래라고 판정한다. 새롭게 발표된 이 노래는 작곡가 A 아니면 작곡가 B가 작곡했고, 두 기준은 서로 독립적으로 적용된다고 가정한다.

● 기준 1: 새로운 노래의 마지막 2개 소절 중 1개 소절 이상이 예전에 A가 작곡했던 노래의 소절과 유사하다.
● 기준 2: 새로운 노래의 후렴구 길이가 44초 이상 58초 이하이다.

각 기준에 대한 가정은 다음과 같다.

● 가정 1: 음악 평론가가 A가 작곡한 노래의 1개 소절에 대해 예전에 A가 작곡했던 노래의 1개 소절과 유사하다고 판단할 확률은 a이다. 그리고 B가 작곡한 노래의 1개 소절에 대해 예전에 A가 작곡했던 노래의 1개 소절과 유사하다고 판단할 확률은 0.2이다.
● 가정 2: A가 작곡한 노래의 후렴구 길이는 정규분포 $N(50, 4^2)$, B가 작곡한 노래의 후렴구 길이는 정규분포 $N\left(58, \left(\dfrac{14}{3}\right)^2\right)$을 따른다.

[문제 3] 새로 발표된 노래가 실제 A가 작곡한 노래인 경우 음악 평론가가 이 노래를 A가 작곡한 노래라고 판정할 확률은 p이고, 실제 B가 작곡한 노래인 경우 이 노래를 A가 작곡한 노래라고 판정할 확률은 q라고 하자. 이때 p가 q의 $\dfrac{16}{5}$배 이상이 될 a의 최솟값을 오른쪽 표준정규분포표를 이용하여 구하시오. [20점, 원고지 작성법을 준수할 필요 없음]

z	$P(0 \le Z \le z)$
0.5	0.19
1.0	0.34
1.5	0.43
2.0	0.47
2.5	0.49
3.0	0.50

새로운 노래가 기준 1을 만족하여 음악 평론가가 A가 작곡한 노래의 1개 소절 이상이 유사하다고 판단하는 사건을 S_1이라 하자. A가 작곡한 노래에 대한 판단 확률을 P_A, B

가 작곡한 노래에 대한 판단 확률을 P_B라고 하면, 기준 1에 대한 확률은 다음과 같다.

$$P_A(S_1) = 1 - (1-a)^2$$

$$P_B(S_1) = 1 - (1-0.2)^2 = 0.36$$

새로운 노래가 기준 2를 만족하는 사건을 S_2라 하고, X_1은 A가 작곡한 노래의 후렴구 길이, X_2는 B가 작곡한 노래의 후렴구 길이를 나타낸다.

$$P_A(S_2) = P(44 \leq X_1 \leq 58) = P\left(\frac{44-50}{4} \leq Z \leq \frac{58-50}{4}\right) = P(-1.5 \leq Z \leq 2)$$
$$= 0.43 + 0.47 = 0.9$$

$$P_B(S_2) = P(44 \leq X_2 \leq 58) = P\left(\frac{44-58}{\frac{14}{3}} \leq Z \leq 0\right) = P(-3 \leq Z \leq 0) = 0.5$$

음악 평론가가 노래를 듣고 A가 작곡한 노래라고 판정하는 사건을 S라고 하자. 이때 기준 1과 2는 서로 독립적으로 적용되므로 p와 q는 다음과 같이 계산할 수 있다.

$$p = P_A(S) = P_A(S_1 \cap S_2) = P_A(S_1) P_A(S_2) = \left[1 - (1-a)^2\right] \times 0.9$$

$$q = P_B(S) = P_B(S_1 \cap S_2) = P_B(S_1) P_B(S_2) = 0.36 \times 0.5$$

p가 q의 $\frac{16}{5}$배 이상이 될 a의 최솟값은 다음과 같이 계산할 수 있다.

$$\left[1 - (1-a)^2\right] \times 0.9 \geq 0.18 \times \frac{16}{5}$$

$$\Rightarrow 1 - (1-a)^2 \geq 0.2 \times \frac{16}{5} = \frac{16}{25}$$

$$\Rightarrow (1-a)^2 \leq \frac{9}{25}$$

$$\Rightarrow -\frac{3}{5} \leq 1-a \leq \frac{3}{5}$$

$$\Rightarrow \frac{2}{5} \leq a \leq \frac{8}{5}$$

$$\Rightarrow \frac{2}{5} \leq a \leq 1 \quad \because 0 \leq a \leq 1$$

따라서 a의 최솟값은 $\frac{2}{5}(=0.4)$이다.

[별해]
기준 2에서 S_1에 대한 확률을 다음과 같이 계산할 수 있다.
A가 작곡한 노래에 대한 판단 확률:

$$P_A(S_1) = {}_2C_1 a(1-a) + {}_2C_2 a^2 (1-a)^0 = 2a - a^2$$

B가 작곡한 노래에 대한 판단 확률:

$$P_B(S_1) = {}_2C_1 (0.2)^1 (0.8)^1 + {}_2C_2 (0.2)^2 (0.8)^0 = 0.36$$

이때 기준 1과 2는 서로 독립적으로 적용되므로 p와 q는 다음과 같이 계산할 수 있다.

$$p = P_A(S) = P_A(S_1 \cap S_2) = P_A(S_1)P_A(S_2) = (2a - a^2) \times 0.9$$

$$q = P_B(S) = P_B(S_1 \cap S_2) = P_B(S_1)P_B(S_2) = 0.36 \times 0.5$$

p가 q의 $\dfrac{16}{5}$배 이상이 될 a의 최솟값은 다음과 같이 계산할 수 있다.

$$(2a - a^2) \times 0.9 \geq 0.18 \times \frac{16}{5}$$

$$\Rightarrow (2a - a^2) \geq 0.2 \times \frac{16}{5} = \frac{16}{25}$$

$$\Rightarrow a^2 - 2a + \frac{16}{25} \leq 0$$

$$\Rightarrow \left(a - \frac{2}{5}\right)\left(a - \frac{8}{5}\right) \leq 0$$

$$\Rightarrow \frac{2}{5} \leq a \leq \frac{8}{5}$$

$$\Rightarrow \frac{2}{5} \leq a \leq 1 \quad \because 0 \leq a \leq 1$$

따라서 a의 최솟값은 $\dfrac{2}{5}(= 0.4)$이다.

3. 2024학년도 중앙대 모의 논술 [인문사회]

[문제 1] 제시문 (가), (나), (다), (라)에서 등장인물이 거짓된 언행을 하는 '이유'와 이러한 거짓된 언행으로 인해 초래된 '예상과 다른 결과'를 각각 찾아 하나의 완성된 글로 논술하시오. [40점, 550-570자]

(가)~(라)의 등장인물은 거짓된 언행으로 예상치 못한 결과에 직면한다. (가)의 나는 점순이의 부추김에 결혼을 허락받고자 장인 앞에서 꾀병을 부린다. 그러나 결혼을 허락할 생각이 없는 장인은 나를 매질하고 점순이마저 장인의 편을 들자 나는 허탈해진다. (나)의 나는 조선인에 대한 차별에서 벗어나고자 일본인으로 속이고 살려고 한다. 그러나 조선인들을 외면해야 하는 상황에서 내적 고통을 느끼며 조선인으로서 정체성을 재확인한다. (다)의 지소는 집을 구할 돈을 얻기 위해 노부인의 개를 훔친 뒤 찾아주는 척하려 한다. 그러나 자신이 아빠를 기다리듯 노부인도 개를 기다린다는 것을 깨닫고 사례금을 포기하고 개를 돌려주기로 한다. (라)의 나는 모임의 분위기가 어색해지는 것을 막기 위해 아내가 건강 때문에 채식을 한다고 거짓말한다. 그러자 참석자들이 채식주의자에 대한 편견을 노골적으로 드러내어 아내의 소외감은 심화되고 분위기는 한층 어색해진다. 이처럼 등장인물은 결혼, 돈 등 원하는 바를 얻거나, 차별과 불편을 피하기 위해 거짓 언행을 했으나, 허탈감, 정체성 확인, 삶의 가치 인식, 상황의 악화 등에 이르게 됐다.

[570자]

[문제 2] 제시문 (마)와 제시문 (바)를 통합적으로 고려하여 제시문 (라)의 모임 참석자들이 채식주의자인 '아내'를 대하는 태도를 비판하고, 모임 참석자들과 아내가 서로를 이해하기 위해 각각 어떤 노력을 해야 하는지를 제시문 (사)를 토대로 서술하시오. [40점, 550-570자]

(마)에서는 대상에 대한 인지와 분별이 상대적이라는 장자의 철학과 인간의 기본 욕구를 억압하는 모든 폭력을 제거해야 한다는 갈퉁의 주장이 나타난다. (바)는 우산을 예로 들어 통념이 인간을 억압하고, 대상에 대한 인식이 시대적 맥락에 따라 변할 수 있음을 설명한다. (마)와 (바)를 통합해 보면, (라)의 모임 참석자는 육식은 인간의 본능이라는 통념이 절대적이지 않음을 인식하지 못하고, 이런 자기중심적 관점에서 채식주의를 비정상적이라고 평가한다는 점에서 문제가 있다. 또한 참석자들은 아내의 기본적 욕구를 존중하지 않는 것 자체가 폭력임을 인식하지 못하고, 소수의 취향을 억압하는 언어적, 문화적 폭력을 가한다는 점에서 비판받을 수 있다. (사)를 토대로 보면, 서로를 이해하기 위해 모임 참석자들은 자신들과 비슷한 생각이나 취향을 가진 사람끼리만 소통함으로써 사고가 편향되고 고착되는 것을 경계해야 한다. 또한 자신과 다른 의견을 가진 소수자들을 존중해야 하며, 통설을 강요하는 방식으로 소수자를 억압하지 말아야 한다. 한편 아내는 다수 집단과의 대화를 회피하려고만 하지 말고 상대방을 설득하려고 노력해야 한다.

[569자]

[문제 3] 제시문 (아)에서 설명된 '루틴'과 '징크스'의 공통점과 차이점을 서술하고, 목표한 바를 이루고자할 때 지녀야 할 자세를 제시문 (자)와 제시문 (차)를 각각 고려하여 서술하시오. [20점, 330~350자]

(아)에 따르면 루틴과 징크스는 경기에서 이기려는 열망에서 비롯된다는 공통점이 있다. 그러나 루틴은 최상의 상태를 유지하는 데 도움이 되기 때문에 반복적으로 해야만 하는 행동과 말이라면, 징크스는 행동과 실패 사이에 과도한 인과 관계를 부여함에 따라 패배하지 않기 위해 피해야만 하는 행동을 지칭한다. 한편 (자)를 고려하면, 목표한 바를 이루기 위해서는 실패를 하더라도 이 경험을 통해 성공의 방법을 찾아내고, 꿈을 간직함으로써 실패의 고통을 이겨내어 계속 도전하는 자세가 필요하다. 또한 (차)를 고려하면, 분명한 목표를 세우고 자신을 도와줄 조력자를 찾아 간절한 마음으로 꾸준히 연습함으로써 실력을 쌓는 것이 필요하다.

[349자]

4. 2024학년도 중앙대 모의 논술 [경영경제]

[문제 1] 제시문 (가), (나), (다), (라)에서 등장인물이 거짓된 언행을 하는 '이유'와 이러한 거짓된 언행으로 인해 초래된 '예상과 다른 결과'를 각각 찾아 하나의 완성된 글로 논술하시오. [40점, 550~570자]

(가)~(라)의 등장인물은 거짓된 언행으로 예상치 못한 결과에 직면한다. (가)의 나는 점순이의 부추김에 결혼을 허락받고자 장인 앞에서 꾀병을 부린다. 그러나 결혼을 허락할 생각이 없는 장인은 나를 매질하고 점순이마저 장인의 편을 들자 나는 허탈해진다. (나)의 나는 조선인에 대한 차별에서 벗어나고자 일본인으로 속이고 살려고 한다. 그러나 조선인들을 외면해야 하는 상황에서 내적 고통을 느끼며 조선인으로서 정체성을 재확인한다. (다)의 지소는 집을 구할 돈을 얻기 위해 노부인의 개를 훔친 뒤 찾아주는 척하려 한다. 그러나 자신이 아빠를 기다리듯 노부인도 개를 기다린다는 것을 깨닫고 사례금을 포기하고

개를 돌려주기로 한다. (라)의 나는 모임의 분위기가 어색해지는 것을 막기 위해 아내가 건강 때문에 채식을 한다고 거짓말한다. 그러자 참석자들이 채식주의자에 대한 편견을 노골적으로 드러내어 아내의 소외감은 심화되고 분위기는 한층 어색해진다. 이처럼 등장인물은 결혼, 돈 등 원하는 바를 얻거나, 차별과 불편을 피하기 위해 거짓 언행을 했으나, 허탈감, 정체성 확인, 삶의 가치 인식, 상황의 악화 등에 이르게 됐다.

[570자]

[문제 2] 제시문 (마)와 제시문 (바)를 통합적으로 고려하여 제시문 (라)의 모임 참석자들이 채식주의자인 '아내'를 대하는 태도를 비판하고, 모임 참석자들과 아내가 서로를 이해하기 위해 각각 어떤 노력을 해야 하는지를 제시문 (사)를 토대로 서술하시오. [40점, 550-570자]

(마)에서는 대상에 대한 인지와 분별이 상대적이라는 장자의 철학과 인간의 기본 욕구를 억압하는 모든 폭력을 제거해야 한다는 갈퉁의 주장이 나타난다. (바)는 우산을 예로 들어 통념이 인간을 억압하고, 대상에 대한 인식이 시대적 맥락에 따라 변할 수 있음을 설명한다. (마)와 (바)를 통합해 보면, (라)의 모임 참석자는 육식은 인간의 본능이라는 통념이 절대적이지 않음을 인식하지 못하고, 이런 자기중심적 관점에서 채식주의를 비정상적이라고 평가한다는 점에서 문제가 있다. 또한 참석자들은 아내의 기본적 욕구를 존중하지 않는 것 자체가 폭력임을 인식하지 못하고, 소수의 취향을 억압하는 언어적, 문화적 폭력을 가한다는 점에서 비판받을 수 있다. (사)를 토대로 보면, 서로를 이해하기 위해 모임 참석자들은 자신들과 비슷한 생각이나 취향을 가진 사람끼리만 소통함으로써 사고가 편향되고 고착되는 것을 경계해야 한다. 또한 자신과 다른 의견을 가진 소수자들을 존중해야 하며, 통설을 강요하는 방식으로 소수자를 억압하지 말아야 한다. 한편 아내는 다수 집단과의 대화를 회피하려고만 하지 말고 상대방을 설득하려고 노력해야 한다.

[569자]

※ 다음 상황에 기초하여 문제에 답하시오.

- 용의자가 거짓말을 할 확률은 0.4이고 참말을 할 확률은 0.6이라고 가정한다.
- 과거의 자료에 의하면 용의자가 참말을 할 때 분당 심장 박동수는 평균이 90, 표준편차가 10인 정규분포를 따르고, 거짓말을 할 때 분당 심장 박동수는 평균이 120, 표준편차가 20인 정규분포를 따른다고 알려져 있다.
- 심장 박동수를 이용하는 거짓말 탐지기 A는 용의자가 말을 할 때 분당 심장 박동수가 100 이상이면 용의자가 거짓말을 한다고 판정한다.
- 거짓말 탐지기의 성능은 거짓말 탐지기가 거짓이라고 판정했을 때 실제로 용의자가 거짓말을 했을 확률로 평가한다.

[문제 3] 과학수사대에서 심장 박동수 대신 혈압을 이용하는 새로운 거짓말 탐지기 B를 만들었다. 거짓말 탐지기 B는 용의자가 거짓말을 했을 때 거짓이라고 판정할 확률과 참말을 했을 때 참이라고 판정할 1 확률이 같도록 설계되

표준정규분포표	
z	$P(0 \leq Z \leq z)$
0.5	0.19
1	0.34

었다. 과학수사대가 실시한 실험에 의하면 거짓말 탐지기

1.5	0.43
2	0.48

B의 성능이 거짓말 탐지기 A에 비하여 20% 향상되었다고 한다. 그렇다면, 용의자가 거짓말을 했을 때 거짓말 탐지기 B가 거짓이라고 판정할 확률을 구하시오. 단, 필요한 경우 오른쪽 표준정규분포표를 이용하시오. [20점, 원고지 작성법을 준수할 필요 없음]

 용의자가 거짓말을 한 사건을 C 라고 표기하고, 참말을 한 사건을 D 라고 표기하자. 거짓말 탐지기 A 가 거짓이라고 판정할 사건을 F 라고 표기하고, 거짓말 탐지기 B 가 거짓이라고 판정할 사건을 G 라고 표기하자.

▶ 거짓말 탐지기 A가 거짓이라고 판정하였을 때, 실제로 용의자가 거짓말을 하였을 확률은 $P(C|F)$ 이고, 거짓말 탐지기 B가 거짓이라고 판정하였을 때, 실제로 용의자가 거짓말을 하였을 확률은 $P(C|G)$ 이다.

▶ 거짓말 탐지기 A가 거짓이라고 판정하였을 때, 실제로 용의자가 거짓말을 하였을 확률 $P(C|F)$:

▶ 실제로 용의자가 거짓말을 하였을 때, 거짓말 탐지기 A가 거짓이라고 판정하였을 확률은 $P(F|C)$ 이다. 거짓말을 하는 사람의 심장 박동수를 확률변수 X 라 하면, X 는 정규분포 $N(120, 20^2)$ 을 따르므로 확률변수 $Z = \dfrac{X-120}{20}$ 은 표준정규분포 $N(0,1)$ 을 따른다. 거짓말 탐지기 A는 심장 박동수가 100 이상이면 용의자가 거짓말을 한다고 판정하므로, $P(F|C)$ 는 확률변수 X 를 이용하여 $P(X \geq 100)$ 로 계산될 수 있다. 주어진 표준정규분포표를 통해 $P(X \geq 100)$ 은 다음과 같이 계산된다.

$$P(X \geq 100) = P\left(Z \geq \frac{100-120}{20}\right)$$
$$= P(Z \geq -1)$$
$$= 0.5 + P(0 \leq Z \leq 1)$$
$$= 0.5 + 0.34$$
$$= 0.84$$

▶ 같은 원리로, 실제로 용의자가 참말을 하였을 때, 거짓말 탐지기 A가 거짓이라고 판정하였을 확률은 $P(F|D)$ 이다. 참말을 하는 사람의 심장 박동수를 확률변수 Y 라 하면, Y 는 정규 분포 $N(90, 10^2)$ 을 따르므로 확률변수 $Z = \dfrac{Y-90}{10}$ 은 표준정규분포 $N(0,1)$ 을 따른다. 따라서 $P(F|D)$ 는 확률변수 Y 를 이용하여 $P(Y \geq 100)$ 로 계산될 수 있고, $P(Y \geq 100)$ 은 다음과 같다.

$$P(X \geq 100) = P\left(Z \geq \frac{100-90}{10}\right)$$
$$= P(Z \geq 1)$$
$$= 0.5 - P(0 \leq Z \leq 1)$$

$$= 0.5 - 0.34$$
$$= 0.16$$

▶ 거짓말 탐지기 A가 거짓이라고 판정하였을 때, 실제로 용의자가 거짓말을 하였을 확률 $P(C \mid F)$은 다음과 같다.

$$P(C \mid F) = \frac{P(F \cap C)}{P(F)}$$

$$= \frac{P(F \cap C)}{P(F \cap C) + P(F \cap D)}$$

$$= \frac{P(C)P(F \mid C)}{P(C)P(F \mid C) + P(D)P(F \mid D)}$$

$$= \frac{\dfrac{4}{10} \times \dfrac{84}{100}}{\dfrac{4}{10} \times \dfrac{84}{100} + \dfrac{6}{10} \times \dfrac{16}{100}}$$

$$= \frac{7}{9}$$

▶ 거짓말 탐지기 B가 거짓이라고 판정하였을 때, 실제로 용의자가 거짓말을 하였을 확률은 $P(C \mid G)$이고, 거짓말 탐지기 B의 성능이 거짓말 탐지기 A에 비하여 20% 향상되었으므로 $P(C \mid G)$은 다음과 같이 계산된다.

$$P(C \mid G) = \left(1 + \frac{20}{100}\right) \times P(C \mid F)$$

$$= \frac{6}{5} \times \frac{7}{9}$$

$$= \frac{14}{15}$$

▶ 용의자가 거짓말을 했을 때 거짓말 탐지기 B가 거짓이라고 판정할 확률 $P(G \mid C)$을 , p 라고 하자. 거짓말 탐지기 B는 용의자가 거짓말을 했을 때 거짓이라고 판정할 확률과 참말을 했을 때 참이라고 판정할 확률이 같으므로, $P(G \mid D) = 1 - p$ 이다. $P(C \mid G)$을 p 를 이용하여 표현하면 다음과 같다.

$$P(C \mid G) = \frac{P(G \cap C)}{P(G)}$$

$$= \frac{P(G \cap C)}{P(G \cap C) + P(G \cap D)}$$

$$= \frac{P(C)P(G \mid C)}{P(C)P(G \mid C) + P(D)P(G \mid D)}$$

$$= \frac{\dfrac{4}{10} \times p}{\dfrac{4}{10} \times p + \dfrac{6}{10} \times (1 - p)}$$

$$= \frac{7}{9}$$

▶ 따라서, $\dfrac{\frac{4}{10}\times p}{\frac{4}{10}\times p + \frac{6}{10}\times(1-p)} = \dfrac{14}{15}$ 이므로, $p = \dfrac{21}{22}$ 이 된다.

5. 2023학년도 중앙대 수시 논술 [인문사회]

[문제 1] 제시문 (가), (나), (다), (라)에는 고민하는 '나'가 나타난다. 제시문 (가)~(라)에서 '나'가 고민하는 내용을 기술하고, 그 결과 도달한 새로운 인식을 찾아 하나의 완성된 글로 논술하시오. [40점, 550-570자]

(가)~(라)에는 고민을 통해 새로운 인식에 이르는 나가 나타난다. (가)의 나는 실패가 두려워 핑계를 대며 섣불리 꿈을 포기해 온 삶에 대해 고민한다. 이를 통해 포기하는 습관이 내면화됐고 미래에 대해 비관적이었음을 자각한다. (나)의 나는 과거의 라면 맛을 잃어버리고, 다양한 방법으로 끓여봤지만 그때 그 맛을 느끼지 못해 고민한다. 그 결과 내가 되찾고자 한 것은 다시 돌아갈 수 없는 지난 시절에 대한 향수임을 인식한다. (다)의 나는 온전치 못한 자신에 대해 슬픔을 느껴 결핍을 채웠지만, 여전히 주변의 존재와 교감하기 힘든 자신에 대해 고민한다. 그래서 찾았던 조각을 내려놓고 존재의 불완전성이 행복의 조건임을 인식한다. (라)의 나는 학교를 그만두고 경제적 자립을 통해 빨리 어른이 되고자 한 선택이 옳았는지 고민한다. 결국 제 나이에 어울리는 삶을 사는 것이 의미 있다는 인식에 이르러 학교로 돌아간다. 따라서 나는 포기에 대한 자책, 잃어버린 맛, 완전성과 행복의 관계, 선택에 대한 후회로 고민하면서, 자기반성, 추억의 소중함, 결겁의 인정, 나이에 걸맞은 성장이 의미 있다는 새로운 인식에 도달한다.

[문제 2] 제시문 (라)의 부자 간 대화에 나타난 '아버지'의 태도를 토대로 제시문 (마)의 논지를 비판하고, 제시문 (마)에서 언급된 군주의 통치 방식으로 인해 초래될 수 있는 문제를 제시문 (바)와 (사)를 통합적으로 고려하여 서술하시오. [40점, 550-570자]

(라)의 아버지는 아들의 반항을 참고 경청함으로써 사랑과 믿음으로 아들의 미래에 대해 조언해주는 태도를 보여준다. 반면 (마)의 군주의 통치 방식은 인간을 불신하기에 사랑보다 두려움을 질서 유지의 수단으로 삼아서 폭력적이고 강압적이다. 따라서 대화와 설득을 통해 아들의 동의를 이끈 아버지의 태도와 대비하면, 자발적인 동의를 이끌 수 없는 군주의 통치 방식은 비판받을 수 있다. 왜냐하면 이 방식은 백성의 목소리를 경청하지 않고 사랑으로 포용하지 않은 채 일방적으로 복종을 강요하기 때문이다. 한편 (바)의 요지는 하찮은 풀도 존재의 의미가 있고 계속되는 폭압에 고통을 느끼고 저항할 수 있다는 것이다. 또한 성설설을 주장하는 (사)에 따르면 군주가 선한 의지를 쌓지 않고 강압적으로 통치할 때 백성은 진심으로 복종하지 않으며, 군주의 지위까지 박탈시킬 수 있다. 이를 통합적으로 고려해볼 때, 군주가 부하나 국민의 목소리를 무시하고 이들의 존재 가치를 인정하지 않는다면, 이 통치 방식은 저항에 직면할 수 있고, 나아가 군주가 더 잔인하게 통치한다면 결국 체제가 전복되는 심각한 문제를 초래할 수 있다.

[문제 3] 제시문 (아)를 토대로 제시문 (자)에 언급된 마을의 생활 기반 상실의 원인을 설명하고, 제시문 (자)의 마을이 쇠퇴하지 않도록 하기 위해 마을 주민들에게 필요한 자세를 제시문 (차)에서 찾아 서술하시오. [20점, 330-350자]

(아)에 따르면 마을의 생활 기반이 무너진 것은 경제적 효용성 극대화가 초래한 마을 주민들 간의 자유로운 경쟁 때문이었다. 자유주의적 정의관에 따르면 개인의 합리적 이익 추구는 사회 전체의 부로 이어진다. 그러나 더 많은 경제적 이익을 획득하려고 주민들은 경쟁적으로 양 숫자를 늘렸고, 결국 양이 너무 많아져 한정된 자원인 초원이 황폐해졌다. 따라서 마을의 쇠퇴를 막기 위한 주민의 자세를 (차)에서 찾자면, 마을 주민들에게는 양을 키우되 공유지를 훼손시키지 않고 유지할 수 있는 범위에서 자신의 이익을 추구하는 자세가 필요하다. 요컨대 권리와 의무, 개인의 사익과 공동체의 공익을 동시에 추구하는 현명한 자세를 지녀야 한다.

6. 2023학년도 중앙대 수시 논술 [경영경제]

[문제 1] 제시문 (가), (나), (다), (라)에는 작품 속 인물 A가 인물 B를 일컫는 표현의 변화가 나타난다. 제시문 (가)~(라)에서 인물 A가 인물 B를 바꿔 부르는 '이유'를 찾고, 이렇게 바뀐 표현 속에 담긴 인물 A의 '감정'을 찾아 하나의 완성된 글로 논술하시오. [40점, 550-570자]

(가)~(라)에는 인물을 부르는 표현의 변화와 그 속에 담긴 감정이 나타난다. (가)의 선귤자는 사람들이 천한 일을 한다는 이유로 낮잡아 부르는 엄 행수의 근면하고 소탈한 삶을 높이 여겨 예덕선생이라 부른다. 이 존칭에는 벗을 넘어 선생으로 우러르는 깊은 존경심이 담겨 있다. (나)의 백 주사는 보잘것없다가 미군일을 돕게 되면서 신분 상승한 방삼복에게 미스터 방이라고 부른다. 이 호칭에는 자신과 삼복의 뒤바뀐 처지에 대한 굴욕감과 그를 통해 본인의 바람을 이룰 수도 있겠다는 기대감이 뒤섞여 있다. (다)의 치성은 국군과의 대치 상황에서 서로의 나이를 알게 되면서 긴장감이 다소 완화되자 현철을 소위라는 계급 대신 택기에게 형이라고 부르게 한다. 이 표현에는 민족적 동질감과 친밀감이 내포되어 있다. (라)의 여동생은 그레고르를 오빠라고 부르다가 그가 벌레로 변하면서 가족의 짐이자 위협이 되자 저것이라 지칭한다. 이는 무용한 존재가 된 오빠에 대한 원망과 경멸감의 표현이다. 이처럼 타인을 부르는 표현 방식은 관계 맺음의 맥락에 따라 변화하며, 그 속에는 존경, 기대, 친밀, 경멸과 같은 다양한 감정이 담겨 있다. [570자]

[문제 2] 제시문 (라)에 나타난 여동생과 그레고르의 관계를 제시문 (마)의 논지를 토대로 평가하고, 그레고르를 가족의 구성원으로 다시 받아들이기 위해 여동생에게 필요한 자세를 제시문 (바)와 (사)를 각각 고려하여 서술하시오. [40점, 550-570자]

(마)의 논지에 의하면, (라)의 여동생과 오빠의 관계는 나와 그것의 관계이다. 이 관계는 대체가능한 관계로, 주체와 객체의 관계이다. 이 관계에서는 오빠뿐만 아니라 여동생 역시 오빠에게 너가 아닌 그것이 될 수밖에 없다. 반면, 나와 너의 관계는 대체 불가능한 관계로, 주체와 주체의 관계이다. 이 관계에서는 여동생뿐만 아니라 오빠도 비로소 진정한 나가 될 수 있다. 따라서 두사람의 관계는 인격 전체가 대등하게 만나는 나와 나의 관계가

아니라 언제든지 누구로나 대체될 수 있는 기능적 관계일 뿐이다. 한편, (바)의 관점에서 여동생에게 필요한 태도는 나보다 타자를 우선적으로 생각하는 타자 지향성이다. 여동생은 나와 다른 존재인 오빠를 가족의 일원으로 무조건 받아들여야 한다는 당위적 태도보다는 그의 존재를 근본적으로 이해하는 자세가 필요하다. 즉, 오빠를 책임지고 환대하는 윤리적 주체가 되어야 한다. (사)를 고려하면 여동생에게 필요한 자세는 오빠에 대한 차별 없는 사랑이다. 여동생은 오빠를 힐난하며 소외시키지 말고 존재 자체로 인정해야 한다. 즉, 오빠를 감싸 안아 포용하는 온화한 자비를 실천해야 한다. [570자]

※ 다음 상황에 기초하여 문제에 답하시오.

어느 자동차 보험회사에서는 보험 계약자를 세 그룹으로 분류하고 그룹 이름을 각각 저위험군, 중위험군, 고위험군으로 명명하였다. 이 보험회사는 직전 1년 동안 발생한 계약자의 사고 횟수에 따라 계약자가 속하는 그룹을 해마다 1월 1일에 재분류한다. 다음의 표는 올해 1년 동안 발생한 사고 횟수 X에 따라 각 그룹에 속했던 계약자들이 내년에 어느 그룹에 속하게 될지를 나타낸 것이다. 예를 들어, 올해 저위험군에 속한 계약자의 사고 횟수가 한 번일 때 내년에 중위험군으로 재분류된다.

		사고 횟수 X에 따라 재분류될 내년의 계약자 그룹			
		$X=0$	$X=1$	$X=2$	$X \geq 3$
올해의 계약자 그룹	저위험군	저위험군	중위험군	중위험군	고위험군
	중위험군	저위험군	중위험군	고위험군	고위험군
	고위험군	중위험군	고위험군	고위험군	고위험군

사고 횟수 X는 계약자 그룹에 상관없이 다음과 같은 확률분포를 따른다고 한다

X	0	1	2	3	4 이상	합계
$P(X=x)$	0.1	0.2	0.3	0.2	0.2	1

저위험군, 중위험군, 고위험군 그룹에 속한 계약자에 대한 연 보험료는 각각 40만 원, 50만 원, 60만 원이다.

[문제 3] 올해 계약자 그룹의 재분류 후 저위험군, 중위험군, 고위험군 그룹에 속한 계약자 수가 각각 200명, 300명, 100명이라고 하자. 보험회사가 내년에 계약자들로부터 받을 연 보험료 총액의 기댓값을 구하시오. 단, 보험 계약자의 추가 및 해약은 없다고 가정한다. [20점, 원고지 작성법을 준수할 필요 없음]

올해의 각 계약자 그룹이 내년에 속하게 될 그룹에 대한 확률은 다음과 같다.

<표1>		내년의 계약자 그룹: 확률		
		저위험군	중위험군	고위험군
올해의 계약자 그룹	저위험군	0.1	0.5 (=0.2+0.3)	0.4 (=0.2+0.2)
	중위험군	0.1	0.2	0.7 (=1-0.3)
	고위험군	0	0.1	0.9 (=1-0.1)

내년의 각 그룹 계약자 명수의 기댓값은 다음과 같다.

<표 2>	내년의 계약자 그룹: 명수 기댓값		
	저위험군	중위험군	고위험군

올해의 계약자 그룹	저위험군	20 (=200x0.1)	100 (=200 ×X0.5)	80 (=200 x0.4)
	중위험군	30 (=300x0.1)	60 (=300x0.2)	210 (=300×x0.7)
	고위험군	0 (=100 x0)	10 (=100x0.1)	90 (=100x0.9)

내년의 각 그룹 계약자 명수 및 보험료 합계의 기댓값은 다음과 같다.

<표 3>	내년의 계약자 그룹: 명수 및 보험료 합계의 기댓값		
	저위험군	중위험군	고위험군
명수	50	170	380
보험료	2000 (= 50 × 40)	8500 (= 170 x 50)	22800 (= 380 x60)

따라서, 내년의 연 보험료 총액의 기댓값은, 2000+8500+22800=33300(만원)이다.

7. 2023학년도 중앙대 모의 논술 [인문사회]

[문제 1] 제시문 (가), (나), (다), (라)에서 중심인물이 웃게 된 직접적인 '계기'와 그 웃음에 담긴 중심인물의 '감정'을 각각 찾아 하나의 완성된 글로 논술하시오. [40점, 550-570자]

(가)~(라)에는 다양한 상황에서 중심인물이 웃는 모습이 나타난다. (가)의 춘향은 자신을 핍박하는 관리인 줄 알았던 어사또가 이몽룡임을 알게 된 순간 웃게 된다. 감동의 눈물과 뒤섞인 이 웃음에는 긴 고난이 끝났다는 안도감과 이루어진 사랑에 대한 감격이 담겨 있다. (나)의 식구들은 갖은 고초를 겪으면서 성장한 빼떼기가 마침내 "꼬르륵" 우는 모습을 보고 한바탕 웃는다. 이 웃음에는 어설프지만 제 역할을 하기 시작한 빼떼기에 대한 대견함과 뿌듯함이 담겨 있다. (다)의 하나코는 자신을 향한 광기어린 집단적 웃음과 맞닥뜨려 마지못해 억지 웃음을 짓는다. 이 쓴웃음에는 강압적인 상황에 대한 당혹감과 타인을 배려하지 않는 폭력성에 대한 분노가 담겨 있다. (라)의 교수는 규격을 벗어난 백구십 자 원고지를 발견하여 미소를 짓는다. 이 웃음에는 무의미하게 반복되는 기계적 삶에서 벗어난 일시적인 쾌감과 잊고 있던 열정과 희망을 떠올리게 된 기쁨이 담겨 있다. 결론적으로 중심인물은 반전, 성장의 발견, 불가항력적 상황, 예외성이 직접적 계기가 되어 웃고, 이 웃음에는 환희, 기특함, 모멸감, 해방감이 내포되어 있다. [570자]

[문제 2] 제시문 (마)의 논지를 토대로 제시문 (바)에 나타난 남북한 '설득자'의 중립국에 대한 인식을 비판하고, 제시문 (바)의 '명준'이 '새사람'이 되기 위해 생각해 봐야 할 점을 제시문 (라)와 (사)를 각각 고려하여 서술하시오. [40점, 550-570자]

(마)의 화자는 자신이 직접 경험해보지 못한 것 혹은 일부분만 알고 있는 것에 대해 마치 전부를 다 알고 있는 듯이 행동하는 사람들을 비판하고 있다. 즉, 자신의 고정관념으로만 섣불리 대상을 재단하는 태도의 위험성을 피력하면서 획일적 가치와 고정된 시각에 기반한 인식을 넘어선 열린 관점이 필요하다고 주장한다. 이런 (마)의 논지를 토대로 보자면, 명준을 심사하는 남북한 설득자들은 공통적으로 중립국의 실체를 온전히 파악하려는 노력도 하지 않고, 자신들이 살고 있는 곳이 최선의 선택이라는 불변의 기준 아래 중립국의 실체를 단정하고 예단하는 오류를 범하고 있다고 비판할 수 있다.
한편 (바)의 '명준'이 중립국에서 '새사람'이 되기 위해서는 무기력한 생활과 삶의 무게에서 벗어나 (라)의 교수가 갈망했던 것처럼 자신의 꿈과 희망을 이루기 위한 열정을 되살릴 필요가 있다. 또한 자신의 상처로부터 도피하기보다는 (사)의 '나'와 같이 상처를 외면하지 않고 담담히 그것을 포용함으로써 상처로부터 자유로워질 수 있을 뿐만 아니라, 나아가 이 상처의 아픔이 자신을 성장시키는 자양분이 될 수 있다고 생각할 필요가 있다. [566자]

[문제 3] 제시문 (아)에서 '마녀사냥'이 근대 초기에 등장한 이유를 찾아 서술하고, '마녀사냥'의 방식과 그 결과를 제시문 (자)의 논지를 활용하여 비판하시오. [20점, 330-350자]

(아)의 마녀사냥은 근대 초기에 증가한 민중의 에너지를 효과적으로 억압하려는 권력층의 의도가 반영된 현상이다. 권력층은 그들의 권위에서 벗어나려는 존재들을 제거하고 국가와 종교에 저항 없이 복종하는 균질한 집단을 만들기 위해 마녀사냥을 이용했다. (자)의 논지에 따르면 생물체의 생존은 개체가 환경에 적응하는 과정에서 자연선택의 방식을 통해 이루어진다. 하지만 마녀사냥은 강자가 약자를 억압하는 폭력적이고 인위적인 방식으로 작동되어 문제가 있다. 또한 (자)에 따르면 자연선택의 결과는 강자와 약자가 공존하는 다양성의 확보인 것에 비해 마녀사냥은 다양성을 용인하지 않는 획일화된 사회를 만든다는 점에서 위험성이 있다. [345자]

8. 2023학년도 중앙대 모의 논술 [경영경제]

[문제 1] 제시문 (가), (나), (다), (라)에서 중심인물이 웃게 된 직접적인 '계기'와 그 웃음에 담긴 중심인물의 '감정'을 각각 찾아 하나의 완성된 글로 논술하시오. [40점, 550-570자]

(가)~(라)에는 다양한 상황에서 중심인물이 웃는 모습이 나타난다. (가)의 춘향은 자신을 핍박하는 관리인 줄 알았던 어사또가 이몽룡임을 알게 된 순간 웃게 된다. 감동의 눈물과 뒤섞인 이 웃음에는 긴 고난이 끝났다는 안도감과 이루어진 사랑에 대한 감격이 담겨 있다. (나)의 식구들은 갖은 고초를 겪으면서 성장한 빼떼기가 마침내 "꼬르륵" 우는 모습을 보고 한바탕 웃는다. 이 웃음에는 어설프지만 제 역할을 하기 시작한 빼떼기에 대한 대견함과 뿌듯함이 담겨 있다. (다)의 하나코는 자신을 향한 광기어린 집단적 웃음과 맞닥뜨려 마지못해 억지 웃음을 짓는다. 이 쓴웃음에는 강압적인 상황에 대한 당혹감과 타인을 배려하지 않는 폭력성에 대한 분노가 담겨 있다. (라)의 교수는 규격을 벗어난 백구십 자 원고지를 발견하여 미소를 짓는다. 이 웃음에는 무의미하게 반복되는 기계적 삶에서 벗어난 일시적인 쾌감과 잊고 있던 열정과 희망을 떠올리게 된 기쁨이 담겨 있다. 결론적으로 중심인물은 반전, 성장의 발견, 불가항력적 상황, 예외성이 직접적 계기가 되어 웃고, 이 웃음에는 환희, 기특함, 모멸감, 해방감이 내포되어 있다. [570자]

[문제 2] 제시문 (마)의 논지를 토대로 제시문 (바)에 나타난 남북한 '설득자'의 중립국에 대한 인식을 비판하고, 제시문 (바)의 '명준'이 '새사람'이 되기 위해 생각해 봐야 할 점을 제시문 (라)와 (사)를 각각 고려하여 서술하시오. [40점, 550-570자]

(마)의 화자는 자신이 직접 경험해보지 못한 것 혹은 일부분만 알고 있는 것에 대해 마치 전부를 다 알고 있는 듯이 행동하는 사람들을 비판하고 있다. 즉, 자신의 고정관념으로

만 섣불리 대상을 재단하는 태도의 위험성을 피력하면서 획일적 가치와 고정된 시각에 기반한 인식을 넘어선 열린 관점이 필요하다고 주장한다. 이런 (마)의 논지를 토대로 보자면, 명준을 심사하는 남북한 설득자들은 공통적으로 중립국의 실체를 온전히 파악하려는 노력도 하지 않고, 자신들이 살고 있는 곳이 최선의 선택이라는 불변의 기준 아래 중립국의 실체를 단정하고 예단하는 오류를 범하고 있다고 비판할 수 있다.

한편 (바)의 '명준'이 중립국에서 '새사람'이 되기 위해서는 무기력한 생활과 삶의 무게에서 벗어나 (라)의 교수가 갈망했던 것처럼 자신의 꿈과 희망을 이루기 위한 열정을 되살릴 필요가 있다. 또한 자신의 상처로부터 도피하기보다는 (사)의 '나'와 같이 상처를 외면하지 않고 담담히 그것을 포용함으로써 상처로부터 자유로워질 수 있을 뿐만 아니라, 나아가 이 상처의 아픔이 자신을 성장시키는 자양분이 될 수 있다고 생각할 필요가 있다. [566자]

※ 다음 상황에 기초하여 문제에 답하시오.

한 단체에서 웃음과 행복에 대한 강연을 한 후, 참가자에게 다음과 같은 게임을 실시하여 상금을 지급하고자 한다. 게임의 규칙은 다음과 같다.
• 1부터 4까지의 자연수가 각각 하나씩 적힌 4개의 공이 들어있는 주머니가 있고, 한 번 시행에서 한 개의 공을 꺼낸다. 시행은 두 번까지 할 수 있다.
• 첫 번째 시행에서 선택된 공에 적힌 수를 a라 하면, a^2만 원의 상금이 적립된다. 꺼낸 공을 주머니에 다시 넣고, 꺼낸 공과 같은 숫자가 적힌 새로운 공 하나를 주머니에 추가로 넣어준다.
• 두 번째 시행 여부는 참가자가 선택한다. 두 번째 시행을 하지 않는 경우 게임은 종료되며, 첫번째 시행에서 적립된 상금만 지급된다.
• 두 번째 시행을 하는 경우, 두 번째 시행에서 선택된 공에 적힌 수를 b라 하자. 이때, $b \le a$인 경우에는 b^2만 원의 상금이 추가로 적립되어, 첫 번째 시행에서 적립된 상금과 함께 최종 지급된다. 하지만, $b > a$인 경우에는 상금이 추가로 적립되지 않으며, 첫 번째 시행에서 적립된 상금도 지급되지 않는다.

[문제 3] 위 게임에서 첫 번째 시행만 하는 경우의 상금의 기댓값과 두 번째 시행까지 하는 경우의 상금의 기댓값을 각각 계산하시오. [20점, 원고지 작성법을 준수할 필요 없음]

▶ 첫 번째 시행만 하는 경우, 상금 기댓값은 아래와 같이 계산된다.

$$\frac{1}{4}(1^2 + 2^2 + 3^2 + 4^2) = 7.5만원$$

▶ 두 번째 시행까지 하는 경우, 상금을 받는 경우와 그 기댓값은 다음과 같다.

첫 번째 시행	두 번째 시행	바구니 공	상금 기댓값
$a=4$	$b=4$	$\{1,2,3,4,4\}$	$\frac{1}{4}\frac{2}{5}(4^2 + 4^2)$
	$b=3$		$\frac{1}{4}\frac{1}{5}(4^2 + 3^2)$
	$b=2$		$\frac{1}{4}\frac{1}{5}(4^2 + 2^2)$

	$b=1$		$\dfrac{1}{4}\dfrac{1}{5}(4^2+1^2)$
$a=3$	$b=3$	$\{1,2,3,3,4\}$	$\dfrac{1}{4}\dfrac{2}{5}(3^2+3^2)$
	$b=2$		$\dfrac{1}{4}\dfrac{1}{5}(3^2+2^2)$
	$b=1$		$\dfrac{1}{4}\dfrac{1}{5}(3^2+1^2)$
$a=2$	$b=2$	$\{1,2,2,3,4\}$	$\dfrac{1}{4}\dfrac{2}{5}(2^2+2^2)$
	$b=1$		$\dfrac{1}{4}\dfrac{1}{5}(2^2+1^2)$
$a=1$	$b=1$	$\{1,1,2,3,4\}$	$\dfrac{1}{4}\dfrac{2}{5}(1^2+1^2)$

위의 상금 기댓값을 모두 더하면, 두 번째 시행까지 하는 경우의 상금 기댓값은 10.5만원이 된다.

9. 2022학년도 중앙대 수시 논술 [인문사회 I]

[문제 1] 제시문 (가)~(라)에서는 생각이 전환되는 다양한 모습이 나타난다. 제시문 (가), (나), (다), (라)에서 주인공의 생각이 전환되는 '계기'와 이를 통해 주인공이 '깨달은 것'을 각각 찾아 하나의 완성된 글로 논술하시오. [40점, 550-570자]

제시문 (가)~(라)는 특정 계기로 생각이 전환되어 깨달음을 얻는 다양한 모습을 보여준다. (가)의 '나'는 타인의 충고에 따라 낚시질을 반복적으로 시도하면서 인식의 변화를 겪는다. 이 과정에서 이치는 남에게 배울 수 있는 게 아니라 경험을 통해 스스로 터득해야 하고, 이는 세상사에도 적용될 수 있음을 깨우친다. (나)에서 좋아하는 남자에게 상처받고 좌절한 '나'는 타국에서의 고단한 일상을 극복하는 외국인노동자들을 목격한다. 이를 계기로 절망을 딛고 삶을 긍정적으로 살겠다고 다짐한다. (다)의 '그'는 수리공이 성실하고 정직한 데다 호의까지 베푸는 모습을 보고 생각을 바꾼다. 이를 통해 특정 직업군에 대한 고정관념과 이해타산적인 사고방식을 뉘우친다. (라)의 회기는 비인간적이고 이기적인 환자의 남편에게 분노하여 심경의 변화를 겪는다. 이후 그는 의사로서 생명의 소중함을 자각하고 환자를 살리기로 결심한다. 결론적으로 주인공은 타인의 조언, 타인의 삶의 태도, 진정성과 호의, 타인의 파렴치함 등을 계기로 생각이 바뀌고, 이를 통해 삶의 지혜, 삶의 희망, 편견의 문제점, 생명의 존엄성 등을 깨닫는다. (565자)

[문제 2] 제시문 (라)의 '인옥과 회기의 대화'에서 나타난 환자를 대하는 회기의 태도를 제시문 (마)를 근거로 평가하고, 회기가 의사로서 보람을 느끼기 위해 갖춰야 할 태도를 제시문 (바)와 (사)를 통합적으로 고려하여 서술하시오. [40점, 550-570자]

(라)의 회기는 자기만을 위해 산다는 원칙에 따라 위험을 감수하지 않으려고 수술을 거부한다. 이와 같은 회기의 자기중심적 태도는 올바른 의료행위에 대한 사람들의 보편적 생각에 부합되지 않으므로, (마)의 첫 번째 정언 명령에 어긋난다고 볼 수 있다. 또한 회기는 인옥을 기계로 대상화하면서 사물과 같은 수단으로 치부한다. 회기가 환자를 대하는 이러한 태도는 인간을 목적으로, 즉 절대적 가치를 지닌 존엄한 존재로 대하라는 두 번째 정언 명령을 따르지 않는다고 평가할 수 있다. 한편, (바)의 시인은 시를 써서 얻는 수입에 아

쉬워하면서도 시로 돈을 벌 수 있음에 겸허히 감사해하며, 시의 가치를 일용할 양식에 빗대어 은근히 자부심을 드러낸다. (사)에서 '직'의 활동은 생계유지를 위한 '노동'이고, '업'의 활동은 인간다운 삶의 가치를 실현하는 '행위'라고 설명한다. 이 둘을 통합적으로 고려하면, 자신의 일에 만족하지 못하는 회기의 활동은 '노동'에는 해당하나 '행위'로서는 불충분하다. 따라서 회기가 의사로서 보람을 느끼기 위해서는 자기 능력을 충분히 발휘하면서 직업의 가치를 긍정하는 태도를 가져야 한다. (566자)

[문제 3] 제시문 (아)와 (자)에서 '쾌락을 추구하는 방식'의 차이점을 찾아 서술하고, 제시문 (아)와 (차)에서 '쾌락과 행복의 관계'가 어떻게 다른지 찾아 서술하시오. [20점, 400-420자]

쾌락을 추구하는 방식의 관점에서 보면, (아)의 에피쿠로스는 이성과 지혜를 통해 진정한 쾌락을 분별하고, 일상에서 절제하고 올바르게 살아가는 방식으로 불안과 고통에서 벗어나 진정한 쾌락에 이를 수 있다고 본다. 반면 (자)의 쾌락기계는 인간의 뇌에 전기적 자극을 주어 강렬한 쾌감을 느끼게 하는 방식을 설명하고 있다. 이는 말초적 쾌락을 인위적으로 지속시키는 것이다. 한편, (아)와 (차)를 비교하면, (아)의 에피쿠로스는 평정심에 도달한 진정한 쾌락을 통해 만족감을 느끼는 행복한 삶을 유지할 수 있다고 본다면, (차)는 만족에 이른 쾌락이 계속해서 만족을 유지하지 못하고 끊임없이 또 다른 쾌락을 갈망함으로써 결코 행복에 이를 수 없다고 말한다. 따라서 (아)에서 쾌락과 행복의 관계가 동일하다면, (차)에서 둘의 관계는 무관하다고 볼 수 있다. (420자)

10. 2022학년도 중앙대 수시 논술 [인문사회Ⅱ]

[문제 1] 제시문 (가)~(라)에서는 '선물'을 주고받는 다양한 상황이 나타난다. 제시문 (가), (나), (다), (라)에서 등장인물이 선물을 주는 '이유'와 선물을 받은 이후부터 상대방이 겪는 감정의 '변화'를 각각 찾아 하나의 완성된 글로 논술하시오. [40점, 550-570자]

(가)~(라)는 선물을 주고받는 다양한 상황을 보여준다. (가)의 오목이는 자신을 챙겨주는 언니를 가족으로 느끼고 감사의 표시로 선물을 주며, 이를 받은 언니는 과거 자신의 잘못된 행동에 대해 두려움과 미안함을 느꼈으나 미뤄왔던 고백을 통해 참회하고 평온을 느낀다. (나)의 어린이집은 나빠진 평판을 개선하기 위해 원생들의 집에 선물을 보냈으나, 배려 없는 선물에 부부는 화를 냈고, 이후 억눌린 슬픔을 표출함으로써 아이를 잃은 상처를 극복하기 시작한다. (다)의 만수는 찌옥수수로 인한 곤란함을 해결해준 선생님께 감사의 마음으로 선물을 드렸고, 선생님은 처음엔 부담을 느꼈지만 학생의 처지를 고려치 않았던 자신에 대한 부끄러움과 고마움이 섞인 복합적인 감정을 느끼게 된다. (라)의 남편은 부인의 바람을 이뤄주기 위해 선물을 사줬다. 부인은 처음엔 헐값에 조각상을 사온 남편에게 분노했고, 끝내 원주민의 예술을 존중하지 않는 남편의 모습을 보며 무력감과 공허감까지 느낀다. 결론적으로, 선물을 주는 이유는 고마움, 평판회복, 감사, 애정 등이며, 이를 통해 변화된 감정은 평온, 슬픔, 부끄러움, 공허함 등이다. (568자)

[문제 2] 제시문 (마)와 (바)를 통합적으로 고려하여 제시문 (라)의 '부인'이 '남편'을 비판할 수 있는 근거를 추론하고, 아프리카 원주민에 대한 당시 백인들의 왜곡된 가치관을 극복하기 위해 필요한 자세를 제시문 (사)와 (아)를 토대로 서술하시오. [40점, 550-570자]

(마)는 개인이 처한 가난과 같은 상황이 인간의 기본적 감정과 욕구까지 제약하지 않는다는 점을 말함으로써, 모든 인간이 누려야 하는 보편적 존엄성을 표현하고 있다. (바)는 선진국들이 우월한 교역 관계를 통해 제3세계의 경제를 수탈하는 구조적 관계를 지적하며, 이 과정에서 발생하게 되는 원주민에 대한 노동 착취를 비판한다. 이 둘을 통합적으로 고려해 보면, (라)의 부인은 남편이 원주민의 기본적 존엄성을 무시할 뿐만 아니라 그들의 노동으로 제작된 예술품에 정당한 가치를 부여하지 않는다는 것을 근거로 비판하고 있다고 추론할 수 있다. (사)는 역할 바꾸기와 같은 방법을 통해 나와 남의 다름을 이해함으로써 타인과 상생할 수 있는 공감 능력의 필요성을 주장하고 있다. (아)는 문화의 고유성과 다양성을 존중하는 세계 시민의 관점에서 공동체 의식을 함양해야 함을 강조한다. 이 둘의 관점에서 당시 백인들이 갖고 있던 왜곡된 가치관을 극복하려는 자세를 모색하자면, 먼저 원주민들의 문화를 이해하고 존중할 수 있는 역지사지의 자세가 필요하고, 더불어 공존의 윤리와 문화 다양성에 기초한 세계 시민적 태도가 요구된다. (567자)

[문제 3] 제시문 (자)에 언급된 '문화 제국주의'와 '문화 상대주의'의 차이를 설명하고, '문화 제국주의와 세계화의 연관성' 및 '문화 상대주의와 세계화의 연관성'을 제시문 (차)를 토대로 서술하시오. [20점, 400-420자]

(자)에 따르면 문화 제국주의는 서로 다른 문화 간 위계적 관계를 기반으로 형성되기 때문에 한 문화가 다른 문화에 종속될 가능성이 있을 뿐만 아니라 갈등이 초래될 수 있다. 반면, 문화 상대주의는 서로 다른 문화 간 평등한 관계를 토대로 조성되기 때문에 각 문화의 고유한 가치를 인정할 수 있고 문화 간 공존을 가능케 한다는 점에서 차이가 있다. (차)에 따르면 세계화를 통해 여러 지역의 문화가 공유되고 다양한 문화를 향유할 수 있게 되어 문화 간 상호 소통이 원활해지며 이는 문화 상대주의를 촉진하는 배경이 될 수 있다. 하지만 세계화를 통해 소수의 특정 문화가 강한 지배력을 가지게 되면 국지적 문화가 위축되면서 문화 획일화 현상이 발생하고, 이는 문화 제국주의를 강화하는 배경이 될 수 있다. 이런 맥락에서 세계화는 두 현상과 연관성을 갖는다. (420자)

11. 2022학년도 중앙대 수시 논술 [경영경제 I]

[문제 1] 제시문 (가)~(라)에서는 다양한 것들이 서로 연결되는 모습이 나타난다. 제시문 (가), (나), (다), (라)에서 연결이 되는 '방식'과 그 '결과'를 각각 찾아 하나의 완성된 글로 논술하시오. [40점, 550-570자]

(가)~(라)에는 독서(책), 세포, 소리, 공간 등이 다양한 방식으로 연결된다. (가)에서는 읽는 이의 관심에 의해 시작된 독서가 체계적이고 연쇄적으로 심화·확산되는 꼬리물기 방식으로 연결된다. 그 결과 내용에 정통하고 우열을 평가할 수 있는 해당 분야의 전문가가 될 수 있다. (나)에서는 세포들이 신경 전달 물질을 매개로 연결되는 과정에서 특정 수용체와 선별적으로 일정량이 결합되는 방식이 나타난다. 그 결과 인간의 사고, 행동, 감정을 결정하는 정보가 전달되고 정신 건강이 유지된다. (다)에서는 서로 다른 노랫소리들이 재배치되어 서로 중첩되는 방식으로 연결된다. 그 결과 음과 박자가 맞지는 않지만 서로 어우러지는 새로운 화음이 만들어진다. (라)에서는 사적 공간과 공적 공간이 길과 공터와 같

은 사이 공간을 매개로 불규칙하지만 자연스럽게 이어지는 방식이 나타난다. 그 결과 마을 구성원이 친밀한 사회적 관계를 맺어 정주성과 커뮤니티가 형성된다. 결론적으로 연결의 방식은 연쇄적 체계화, 매개, 리믹스, 자연적인 형성 등이고, 그 연결의 결과로 전문가, 정신 활동, 새로운 화음, 마을 공동체 등이 만들어진다. (570자)

[문제 2] 제시문 (마)의 논지를 근거로 제시문 (라)에 언급된 '마을 공동체'에서 일어날 수 있는 문제점을 서술하고, 제시문 (마)에 설명된 '사회적 신뢰'를 높이기 위해 필요한 조건을 제시문 (바)와 (사)를 통합적으로 활용하여 서술하시오. [40점, 550-570자]

(마)는 누리 소통망 활동이 내부 결속 강화로 인한 새로운 집단과의 연계 부족, 집단 외부인에 대한 신뢰 하락, 사회 전체의 통합력 약화 등과 같은 문제를 초래할 수 있다고 주장한다. 이러한 논지에 따르면 (라)의 마을 공동체에서는 마을 내부의 결속은 강해지는 반면, 새로운 마을과의 소통과 연대가 늘어나지 못 할 뿐만 아니라, 마을 외부인에 대한 불신감은 더 커지는 문제가 발생할 수 있다. 결국에는 마을 내부의 유대감은 높아질 수 있으나 마을들 사이의 통합력은 줄어 '사회적 신뢰'는 하락할 수 있다. (바)는 세상 모든 것은 서로에게 기대야만 존재할 수 있는 상호 의존적 관계의 중요성을 세 개의 갈대에 대한 비유를 통해 보여준다. (사)는 다른 종교에 대한 관대함과 포용의 가치를 오스만 튀르크가 비잔틴의 콘스탄티노플을 함락하고도 소피아 성당을 파괴하지 않은 역사적 사례를 통해 보여준다. 따라서 (바)와 (사)를 통합적으로 고려할 때, 사회적 신뢰를 높이기 위해서는 사회 구성원들이 상호 의존적 관계에 있음을 깨닫고 자신과 생각이 다른 사람을 공격하거나 배제하지 않고 포용하려는 공존과 관용의 자세가 필요하다. (570자)

※ 다음 상황에 기초하여 문제에 답하시오.

주머니에서 공을 꺼내서 말을 옮기는 게임을 고려하자.
• 주머니에는 숫자 1이 적혀 있는 공 1개, 숫자 2가 적혀 있는 공 2개, 숫자 6이 적혀 있는 공 1개가 들어 있다.
• 아래 그림과 같이 반지름이 1인 원의 둘레를 12등분하는 12개의 점으로 구성된 게임판이 있다. 게임의 첫 출발점은 A이다.

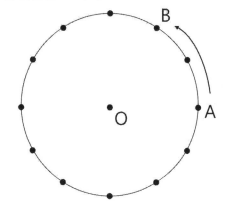

• 게임의 규칙은 다음과 같다.
  1. 주머니에서 임의로 하나의 공을 뽑은 후 공에 적혀 있는 숫자만큼 시계 반대 방향으로 말을 옮긴다. 예를 들어, 2가 적혀 있는 공을 뽑으면 말을 점 A에서 점

B로 옮긴다. (단, 한 번 뽑은 공은 주머니에 다시 넣지 않는다.)

2. 이때 얻을 수 있는 점수는 출발점, 도착점 그리고 원의 중심 O를 연결하여 만들어지는 삼각형의 넓이와 같다. (단, 세 점이 한 직선상에 있는 경우에 얻을 수 있는 점수는 원의 넓이와 같다.)

• 참가자는 위의 시행을 연속하여 2회 진행한다. 두 번째 시행은 첫 번째 시행 후 주머니에 남아있는 공을 사용하며, 두 번째 시행의 출발점은 첫 번째 시행의 도착점이다.

• 게임의 최종 점수는 각 시행에서 얻은 점수의 합이다.

[문제 3] 한 참가자가 이 게임에 참여하여 얻을 수 있는 최종 점수의 기댓값을 구하시오. [20점, 원고지 작성법을 준수할 필요 없음]

한 참가자가 게임에 참여하여 얻을 수 있는 최종 점수와 발생할 확률은 다음과 같은 방식으로 계산할 수 있다. 예를 들어, 첫 번째 시행에서 1번 공, 두 번째 시행에서 2번 공을 뽑는다고 하면, 발생할 확률은 $\frac{1}{4} \times \frac{2}{3} = \frac{1}{6}$이다. 그때 얻을 수 있는 최종 점수는 다음과 같이 두 개의 삼각형을 통해서 계산할 수 있다.

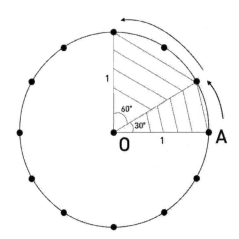

● 즉, 두 변의 길이가 1이고 꼭지각이 30도인 이등변삼각형과 한 변의 길이가 1인 정삼각형의 넓이는 삼각형의 넓이 공식을 통해서 다음과 같이 계산된다.

- 이등변삼각형의 넓이 $= \frac{1}{2} \times 1 \times 1 \times sin30° = \frac{1}{4}$

- 정삼각형의 넓이 $= \frac{1}{2} \times 1 \times 1 \times sin60° = \frac{\sqrt{3}}{4}$

● 따라서 이때 게임의 점수는 $\frac{1}{4} + \frac{\sqrt{3}}{4} = \frac{1+\sqrt{3}}{4}$ 이 된다.

● 같은 방식으로 참가자가 얻을 수 있는 최종 점수의 모든 경우와 그 확률은 다음과 같이 요약할 수 있다.

첫 번째 시행	두 번째 시행	확률	최종 점수

1	2	$\dfrac{1}{4} \times \dfrac{2}{3} = \dfrac{1}{6}$	$\dfrac{1+\sqrt{3}}{4}$
1	6	$\dfrac{1}{4} \times \dfrac{1}{3} = \dfrac{1}{12}$	$\dfrac{1}{4} + \pi$
2	1	$\dfrac{1}{2} \times \dfrac{1}{3} = \dfrac{1}{6}$	$\dfrac{1+\sqrt{3}}{4}$
2	2	$\dfrac{1}{2} \times \dfrac{1}{3} = \dfrac{1}{6}$	$\dfrac{\sqrt{3}}{4} + \dfrac{\sqrt{3}}{4} = \dfrac{\sqrt{3}}{2}$
2	6	$\dfrac{1}{2} \times \dfrac{1}{3} = \dfrac{1}{6}$	$\dfrac{\sqrt{3}}{4} + \pi$
6	1	$\dfrac{1}{4} \times \dfrac{1}{3} = \dfrac{1}{12}$	$\dfrac{1}{4} + \pi$
6	2	$\dfrac{1}{4} \times \dfrac{2}{3} = \dfrac{1}{6}$	$\dfrac{\sqrt{3}}{4} + \pi$

● 참가자가 이 게임에 참여하여 얻을 수 있는 최종 점수의 기댓값은 다음과 같다.

$$\text{기댓값} = \frac{1+\sqrt{3}}{4} \times \frac{1}{6} \times 2 + \left(\frac{1}{4} + \pi\right) \times \frac{1}{12} \times 2 + \frac{\sqrt{3}}{2} \times \frac{1}{6} + \left(\frac{\sqrt{3}}{4} + \pi\right) \times \frac{1}{6} \times 2$$

$$= \frac{1}{8} + \frac{\sqrt{3}}{4} + \frac{\pi}{2}$$

● 또는 다음과 같이 정리하여 기댓값을 계산할 수 있다.

시행결과	최종 점수	발생확률
(1, 2), (2, 1)	$\dfrac{1+\sqrt{3}}{4}$	$\dfrac{1}{6} + \dfrac{1}{6} = \dfrac{1}{3}$
(1, 6), (6, 1)	$\dfrac{1}{4} + \pi$	$\dfrac{1}{12} + \dfrac{1}{12} = \dfrac{1}{6}$
(2, 2)	$\dfrac{\sqrt{3}}{2}$	$\dfrac{1}{6}$
(2, 6), (6, 2)	$\dfrac{\sqrt{3}}{4} + \pi$	$\dfrac{1}{6} + \dfrac{1}{6} = \dfrac{1}{3}$

● 참가자가 이 게임에 참여하여 얻을 수 있는 최종 점수의 기댓값은 다음과 같다.

$$\text{기댓값} = \frac{1+\sqrt{3}}{4} \times \frac{1}{3} + \left(\frac{1}{4} + \pi\right) \times \frac{1}{6} + \frac{\sqrt{3}}{2} \times \frac{1}{6} + \left(\frac{\sqrt{3}}{4} + \pi\right) \times \frac{1}{3}$$

$$= \frac{1}{8} + \frac{\sqrt{3}}{4} + \frac{\pi}{2}$$

12. 2022학년도 중앙대 수시 논술 [경영경제Ⅱ]

[문제 1] 제시문 (가)~(라)에서는 '선물'을 주고받는 다양한 상황이 나타난다. 제시문 (가), (나), (다), (라)에서 등장인물이 선물을 주는 '이유'와 선물을 받은 이후부터 상대방이 겪는 감정의 '변화'를 각각 찾아 하나의 완성된 글로 논술하시오. [40점, 550-570자]

(가)~(라)는 선물을 주고받는 다양한 상황을 보여준다. (가)의 오목이는 자신을 챙겨주

는 언니를 가족으로 느끼고 감사의 표시로 선물을 주며, 이를 받은 언니는 과거 자신의 잘못된 행동에 대해 두려움과 미안함을 느꼈으나 미뤄왔던 고백을 통해 참회하고 평온을 느낀다. (나)의 어린이집은 나빠진 평판을 개선하기 위해 원생들의 집에 선물을 보냈으나, 배려 없는 선물에 부부는 화를 냈고, 이후 억눌린 슬픔을 표출함으로써 아이를 잃은 상처를 극복하기 시작한다. (다)의 만수는 찌옥수수로 인한 곤란함을 해결해준 선생님께 감사의 마음으로 선물을 드렸고, 선생님은 처음엔 부담을 느꼈지만 학생의 처지를 고려치 않았던 자신에 대한 부끄러움과 고마움이 섞인 복합적인 감정을 느끼게 된다. (라)의 남편은 부인의 바람을 이뤄주기 위해 선물을 사줬다. 부인은 처음엔 헐값에 조각상을 사온 남편에게 분노했고, 끝내 원주민의 예술을 존중하지 않는 남편의 모습을 보며 무력감과 공허감까지 느낀다. 결론적으로, 선물을 주는 이유는 고마움, 평판 회복, 감사, 애정 등이며, 이를 통해 변화된 감정은 평온, 슬픔, 부끄러움, 공허함 등이다. (568자)

[문제 2] 제시문 (마)와 (바)를 통합적으로 고려하여 제시문 (라)의 '부인'이 '남편'을 비판할 수 있는 근거를 추론하고, 아프리카 원주민에 대한 당시 백인들의 왜곡된 가치관을 극복하기 위해 필요한 자세를 제시문 (사)와 (아)를 토대로 서술하시오. [40점, 550-570자]

(마)는 개인이 처한 가난과 같은 상황이 인간의 기본적 감정과 욕구까지 제약하지 않는다는 점을 말함으로써, 모든 인간이 누려야 하는 보편적 존엄성을 표현하고 있다. (바)는 선진국들이 우월한 교역 관계를 통해 제3세계의 경제를 수탈하는 구조적 관계를 지적하며, 이 과정에서 발생하게 되는 원주민에 대한 노동 착취를 비판한다. 이 둘을 통합적으로 고려해 보면, (라)의 부인은 남편이 원주민의 기본적 존엄성을 무시할 뿐만 아니라 그들의 노동으로 제작된 예술품에 정당한 가치를 부여하지 않는다는 것을 근거로 비판하고 있다고 추론할 수 있다. (사)는 역할 바꾸기와 같은 방법을 통해 나와 남의 다름을 이해함으로써 타인과 상생할 수 있는 공감 능력의 필요성을 주장하고 있다. (아)는 문화의 고유성과 다양성을 존중하는 세계 시민의 관점에서 공동체 의식을 함양해야 함을 강조한다. 이 둘의 관점에서 당시 백인들이 갖고 있던 왜곡된 가치관을 극복하려는 자세를 모색하자면, 먼저 원주민들의 문화를 이해하고 존중할 수 있는 역지사지의 자세가 필요하고, 더불어 공존의 윤리와 문화 다양성에 기초한 세계 시민적 태도가 요구된다. (567자)

※ 다음 상황에 기초하여 문제에 답하시오.

아래와 같은 게임을 통해서 선물을 주려고 한다.

• 빨간 공 2개와 파란 공 2개가 들어 있는 하나의 주머니에서 임의로 2개의 공을 동시에 꺼낸다. 이때, 서로 같은 색의 공이 나오면 꺼낸 2개의 공 중에서 1개를 버리고, 나머지 1개는 주머니에 다시 넣는다. 서로 다른 색의 공이 나오면 꺼낸 2개의 공을 모두 주머니에 다시 넣는다.

• 주머니에 남아 있는 공을 가지고 위의 절차를 한 번 더 반복한 후 게임을 종료한다.

• 게임이 종료된 후 주머니에 들어 있는 빨간 공과 파란 공의 개수가 서로 같으면, 주머니에 들어있는 공의 개수만큼 선물을 준다. 빨간 공과 파란 공의 개수가 서로 다르면, 빨간 공과 파란 공의 개수의 차이만큼 선물을 준다.

[문제 3] 한 참가자가 이 게임에 참여하여 받을 수 있는 선물 개수의 기댓값을 구하시오. [20점, 원고지 작성법을 준수할 필요 없음]

● 한 참가자가 게임에 참여했을 때 발생하는 경우와 그 확률은 다음과 같은 방식으로 계산할 수 있다. 단, R는 빨간 공, B는 파란 공을 나타낸다.

● 예를 들어, 첫 번째 시행에서 빨간 공 2개(RR)를 뽑을 확률은 $\dfrac{_2C_2 \times {_2}C_0}{_4C_2} = \dfrac{1}{6}$ 이고,

두 번째 시행에서 빨간 공 1개, 파란 공 1개(RB)를 뽑을 확률은 $\dfrac{_1C_1 \times {_2}C_1}{_3C_2} = \dfrac{2}{3}$ 이다.

● 같은 방식으로 참가자가 게임에 참여했을 때 발생하는 경우의 수는 다음과 같이 정리할 수 있다.

주머니		꺼낸공		주머니		꺼낸공		주머니
	$\dfrac{1}{6}$ ↗	RR	-	RBB	$\dfrac{1}{3}$ ↗	BB	-	RB
					$\dfrac{2}{3}$ ↘	RB	-	RBB
RRBB	$\dfrac{1}{6}$ →	BB	-	RRB	$\dfrac{1}{3}$ ↗	RR	-	RB
					$\dfrac{2}{3}$ ↘	RB	-	RRB
	$\dfrac{2}{3}$ ↘	RB	-	RRBB	$\dfrac{1}{6}$ ↗	RR	-	RBB
					$\dfrac{1}{6}$ →	BB	-	RRB
					$\dfrac{2}{3}$ ↘	RB	-	RRBB

221

● 이때 받을 수 있는 선물의 개수와 발생할 확률은 다음과 같다.

주머니에 남아있는 공	선물 개수	발생 확률
RB	2	$\dfrac{1}{6}\times\dfrac{1}{3}\times2=\dfrac{1}{9}$
RBB	1	$\dfrac{1}{6}\times\dfrac{2}{3}\times2=\dfrac{2}{9}$
RRB	1	$\dfrac{1}{6}\times\dfrac{2}{3}\times2=\dfrac{2}{9}$
RRBB	4	$\dfrac{2}{3}\times\dfrac{2}{3}=\dfrac{4}{9}$

● 또는 다음과 같이 정리할 수 있다.

주머니에 남아있는 공	선물 개수	발생 확률
RBB 또는 RRB	1	$\dfrac{1}{6}\times\dfrac{2}{3}\times2+\dfrac{1}{6}\times\dfrac{2}{3}\times2=\dfrac{4}{9}$
RB	2	$\dfrac{1}{6}\times\dfrac{1}{3}\times2=\dfrac{1}{9}$
RRBB	4	$\dfrac{2}{3}\times\dfrac{2}{3}=\dfrac{4}{9}$

● 참가자가 이 게임에 참여하여 받을 수 있는 선물 개수의 기댓값은 다음과 같다.

$$\text{기댓값}=1\times\dfrac{4}{9}+2\times\dfrac{1}{9}+4\times\dfrac{4}{9}=\dfrac{22}{9}$$

13. 2022학년도 중앙대 모의 논술 [인문사회]

[문제 1] 제시문 (가), (나), (다), (라)에서 등장인물이 눈물을 흘리는 '이유'와 이를 계기로 등장인물에게 나타난 '변화'를 각각 찾아 하나의 완성된 글로 논술하시오. [40점, 550-570자]

제시문 (가)～(라)에는 다양한 상황에 처한 사람들이 눈물을 흘리면서 변화하는 모습이 나타난다. (가)의 남자 김 씨가 손수 짜장면을 만든 것에 대해 성취감을 느끼면서 삶의 희망을 발견하여 눈물을 흘렸고, 이를 계기로 세상과의 단절에서 벗어나고자 타인과의 소통을 시도하게 된다. (나)의 남매는 늘 친구처럼 함께 지내던 암소와 예기치 않은 이별을 했기에 슬픔의 눈물을 흘렸고, 이로 인해 부와 권력을 가진 자들의 탐욕을 인식하고 야비한 세상에 반감을 가지게 되었다. (다)의 화자는 이가 빠지자 일상생활의 불편함을 느끼고 책 읽기를 멈추어 자기수양에 나태해졌기에 슬퍼했지만, 이를 계기로 자신의 삶을 되돌아보고 나이듦의 불편함이 오히려 이로울 수 있다는 삶의 지혜를 얻게 된다. (라)의 황진이는 죽음으로 보여준 총각의 진정한 사랑에 공감했기 때문에 애도의 눈물을 흘렸고 그의 사랑에 대한 보답으로 더 이상 다른 사람을 사랑하지 않겠다는 결심을 한다. 이처럼 사람들은 성취감, 이별의 아픔, 서글픔, 공감 등의 이유로 눈물을 흘리고, 이를 계기로 일어난 중요한 변화는 타인과의 소통, 현실 인식, 깨달음, 결단 등이다. (569자)

[문제 2] '공감'이라는 측면에서 제시문 (마)와 (바)의 차이를 서술하고, 제시문 (바)에서 언급된 '도전자'가 기부행위를 할 때 고려할 점을 제시문 (라)와 (사)를 활용하여 서술하시오. [40점, 550-570자]

(마)와 (바)를 공감의 측면에서 살펴보면, (마)에서는 독서라는 간접 경험을 통해 소설 속 인물에 감정을 이입하는 공감이 나타나고, (바)에서는 얼음물을 뒤집어쓰는 체험을 통해 환자의 육체적 고통을 느껴보는 공감이 드러난다. 또한 (마)는 허구의 인물에 대한 공감이 불안과 반항을 겪는 청소년의 과도기적인 특성을 이해하는 인식으로 확장되는 과정을 보여준다면, (바)는 개인의 공감 행위가 다른 사람들의 관심과 동참으로 이어져 기부가 사회적으로 확산되는 과정을 서술한다. (바)의 도전자가 기부를 할 때 고려할 점을 (라)와 (사)에서 찾으면, 깊은 공감, 지속적 관심, 사회적 연대의식이다. (라)의 황진이는 자신을 사랑하다 죽은 자가 겪었을 고통을 온전히 느끼고 있다. 도전자도 이처럼 환자의 처지에서 그들의 아픔에 공감하는 것이 기부활동의 전제임을 생각해야 한다. (사)의 시적 화자는 다른 사람의 불행에 무관심한 이기적인 삶을 비판하고 소외된 이웃에 대한 관심을 촉구한다. 이를 고려할 때 도전자는 고통 받는 이웃과 평등한 위치에서 이들의 아픔에 지속적인 관심을 갖고, 더불어 사는 삶의 가치를 생각해야 한다. (569자)

[문제 3] 제시문 (아)에서 언급된 순자의 철학이 가질 수 있는 한계를 제시문 (자)의 논지를 토대로 서술하시오. [20점, 400-420자]

(아)에서 순자는 인간의 본성은 비록 악하지만 개인의 의지를 통해 선하게 될 수 있다고 보았다. 하지만 (자)의 두 이론에 따르면, 순자의 철학은 일정한 한계를 가질 수 있다. 먼저 머튼에 의하면, 사람들은 본성에 관계없이 합법적 수단이 없을 경우 성공하기 위해 일탈 행위를 저지를 수도 있다. 이런 관점에서 인간의 악한 행위를 의지적 실천으로 제어할 수 있다는 순자의 철학은 불평등한 사회적 구조로 인해 악이 발생할 수 있다는 점을 간과한다. 또한 낙인이론에 의하면, 인간은 일탈자로 사회적 낙인이 찍히면 스스로 일탈자임을 내면화하여 자신의 의지와 관계없이 악행을 반복할 가능성이 높다 이 관점에서 보자면 순자의 철학은 전과자가 아무리 선하게 살려고 노력해도 사회적 편견으로 인해 다시 범죄자가 될 수밖에 없는 점을 살피지 못한 한계가 있다. (417자)

14. 2022학년도 중앙대 모의 논술 [경영경제]

[문제 1] 제시문 (가), (나), (다), (라)에서 등장인물이 눈물을 흘리는 '이유'와 이를 계기로 등장인물에게 나타난 '변화'를 각각 찾아 하나의 완성된 글로 논술하시오. [40점, 550-570자]

제시문 (가)~(라)에는 다양한 상황에 처한 사람들이 눈물을 흘리면서 변화하는 모습이 나타난다. (가)의 남자 김 씨가 손수 짜장면을 만든 것에 대해 성취감을 느끼면서 삶의 희망을 발견하여 눈물을 흘렸고, 이를 계기로 세상과의 단절에서 벗어나고자 타인과의 소통을 시도하게 된다. (나)의 남매는 늘 친구처럼 함께 지내던 암소와 예기치 않은 이별을 했기에 슬픔의 눈물을 흘렸고, 이로 인해 부와 권력을 가진 자들의 탐욕을 인식하고 야비한 세상에 반감을 가지게 되었다. (다)의 화자는 이가 빠지자 일상생활의 불편함을 느끼고 책 읽기를 멈추어 자기수양에 나태해졌기에 슬퍼했지만, 이를 계기로 자신의 삶을 되돌아보고 나이듦의 불편함이 오히려 이로울 수 있다는 삶의 지혜를 얻게 된다. (라)의 황진이는 죽음으로 보여준 총각의 진정한 사랑에 공감했기 때문에 애도의 눈물을 흘렸고 그의 사랑에 대한 보답으로 더 이상 다른 사람을 사랑하지 않겠다는 결심을 한다. 이처럼 사람들은 성취감, 이별의 아픔, 서글픔, 공감 등의 이유로 눈물을 흘리고, 이를 계기로 일어난 중요한 변화는 타인과의 소통, 현실 인식, 깨달음, 결단 등이다. (569자)

[문제 2] '공감'이라는 측면에서 제시문 (마)와 (바)의 차이를 서술하고, 제시문 (바)에서 언급된 '도전자'가 기부행위를 할 때 고려할 점을 제시문 (라)와 (사)를 활용하여 서술하시오. [40점, 550-570자]

(마)와 (바)를 공감의 측면에서 살펴보면, (마)에서는 독서라는 간접 경험을 통해 소설 속 인물에 감정을 이입하는 공감이 나타나고, (바)에서는 얼음물을 뒤집어쓰는 체험을 통해 환자의 육체적 고통을 느껴보는 공감이 드러난다. 또한 (마)는 허구의 인물에 대한 공감이 불안과 반항을 겪는 청소년의 과도기적인 특성을 이해하는 인식으로 확장되는 과정을 보여준다면, (바)는 개인의 공감 행위가 다른 사람들의 관심과 동참으로 이어져 기부가 사회적으로 확산되는 과정을 서술한다. (바)의 도전자가 기부를 할 때 고려할 점을 (라)와 (사)에서 찾으면, 깊은 공감, 지속적 관심, 사회적 연대의식이다. (라)의 황진이는 자신을 사랑하다 죽은 자가 겪었을 고통을 온전히 느끼고 있다. 도전자도 이처럼 환자의 처지에서 그들의 아픔에 공감하는 것이 기부활동의 전제임을 생각해야 한다. (사)의 시적 화자는 다른 사람의 불행에 무관심한 이기적인 삶을 비판하고 소외된 이웃에 대한 관심을 촉구한다. 이를 고려할 때 도전자는 고통 받는 이웃과 평등한 위치에서 이들의 아픔에 지속적인 관심을 갖고, 더불어 사는 삶의 가치를 생각해야 한다. (569자)

※ 다음 상황에 기초하여 문제에 답하시오.

- 평소 도자기 공예에 관심이 많은 영희는 찰흙으로 도자기 컵과 도자기 그릇을 만들어 판매하여 그 이익을 전액 기부하려고 한다. 영희는 최대 4시간까지 도자기 작업을 수행할 수 있고, 400g의 찰흙을 보유하고 있다.
- 찰흙으로 도자기 컵 한 개를 만들 때 소요되는 시간은 10분이고, 이때 필요한 찰흙의 양은 40g이다.
- 찰흙으로 도자기 그릇 한 개를 만들 때 소요되는 시간은 20분이고, 이때 필요한 찰흙의 양은 10g이다.
- 영희가 만든 도자기 컵 한 개가 판매될 확률은 0.5이고, 도자기 그릇 한 개가 판매될 확률은 0.2이다. 이때 도자기 컵과 그릇은 각각 독립적으로 판매된다고 가정한다.
- 도자기 컵 한 개를 판매할 때 얻을 수 있는 이익은 개당 4,000원이고, 도자기 그릇 한 개를 판매할 때 얻을 수 있는 이익은 개당 5,000원이다.

[문제 3] 영희가 이익의 기댓값을 최대로 하기 위해 만들어야 하는 도자기 컵과 그릇의 개수를 각각 구하시오. 그리고 이때 영희가 얻을 수 있는 이익의 기댓값을 구하시오. [20점]

▶ 영희가 만들 수 있는 도자기 컵의 개수를 X_1, 도자기 그릇의 개수를 X_2라고 하면 다음과 같은 제약조건을 고려할 수 있다.
- 시간에 대한 조건: $10X_1 + 20X_2 \leq 240 \Rightarrow X_1 + 2X_2 \leq 24$
- 찰흙의 양에 대한 조건: $40X_1 + 10X_2 \leq 400 \Rightarrow 4X_1 + X_2 \leq 40$

▶ 두 제약조건을 그래프로 표현하면 다음과 같다.

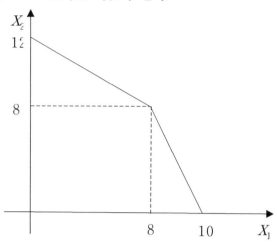

▶ 이때 도자기 컵의 판매개수 Y_1은 이항분포 $Y_1 \sim B(X_1, 0.5)$를 따르고, 도자기 그릇의 판매개수 Y_2는 이항분포 $Y_2 \sim B(X_2, 0.2)$를 따른다.

▶ 영희가 만든 도자기 컵과 도자기 그릇의 판매에 대한 이익의 기댓값(S)은 다음과 같이 계산할 수 있다.

$$S = E[4000 Y_1 + 5000 Y_2] = 4000 E[Y_1] + 5000 E[Y_2]$$
$$= 4000 \times 0.5 X_1 + 5000 \times 0.2 X_2$$
$$= 2000 X_1 + 1000 X_2$$

▶ 영희가 얻을 수 있는 이익의 기댓값은 다음의 그래프와 같이 직선 $X_2 = -2X_1 + \dfrac{S}{1000}$ 이 점 $(8, 8)$을 지날 때 최대가 된다.

▶ 즉, $X_1 = 8$, $X_2 = 8$일 때 $S = 2000 \times 8 + 1000 \times 8 = 24000$(원)의 이익을 얻게 된다. 따라서 도자기 컵 8개와 도자기 그릇 8개를 만들 때 영희의 이익의 기댓값은 최대가 되고, 이때의 이익의 기댓값은 $24,000$(원)이 된다.

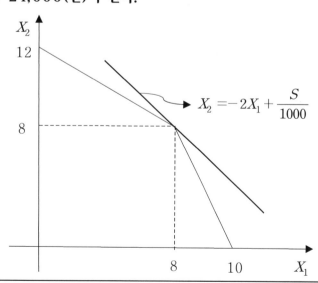

$$X_2 = -2X_1 + \frac{S}{1000}$$

15. 2021학년도 중앙대 수시 논술 [인문사회Ⅰ]

[문제 1] 제시문 (가)~(라)에서는 다양한 의사결정이 나타난다. 제시문 (가), (나), (다), (라)에서 의사결정을 내린 '이유'와 그 결정으로 인해 초래된 '결과'를 찾아 하나의 완성된 글로 논술하시오. [40점, 550-570자]

> 각 제시문에는 의사결정을 내린 이유와 그 결정이 초래한 결과가 다양하게 나타난다. (가)의 사람들은 타인의 선택을 고려하지 않고 자신의 이익을 극대화하는 상대적 최적화 원리에 따라 지름길을 결정한다. 그 결과 모든 사람이 같은 선택을 하여 교통 체증이 심해진다. (나)의 P는 갑작스러운 아들 양육 통보와 지식인으로서의 삶을 되돌아보고 아들을 인쇄소로 보내는 결정 후 양육 부담의 완화로 안도하지만 아들에 대한 안쓰러움, 인생에 대한 허탈감을 동시에 느낀다. (다)의 아버지는 땅과 고향을 가족과 삶의 터전이라는 신념으로 땅을 팔지 않기로 한다. 그 결정으로 아버지와 아들은 생각 차이를 확인하고, 부자간 심리적 결별을 예감하면서 공허감, 안타까움을 느낀다. (라)에서 장남은 군청의 요구로 촉발된 가족 갈등의 해소를 위해 이장을 결정하고 그 결과 가족들은 물리적 공간이 아닌 어머니가 계신 곳을 고향으로 여겨 이장을 결정한 장남의 제안을 수용한다. 결론적으로 상대적 최적화, 회한, 신념, 가족 갈등의 해결을 이유로 내린 의사결정은 교통 체증, 허탈감, 공허감, 장남의 인식 변화를 수용하는 결과를 가져왔다. (566자)

[문제 2] 제시문 (라)에 나타난 '면장'의 행동을 제시문 (마)를 토대로 서술하고, '면장'이 직무를 수행할 때 갖춰야 할 자세를 제시문 (바)와 (사)의 논지를 통합적으로 고려하여 서술하시오. [40점, 550-570자]

> (마)에서 관료제 조직의 특징인 분업화, 서열화된 위계, 규칙과 절차가 면장의 행동을 통해 알 수 있다. 자동차 도로를 만들기 위해 필요한 업무 중, 면장은 군청이 지시한 업무만을 수행하는 것은 분업화에 해당한다. 면장이 군청에서 내려온 지시를 따르고, 결과를 보고하는 행위에서 서열화 된 위계에 따라 업무를 수행하고 있음을 알 수 있다. 절차에 따라 이장 공지를 하고, 시간 내에 일을 마무리 하려고 하고, 묘지의 강제 이장 가능성을 언급하는 모습을 통해 업무 처리과정에서 면장이 자신의 판단과 재량보다는 규칙과 절차에 따라 업무를 수행하고 있다. (바)와 (사)를 통합적으로 고려할 때, 면장은 공직자로서 지역 주민에 대한 봉사 정신, 일을 수행함에 있어 공정함, 자신의 일에 대한 사명감의 자세를 가지고 일하는 가운데 개인과 지역사회 전체의 조화를 고려해야 한다. 특히 면장은 이장을 통해서 지역 주민과 그 지역 사회가 누릴 수 있는 혜택을 충분히 성찰함과 동시에, 가족들에게 절차와 규정을 강조하면서도, 그들의 자유와 권리를 가능한 한 보장할 수 있는 방안을 함께 고려하여 직무를 수행하는 자세가 필요하다. (568자)

[문제 3] 제시문 (다)의 창섭 아버지와 제시문 (아)의 강 노인이 땅에 부여한 의미의 차이를 서술하고, 자식들이 강 노인과의 갈등을 해결하기 위해 필요한 방법을 제시문 (자)를 활용하여 서술하시오. [20점, 400-420자]

> (다)의 창섭 아버지는 땅을 자신의 소유물이 아닌 조상의 노력에 의한 결실이며, 이해타산에 의해 처분할 수 없는 천지만물의 근거로 생각한다. 반면, (아)의 강 노인은 땅을 노

력한 대가를 얻을 수 있는 대상으로 생각하고, 땅을 팔아버렸던 허망한 경험을 통해 얼마 남지 않은 땅이라도 소유하고 있다는 데 위안을 느낀다. (자)의 월드컵 개최국 선정 과정을 활용해 (아)의 갈등 해결 방법을 살펴보면, 자식들은 가족들의 경제적 상황을 개선하기 위해 땅을 처분하자는 주장에서 한발 물러나 모두에게 도움이 되는 대안을 수용할 의사가 있음을 전달해야 한다. 강 노인이 이를 거부할 경우, 자식들은 가족의 화합을 위해 어머니가 모두를 만족시킬 수 있는 대안을 제안하도록 요청하고, 주변 사람들의 지지를 이끌어 냄으로써 강 노인의 생각을 변화시킬 필요가 있다. (418자)

16. 2021학년도 중앙대 수시 논술 [인문사회Ⅱ]

[문제 1] 제시문 (가)~(라)에서는 '정'이 다양하게 나타난다. 제시문 (가), (나), (다), (라)에서 등장인물이 정을 주는 이유와 이들이 느끼는 감정을 찾아 하나의 완성된 글로 논술하시오. [40점, 550-570자]

(가)~(라)는 특정 상황에서 정을 주며 느끼는 다양한 감정을 보여준다. (가)의 노인은 고단함과 외로움 속에서 우연히 만난 새가 자신처럼 힘겨운 상황에 있다고 느꼈기 때문에 정을 준다. 여기서 작은 위안을 얻었던 노인은 떠나간 새에게 자신의 처지를 투영한 동정과 함께 미안함을 느낀다. (나)의 부인은 바늘이 오랜 세월 벗이 되어 외로움을 달래주고 가계에 도움을 주며 사람과 달리 변치 않는 모습을 보여주었기 때문에 정을 준다. 그런데 애정을 가졌던 바늘이 부러진 후 상실감으로 인해 슬픈 애도의 감정을 느낀다. (다)의 화자는 사랑하였던 임에게 버림받았음에도 절대적인 임을 잊지 못해 일방적인 정을 쏟는다. 이때 표출되는 감정은 대상을 향한 사무치는 그리움인 연정이다. (라)의 부부는 일상과 삶의 희로애락을 공유해 온 배우자의 죽음을 앞두고 정을 더 이상 나눌 수 없다는 안타까움에서 정을 표현한다. 이때 부부는 슬픔, 안타까움, 고마움, 사랑 등이 뒤섞인 감정을 느낀다. 결론적으로 사람은 외로움, 상실감, 사모, 이별 등의 이유로 정을 주고, 이때 동정, 애정, 추모, 연정, 슬픔, 사랑 등의 감정을 느낀다. (569자)

[문제 2] 제시문 (라)를 토대로 제시문 (마)의 '무정한 사회'가 '다정한 사회'로 나아가기 위한 조건을 서술하고, 제시문 (마)의 '다정한 사회'가 이루어진 후 우리 사회가 더욱 발전하기 위해 갖춰야 할 조건을 제시문 (바)와 (사)의 논지를 통합하여 서술하시오. [40점, 550-570자]

(마)에 따르면 대한사회가 무정한 사회로 전락한 이유는, 사회적 합의의 기반인 인간관계가 정의 없이 관습, 유교적 허례, 권위 등에 의해 맺어져서 갈등이 만연했기 때문이다. 이를 극복하여 다정한 사회로 가려면, (라)의 부부 사례처럼 상호배려를 기반으로 사랑의 마음을 표현하는 진술한 인간관계가 형성돼야 한다. 이렇게 개인 간 정의가 쌓여 다정한 사회가 된 후, 우리 사회가 더 발전해 나가기 위해서 필요한 조건은, (바)에 따르자면, 사람이 대등한 위치에서 대화에 참여함으로써 갈등을 극복하고 합의에 이르는 의사소통의 장을 마련하는 것이다. 여기서 합리적 의사 소통에 인간의 감정에 대한 고려가 보완되어야 하는데, (사)에 따르면 이때의 감정은 주관적 감정을 넘어 타인과 공유할 수 있는 사회적 감정이다. 이성은 도덕적 방향만을 제시할 뿐 실천으로 이어지지 않기 때문에 도덕적 행위를

가능케 하는 사회적 감정의 역할이 중요하다. 따라서 공감 능력 역시 사회발전을 위한 또 다른 조건이다. 요약하면 다정한 인간관계를 기반으로 의사소통적 이성과 사회적 감정이 통합될 때, 우리 사회는 좀 더 성숙한 방향으로 나갈 수 있다. (570자)

[문제 3] 제시문 (자)의 문제에 대처하는 데 있어 제시문 (아)의 형식적 의미의 죄형 법정주의가 갖는 한계를 서술하고, 제시문 (아)의 실질적 의미의 죄형 법정주의를 실행하기 위해 필요한 사회적인 조건을 제시문 (사)를 토대로 서술하시오. [20점, 400-420자]

(자)에 따르면 정보화로 인적 교류가 확대되고 일상생활이 편리해졌으나, 사이버 범죄와 같은 새로운 사회 문제가 발생하고 있다. (아)의 형식적 의미의 죄형법정주의는 법률로 미리 규정한 내용만 범죄로 처벌할 수 있기 때문에 (자)에서 나타나는 문제에 적절하게 대처하기 어렵고, 기존 법률 규정을 적용할 경우 과도한 처벌이 발생할 수 있는 한계가 있다. 한편, 입법자 및 법관의 자의로부터 국민의 자유와 권리를 보호하는데 목적이 있는 실질적 의미의 죄형법정주의는 전체 구성원들이 옳고 그름에 대한 개인적 감정을 넘어 사회적 감정을 형성할 때 실현될 수 있다고 본다. 법률 내용의 적정성에 대한 사회적 감정의 형성은 구성원들의 옳고 그름에 대한 공감을 필요로 하는데 이를 위해서는 인간 본성 안에 내재되어 있는 보편적 원리가 작동되도록 해야 한다. (417자)

17. 2021학년도 중앙대 수시 논술 [경영경제 I]

[문제 1] 제시문 (가), (나), (다), (라)에서 돌봄의 '동기와 결과'를 찾아 하나의 완성된 글로 논술하시오. [40점, 550-570자]

(가)~(라)에는 돌봄의 다양한 동기와 결과가 나타난다. (가)에서 어머니는 자식에 대한 그리움으로 다람쥐를 자식과 동일시하며 돌본다. 그 결과 어머니는 외로움을 달래고 삶의 활력을 되찾았으나 다람쥐는 먹이를 스스로 구하는 능력을 점점 잃게 된다. (나)에서 만석은 가난하고 소외된 송 씨에 대한 연민과 관심으로 송 씨 삶의 짐을 덜어 주기 위한 호의를 베푼다. 그 결과 송 씨는 사회의 일원으로서 인정받는 기쁨을 느끼고 만석에 대한 마음을 열게 된다. (다)에서 사회복지제도는 자본주의 사회의 구조적 모순으로 발생하는 문제를 해결할 필요성에서 등장했다. 그 결과 개인은 최소한의 인간다운 삶을 살 수 있고 사회 전체가 안정되고 통합될 수 있다. (라)에서 '나'는 시어머니도 한 생명으로서 존중받아 마땅하다는 깨달음으로 가식 없이 시어머니를 돌본다. 그 결과 '나'는 정서적 안정을 되찾고 시어머니와의 관계가 돈독해진다. 이처럼 돌봄의 동기는 그리움, 연민과 관심, 사회문제 해결 필요성, 깨달음 등으로 다양하고, 돌봄은 활력 회복과 자생력 상실, 관계 발전, 사회 안정과 통합, 정서 안정과 친밀감 등을 가져온다. (570자)

[문제 2] 제시문 (마)에서 언급된 로봇의 돌봄을 기능적 차원에서 서술하고, 제시문 (바)와 (사)를 통합적으로 고려하여 돌봄 행위자로서 (라)의 '나'가 (마)의 로봇과 어떻게 다른지 서술하시오. [40점, 550-570자]

(마)의 로봇은 대상의 얼굴 표정, 목소리와 움직임을 관찰하고 이를 토대로 감정과 건강 상태를 판단하여 정해진 방식에 따라 정서적 위안과 일상 유지에 필요한 서비스를 동일하게 제공하는 기능을 갖추고 있다. (바)와 (사)에 따르면, 인간은 삶에서 느끼는 고통을 벗

어나기 위해 생존에 필요한 유연성과 창의성을 발휘하는 감정적이고 의지적인 존재이며 자신의 경험을 주체적으로 해석하고 자신의 행동과 판단을 비판적으로 성찰하여 보편적 가치를 추구하는 존재이다. 이를 통합적으로 고려하여 (라)의 '나'를 설명하면, 관찰에 근거해 반응적 판단을 하는 (마)의 로봇과 달리, (라)의 '나'는 시어머니와의 경험을 회상하면서 다시 느끼게 된 기쁨의 감정과 반성적 의지로 시어머니를 존중하며 돌보겠다는 윤리적 선택을 스스로 한다. 또한 (마)의 로봇은 정해진 방식대로 서비스를 제공하지만, (라)의 '나'는 돌봄 행위에서 비롯되는 힘듦에 유연하게 대처하면서 정성껏 돌보는 새로운 방식을 찾아낸다. 돌보는 상대와 정서적 관계를 형성하고 자신의 돌봄 행위를 성찰하면서 만족감 등의 감정을 느낄 수 있다는 점에서도 '나'는 로봇과 다르다. (570자)

※ 다음 상황에 기초하여 문제에 답하시오.

(가) 중앙마트는 매주 총 수익의 10%를 이웃 돕기 후원금으로 기부한다.
(나) 주중(월~금)에 방문한 고객에 대한 기대 수익은 고객 1인당 5만 원이고, 주말(토, 일)에 방문한 고객에 대한 기대 수익은 고객 1인당 10만 원이다.
(다) 중앙마트에 오는 모든 고객은 전용 주차장에 주차한 후에 방문한다.
(라) 이번 주 중앙마트 전용 주차장에 주차한 차량의 총 대수는 아래와 같다.

요일	월	화	수	목	금	토	일
주차 차량 대수	20	10	20	30	20	70	50

(마) 차량 한 대에 타고 있는 고객의 수는 요일과 관계없이 아래 확률분포를 따른다.

사람의 수 (명)	1	2	3	4	5
확률	0.1	0.3	0.2	0.3	0.1

[문제 3] 다음 주 중앙마트가 기부할 이웃 돕기 후원금의 기댓값(단위: 만 원)을 구하시오. 단, 다음 주 중앙마트 전용 주차장에 주차하는 차량의 총 대수 정보는 이번 주와 동일하다고 가정한다. [20점, 원고지 작성법을 준수할 필요 없음]

● 차량 한 대에 타고 있는 사람 수를 확률 변수 X라고 할때, X의 기댓값 $(E(X))$은 이다.

$$E(X) = (1 \times 0.1) + (2 \times 0.3) + (4 \times 0.3) + (5 \times 0.1) = 3이다.$$

● 차량 한 대당 수익은 주중에 주차한 차량의 경우에는 주중 1인당 기대 수익인 5를 곱하여 $5X$, 주말에 주차한 차량의 경우에는 주말 1인당 기대 수익인 10을 곱하여 $10X$로 생각할 수 있다.

● 주중에 주차한 차량의 총 수는 100대, 주말에 주차한 차량의 총 수는 120대이므로, 주중과 주말별로 기대 수익을 나누어 계산할 수 있다.
 - 주중: 주중(월, 화, 수, 목, 금)의 기대 수익은 차량 100대에 주중의 차량 한 대당 수익을 곱한 확률변수의 기댓값이며, $E(100 \times 5X) = 500E(X) = 1500$만 원이 된다.
 - 주말: 주말(토, 일)의 기대 수익은 차량 120대에 주말의 차량 한 대당 수익을 곱한 확률변수의 기댓값이며, $E(120 \times 10X) = 1200E(X) = 3600$만 원이 된다.

따라서 중앙마트의 주간 기대 수익은 주중과 주말 기대 수익의 합인 5100만 원이다.

위의 과정은 아래와 같이 요일별로 기댓값을 구하고 이를 합해도 동일한 결과를 얻는다.

- **월요일:** $E(20 \times 5X) = 100E(X) = 300$
- **화요일:** $E(10 \times 5X) = 50E(X) = 150$
- **수요일:** $E(20 \times 5X) = 100E(X) = 300$
- **목요일:** $E(30 \times 5X) = 150E(X) = 450$
- **금요일:** $E(20 \times 5X) = 100E(X) = 300$
- **토요일:** $E(70 \times 10X) = 700E(X) = 2100$
- **일요일:** $E(50 \times 10X) = 500E(X) = 1500$

따라서 중앙마트의 주간 기대 수익은 요일별 기대 수익의 합인 5100만 원이다.

● 후원금은 중앙마트의 주간 기대 수익의 10%인 510만 원이 된다.

18. 2021학년도 중앙대 수시 논술 [경영경제 II]

[문제 1] 제시문 (가)~(라)에서는 '정'이 다양하게 나타난다. 제시문 (가), (나), (다), (라)에서 등장인물이 정을 주는 이유와 이들이 느끼는 감정을 찾아 하나의 완성된 글로 논술하시오. [40점, 550-570자]

(가)~(라)는 특정 상황에서 정을 주며 느끼는 다양한 감정을 보여준다. (가)의 노인은 고단함과 외로움 속에서 우연히 만난 새가 자신처럼 힘겨운 상황에 있다고 느꼈기 때문에 정을 준다. 여기서 작은 위안을 얻었던 노인은 떠나간 새에게 자신의 처지를 투영한 동정과 함께 미안함을 느낀다. (나)의 부인은 바늘이 오랜 세월 벗이 되어 외로움을 달래주고 가계에 도움을 주며 사람과 달리 변치 않는 모습을 보여주었기 때문에 정을 준다. 그런데 애정을 가졌던 바늘이 부러진 후 상실감으로 인해 슬픈 애도의 감정을 느낀다. (다)의 화자는 사랑하였던 임에게 버림받았음에도 절대적인 임을 잊지 못해 일방적인 정을 쏟는다. 이때 표출되는 감정은 대상을 향한 사무치는 그리움인 연정이다. (라)의 부부는 일상과 삶의 희로애락을 공유해 온 배우자의 죽음을 앞두고 정을 더 이상 나눌 수 없다는 안타까움에서 정을 표현한다. 이때 부부는 슬픔, 안타까움, 고마움, 사랑 등이 뒤섞인 감정을 느낀다. 결론적으로 사람은 외로움, 상실감, 사모, 이별 등의 이유로 정을 주고, 이때 동정, 애정, 추모, 연정, 슬픔, 사랑 등의 감정을 느낀다. (569자)

[문제 2] 제시문 (라)를 토대로 제시문 (마)의 '무정한 사회'가 '다정한 사회'로 나아가기 위한 조건을 서술하고, 제시문 (마)의 '다정한 사회'가 이루어진 후 우리 사회가 더욱 발전하기 위해 갖춰야 할 조건을 제시문 (바)와 (사)의 논지를 통합하여 서술하시오. [40점, 550-570자]

(마)에 따르면 대한사회가 무정한 사회로 전락한 이유는, 사회적 합의의 기반인 인간관계가 정의 없이 관습, 유교적 허례, 권위 등에 의해 맺어져서 갈등이 만연했기 때문이다. 이를 극복하여 다정한 사회로 가려면, (라)의 부부 사례처럼 상호배려를 기반으로 사랑의 마음을 표현하는 진솔한 인간관계가 형성돼야 한다. 이렇게 개인 간 정의가 쌓여 다정한 사회가 된 후, 우리 사회가 더 발전해 나가기 위해서 필요한 조건은, (바)에 따르자면, 사람이 대등한 위치에서 대화에 참여함으로써 갈등을 극복하고 합의에 이르는 의사소통의 장을

마련하는 것이다. 여기서 합리적 의사 소통에 인간의 감정에 대한 고려가 보완되어야 하는데, (사)에 따르면 이때의 감정은 주관적 감정을 넘어 타인과 공유할 수 있는 사회적 감정이다. 이성은 도덕적 방향만을 제시할 뿐 실천으로 이어지지 않기 때문에 도덕적 행위를 가능케 하는 사회적 감정의 역할이 중요하다. 따라서 공감 능력 역시 사회발전을 위한 또 다른 조건이다. 요약하면 다정한 인간관계를 기반으로 의사소통적 이성과 사회적 감정이 통합될 때, 우리 사회는 좀 더 성숙한 방향으로 나갈 수 있다. (570자)

※ 다음 상황에 기초하여 문제에 답하시오.

(가) 동굴에 갇혀 있는 관광객을 구조하기 위해 한 명의 구조원이 파견되었다.

(나) 구조원이 동굴 안에 들어갔을 때, 아래와 같은 코스 A, B, C, D의 갈림길이 나타났다.

구조원이 코스 A, B, C를 선택하는 경우, 관광객을 만나지 못하고 각각 4시간, 3시간, 2시간 후 출발 장소(갈림길)로 돌아온다.

구조원이 코스 D를 선택하는 경우, 1시간 후 관광객이 갇혀 있는 장소에 도착한다.

(다) 구조원이 출발 장소(갈림길)에서 각 코스를 선택할 확률은 동일하다.

(라) 코스를 잘못 선택하여 출발 장소(갈림길)로 돌아온 경우, 선택했던 코스는 다시 선택하지 않는다.

[문제 3] 구조원이 출발 장소(갈림길)로부터 관광객이 갇혀 있는 장소까지 도착하는 데 소요되는 시간의 기댓값을 구하시오. [20점, 원고지 작성법을 준수할 필요 없음]

● 관광객이 갇혀 있는 장소에 도달하는 데 소요되는 시간을 확률변수 X라고 할 때, 확률분포는 아래 표와 같이 계산된다.

소요되는 시간(X)	확률	방문 코스들
1	$\dfrac{1}{4}$	D
3	$\dfrac{1}{4} \times \dfrac{1}{3} = \dfrac{1}{12}$	CD
4	$\dfrac{1}{4} \times \dfrac{1}{3} = \dfrac{1}{12}$	BD
5	$\dfrac{1}{4} \times \dfrac{1}{3} = \dfrac{1}{12}$	AD
6	$2! \times \dfrac{1}{4} \times \dfrac{1}{3} \times \dfrac{1}{2} = \dfrac{1}{12}$	BCD (BC 순서 교환 가능)
7	$2! \times \dfrac{1}{4} \times \dfrac{1}{3} \times \dfrac{1}{2} = \dfrac{1}{12}$	ACD (AC 순서 교환 가능)
8	$2! \times \dfrac{1}{4} \times \dfrac{1}{3} \times \dfrac{1}{2} = \dfrac{1}{12}$	ABD (AB 순서 교환 가능)
10	$3! \times \dfrac{1}{4} \times \dfrac{1}{3} \times \dfrac{1}{2} \times 1 = \dfrac{1}{4}$	ABCD (ABC 순서 교환 가능)

● 확률계산 설명은 아래와 같다.

· $X=1$인 경우는 한 번에 코스 D를 선택하는 경우이며, 확률은 $\frac{1}{4}$이다.

· $X=3$인 경우는 코스 C에 이어서 코스 D를 선택하는 경우이며, 총 시간은 2 + 1 = 3 이 소요되고 확률은 $\frac{1}{4} \times \frac{1}{3} = \frac{1}{12}$이다.

· $X=4$인 경우는 코스 B에 이어서 코스 D를 선택하는 경우이며, 총 시간은 3 + 1 = 4 가 소요되고 확률은 $\frac{1}{4} \times \frac{1}{3} = \frac{1}{12}$이다.

· $X=5$인 경우는 코스 A에 이어서 코스 D를 선택하는 경우이며, 총 시간은 4 + 1 = 5 가 소요되고 확률은 $\frac{1}{4} \times \frac{1}{3} = \frac{1}{12}$이다.

· $X=6$인 경우는 코스 B와 C에 이어서 코스 D를 선택하는 경우이며, 총 시간은 3 + 2 + 1 = 6이 소요되고 B와 C의 방문 순서를 바꾸는 경우의 수(2!)를 곱하여 확률은 $2! \times \frac{1}{4} \times \frac{1}{3} \times \frac{1}{2} = \frac{1}{12}$이다.

· $X=7$인 경우는 코스 A와 C에 이어서 코스 D를 선택하는 경우이며, 총 시간은 4 + 2 + 1 = 7이 소요되고 A와 C의 방문 순서를 바꾸는 경우의 수(2!)를 곱하여 확률은 $2! \times \frac{1}{4} \times \frac{1}{3} \times \frac{1}{2} = \frac{1}{12}$이다.

· $X=8$인 경우는 코스 A와 B에 이어서 코스 D를 선택하는 경우이며, 총 시간은 4 + 3 + 1 = 8이 소요되고 A와 B의 방문 순서를 바꾸는 경우의 수(2!)를 곱하여 확률은 $2! \times \frac{1}{4} \times \frac{1}{3} \times \frac{1}{2} = \frac{1}{12}$이다.

· $X=10$인 경우는 코스 A와 B와 C에 이어서 코스 D를 선택하는 경우이며, 총 시간은 4 + 3 + 2 + 1 = 10이 소요되고 A와 B와 C의 방문 순서를 바꾸는 경우의 수(3!)를 곱하여 확률은 $3! \times \frac{1}{4} \times \frac{1}{3} \times \frac{1}{2} \times 1 = \frac{1}{4}$이다.

● 해당 표로부터 기댓값을 계산하면,

$$E(X) = \left\{1 \times \frac{1}{4}\right\} + \left\{(3+4+5) \times \frac{1}{12}\right\} + \left\{(6+7+8) \times \frac{1}{12}\right\} + \left\{10 \times \frac{1}{4}\right\} = \frac{66}{12} = \frac{11}{2} = 5.5 \text{로} \quad 5$$

시간 반이 된다.

19. 2021학년도 중앙대 모의 논술 [인문사회]

[문제 1] '상실의 원인'과 '상실의 결과'를 제시문 (가), (나), (다), (라)에서 각각 찾아 하나의 완성된 글로 논술하시오. [40점, 550-570자]

> (가)~(라)에는 상실의 원인과 결과가 다양하게 나타난다. (가)에는 삶의 터전과 가족 결속의 상실이 나타난다. 그 원인은 철거 계고장이라는 외부적 압력과 입주권을 살 수 없는 가난한 현실이며, 결과는 삶의 터전을 잃을 위기에서 드러난 가족의 좌절과 체념이다.

(나)에는 자아의 상실이 나타난다. 그 원인은 세상 유혹에 흔들리기 쉬운 자아를 붙잡아 둬야 한다는 생각으로 쫓아다녔기 때문이며, 결과는 자아를 굳건히 해야 한다는 깨달음이다. (다)에서 나타난 상실은 자연과의 교감 능력이다. 그 원인은 문명화와 과학화로 인한 인간과 자연의 분리이며, 결과는 인간이 자연과 서로 소통하지 못하고 조화를 이루지 못함이다. (라)에는 신념에 대한 확신의 상실이 나타난다. 그 원인은 분업화된 산업구조 속에서 노동의 가치와 의미에 대한 내적 갈등이며, 결과는 확신을 상실했으나 자신의 신념을 유지하는 삶을 선택하는 것이다. 이처럼 상실의 원인은 외부 압력과 가난, 세속적 자아, 인간과 자연의 분리, 노동과 삶의 의미에 대한 내적 갈등이며, 상실의 결과는 좌절과 체념, 자아 성찰, 불통과 부조화, 신념 고수 등으로 다양하다. (569자)

[문제 2] 제시문 (마)의 '노라의 주장'을 제시문 (바)의 논지에 근거하여 서술하고, 제시문 (라)의 자앙이 결정을 내리는 과정에서 참고할 점을 제시문 (바)와 (사)를 통합적으로 고려하여 서술하시오. [40점, 550-570자]

(마)의 노라는 헬멜의 관습적이고 이중적인 태도로 인해 아내의 역할에 의문을 품는다. 이는 자신이 처한 상황을 구체적으로 인식하는 실존적 자각이다. 이 상황에서 노라는 아내와 어머니의 역할을 포기하고 옳고 그름에 대해 스스로 판단하겠다고 주장함으로써 자기 삶을 주체적으로 결정하겠다는 의지를 드러낸다. 또한, 자신이 자유의 몸이 되면 헬멜도 남편의 의무로부터 해방된다고 주장함으로써 자기 삶을 스스로 책임지겠다는 자세를 보여 준다. 한편, (라)의 자앙은 내적 갈등의 상황에서 선택에 대한 비판적 사고 없이 기존의 삶을 유지하기로 한다. (바)와 (사)의 관점에서 보면, 보편적 규범을 맹목적으로 따르는 것은 문제를 해결하는 데 한계가 있다. 실존주의 관점에서 볼 때, 자앙은 창고지기로서 자신이 처한 상황을 직시하고 삶의 의미를 스스로 찾으려는 주체적 결단을 할 필요가 있다. 주체적 결단의 과정은 실용주의 관점에서 보완될 수 있다. 자앙은 운전수가 알려 준 제한된 정보와 자신의 막연한 생각에만 의존하지 말고 문제 해결에 유용한 지식과 실험적 시도를 통해 구체적인 대안을 찾아 자기 삶의 방향을 결정할 수 있어야 한다. (570자)

[문제 3] 제시문 (아)의 소수자 우대 정책과 도심 재개발 사업에서 공통적으로 나타나는 특징을 '목표와 결과의 관계'를 토대로 서술하고, 그 특징의 원인을 제시문 (자)에 근거하여 서술하시오. [20점, 400-420자]

(아)의 두 정책은 목표 달성에 따른 긍정적 효과가 있는 반면, 그에 따른 부작용이 초래될 수 있다는 공통점이 있다. 소수자 우대 정책은 차별 개선을 통해 기회균등을 확대하는 성과가 있으나 역차별이 발생할 수 있고, 도심 재개발은 토지 이용의 효율성과 시설의 기능성, 경제적 가치, 생활의 편의성과 같은 긍정적 효과가 있지만, 이주 갈등, 젠트리피케이션 등의 문제가 나타날 수 있다. (자)에 근거할 때 부작용의 원인은 유기체적 관계에서 고려해야 할 정책의 양면성을 간과했다는 것이다. 대대는 독립된 대상이 대립적이면서도 의존적인 관계라고 보는데, 대립적으로 보이는 소수자 집단과 다수 집단, 도심 개발과 환경 보존, 원거주민과 입주민의 관계가 유기체적 관계 속에서는 서로 의존적일 수밖에 없음에도 한 면만을 고려하여 정책을 추진했기 때문이다. (416자)

20. 2021학년도 중앙대 모의 논술 [경제경영]

[문제 1] '상실의 원인'과 '상실의 결과'를 제시문 (가), (나), (다), (라)에서 각각 찾아 하나의 완성된 글로 논술하시오. [40점, 550-570자]

> (가)~(라)에는 상실의 원인과 결과가 다양하게 나타난다. (가)에는 삶의 터전과 가족 결속의 상실이 나타난다. 그 원인은 철거 계고장이라는 외부적 압력과 입주권을 살 수 없는 가난한 현실이며, 결과는 삶의 터전을 잃을 위기에서 드러난 가족의 좌절과 체념이다. (나)에는 자아의 상실이 나타난다. 그 원인은 세상 유혹에 흔들리기 쉬운 자아를 붙잡아 둬야 한다는 생각으로 쫓아다녔기 때문이며, 결과는 자아를 굳건히 해야 한다는 깨달음이다. (다)에서 나타난 상실은 자연과의 교감 능력이다. 그 원인은 문명화와 과학화로 인한 인간과 자연의 분리이며, 결과는 인간이 자연과 서로 소통하지 못하고 조화를 이루지 못함이다. (라)에는 신념에 대한 확신의 상실이 나타난다. 그 원인은 분업화된 산업구조 속에서 노동의 가치와 의미에 대한 내적 갈등이며, 결과는 확신을 상실했으나 자신의 신념을 유지하는 삶을 선택하는 것이다. 이처럼 상실의 원인은 외부 압력과 가난, 세속적 자아, 인간과 자연의 분리, 노동과 삶의 의미에 대한 내적 갈등이며, 상실의 결과는 좌절과 체념, 자아 성찰, 불통과 부조화, 신념 고수 등으로 다양하다. (569자)

[문제 2] 제시문 (마)의 '노라의 주장'을 제시문 (바)의 논지에 근거하여 서술하고, 제시문 (라)의 자앙이 결정을 내리는 과정에서 참고할 점을 제시문 (바)와 (사)를 통합적으로 고려하여 서술하시오. [40점, 550-570자]

> (마)의 노라는 헬멜의 관습적이고 이중적인 태도로 인해 아내의 역할에 의문을 품는다. 이는 자신이 처한 상황을 구체적으로 인식하는 실존적 자각이다. 이 상황에서 노라는 아내와 어머니의 역할을 포기하고 옳고 그름에 대해 스스로 판단하겠다고 주장함으로써 자기 삶을 주체적으로 결정하겠다는 의지를 드러낸다. 또한, 자신이 자유의 몸이 되면 헬멜도 남편의 의무로부터 해방된다고 주장함으로써 자기 삶을 스스로 책임지겠다는 자세를 보여 준다. 한편, (라)의 자앙은 내적 갈등의 상황에서 선택에 대한 비판적 사고 없이 기존의 삶을 유지하기로 한다. (바)와 (사)의 관점에서 보면, 보편적 규범을 맹목적으로 따르는 것은 문제를 해결하는 데 한계가 있다. 실존주의 관점에서 볼 때, 자앙은 창고지기로서 자신이 처한 상황을 직시하고 삶의 의미를 스스로 찾으려는 주체적 결단을 할 필요가 있다. 주체적 결단의 과정은 실용주의 관점에서 보완될 수 있다. 자앙은 운전수가 알려 준 제한된 정보와 자신의 막연한 생각에만 의존하지 말고 문제 해결에 유용한 지식과 실험적 시도를 통해 구체적인 대안을 찾아 자기 삶의 방향을 결정할 수 있어야 한다. (570자)

※ 다음 조건에 기초하여 문제에 답하시오.

> (조건 1) 다른 사람과 관계를 맺어 친구가 되는 경우와 그렇지 않은 경우만 고려한다.
>
> (조건 2) 전체 인원은 N명이고, 각 사람은 3개 그룹 A, B, C 중 하나에만 속해 있다. 이때 그룹 B에 속한 인원은 그룹 A에 속한 인원의 2배이고, 그룹 C에 속한 인원은 그룹 B에 속한 인원의 2배이다.
>
> (조건 3) 그룹 A에 속한 사람들끼리 친구가 될 확률은 0.5, 그룹 B에 속한 사람들끼리 친구가 될 확률은 0.3, 그룹 C에 속한 사람들끼리 친구가 될 확률은 0.2이다.

(조건 4) 그룹 A에 속한 사람과 그룹 B에 속한 사람이 친구가 될 확률은 0.17, 그룹 A에 속한 사람과 그룹 C에 속한 사람이 친구가 될 확률은 0.12, 그룹 B에 속한 사람과 그룹 C에 속한 사람이 친구가 될 확률은 0.13이다.

[문제 3] 그룹 A에 속한 어떤 사람이 관계를 맺은 친구 수의 기댓값이, 그룹 B에 속한 어떤 사람이 관계를 맺은 친구 수의 기댓값보다 더 커지는 데 필요한 전체 인원 N의 최솟값을 구하시오. [20점, 원고지 작성법을 준수할 필요 없음]

· 먼저 다음과 같이 기호를 정의한다.

n_k: 그룹 $k(k=A, B, C)$에 속한 인원

D_k: 그룹 $k(k=A, B, C)$에 속한 어떤 사람의 친구 수

$E(D_k)$: 그룹 $k(k=A, B, C)$에 속한 어떤 사람의 친구 수의 기댓값

P_k: 그룹 $k(k=A, B, C)$에 속한 사람들 간에 친구가 될 확률

P_{km}: 그룹 k와 $m(k, m = A, B, C)$에 속한 사람 간에 친구가 될 확률

· 주어진 조건을 정리하면 다음과 같다.

(조건 2) : $n_B = 2n_A$, $n_C = 2n_B = 4n_A$, $N = n_A + n_B + n_C = 7n_A$

(조건 3) : $P_A = 0.5$, $P_B = 0.3$, $P_C = 0.2$

(조건 4) : $P_{AB} = 0.17$, $P_{AC} = 0.12$, $P_{BC} = 0.13$

· 그룹 A에 속한 어떤 사람에 대한 경우를 고려해 보자. 이 사람의 친구 수인 D_A의 기댓값 $E(D_A)$는 그룹 A에 속하는 친구 수의 기댓값, 그룹 B에 속하는 친구 수의 기댓값, 그리고 그룹 C에 속하는 친구 수의 기댓값의 합이 된다. 그룹 A에 속하는 친구 수의 기댓값은 본인을 제외한 A에 속하는 사람 수 $n_A - 1$명에 서로 친구가 될 확률 P_A를 곱한 값, 그룹 B에 속하는 친구 수의 기댓값은 B에 속하는 사람 수 n_B명에 서로 친구가 될 확률 P_{AB}를 곱한 값, 그리고 그룹 C에 속하는 친구 수의 기댓값은 C에 속하는 사람 수 n_C명에 서로 친구가 될 확률 P_{AB}를 곱한 값이 된다. 따라서 $E(D_A)$는 다음과 같이 계산된다. (각각을 이항분포의 평균 개념을 이용하여 유도할 수도 있다.)

$$E(D_A) = (n_A - 1)P_A + n_B P_{AB} + n_C P_{AC}$$
$$= (n_A - 1)P_A + 2n_B P_{AB} + 4n_C P_{AC}$$
$$= n_A \{P_A + 2P_{AB} + 4P_{AC}\} - P_A$$
$$= n_A \{0.5 + (2 \times 0.17) + (4 \times 0.12)\} - 0.5 = 1.32 n_A - 0.5$$

· 유사하게 그룹 B에 속한 어떤 사람에 대한 경우, 친구 수인 D_B의 기댓값 $E(D_B)$는 다음과 같이 계산된다.

$$E(D_B) = n_A P_{AB} + (n_B - 1)P_B + n_C P_{BC}$$
$$= n_A P_{AB} + (2n_A - 1)P_B + 4n_A P_{BC}$$
$$= n_A \{P_{AB} + 2P_B + 4P_{BC}\} - P_B$$
$$= n_A \{0.17 + (2 \times 0.3) + (4 \times 0.13)\} - 0.3 = 1.29 n_A - 0.3$$

· 그룹 A에 속한 사람의 전체 친구 수의 기댓값이 그룹 B에 속한 사람의 전체 친구 수의 기댓값보다 더 크다는 것은 $E(D_A) > E(D_B)$이기 때문에, 이를 만족하는 전체 인원 N의 조건은 다음과 같이 구할 수 있다.

$$E(D_A) > E(D_B) \Leftrightarrow 1.32n_A - 0.5 > 1.29n_A - 0.3$$
$$\Leftrightarrow 0.03n_A > 0.2$$
$$\Leftrightarrow n_A > 6.67$$

· n_A의 최솟값은 7(명)이고, 따라서 전체 인원 $N(= 7n_A)$의 최솟값은 49(명)이다.